Para comprender
LA
EVANGELIZACION

Casiano Floristán

EDITORIAL VERBO DIVINO
Avda. de Pamplona, 41
31200 ESTELLA (Navarra)
1993

Cubierta: *José Luis Zúñiga.*

© Casiano Floristán - © Editorial Verbo Divino, 1993. Printed in Spain. Fotocomposición: Cometip, S. L., Plaza de Los Fueros, 4. 31010 Barañain (Navarra) · Impresión: Gráficas Lizarra, S. L., Ctra. de Tafalla, km. 1. 31200 Estella (Navarra) · Depósito Legal: NA. 83-1993.

ISBN 84 7151 836 8

Contenido

Introducción

De acuerdo a los escritos del Nuevo Testamento, la misión evangelizadora de la Iglesia constituye el ministerio básico cristiano normativo para todos los creyentes. Este servicio ha sido puesto de relieve recientemente. La renovación misionera surgió en los países de cristiandad después de la segunda guerra mundial y cobró un gran impulso con el Vaticano II. El uso oficial del término *evangelización*, ya empleado antes del Concilio, se debió a la exhortación apostólica *Evangelii nuntiandi* de Pablo VI (1975) y a la Tercera Conferencia del CELAM en Puebla (1979). Posteriormente, Juan Pablo II ha divulgado el proyecto pastoral de la *nueva evangelización*, originado en los albores de la teología de la liberación y acuñado en la Segunda Conferencia del CELAM en Medellín (1968) como *re-evangelización*.

Dos factores fundamentales han influido en la reciente evangelización. El primero ha sido la *renovación pastoral* de la Iglesia a partir del Vaticano II, semejante a un despertar evangélico y evangelizador, puesto de relieve –según confirmó el Concilio– en «el movimiento bíblico y litúrgico, la predicación de la palabra de Dios y la catequesis, el apostolado seglar, las nuevas formas de la vida religiosa, la espiritualidad matrimonial, la doctrina y la actividad de la Iglesia en el campo social» (UR 6). El segundo factor viene dado por el fenómeno de la *secularización*, al perder vigencia la función integradora de la religión en la sociedad, disminuir la influencia de las Iglesias en el ámbito social, retroceder ostensiblemente las prácticas cultuales de los bautizados y debilitarse el influjo de la norma religiosa en la conciencia de los creyentes. Esto supone el ascenso del fenómeno de la *increencia*, al que cabe añadir la *idolatría*, ya que a Dios se le rechaza también –y de un modo a veces atroz– negando la dignidad humana y aun la existencia de los pobres y marginados en aras de los nuevos ídolos.

Naturalmente, la tarea evangelizadora se presenta hoy distinta a la de otros tiempos. Al menos hay que tener presente cuatro postulados derivados del Vaticano II: la inculturación de la fe, el compromiso con la justicia, el diálogo con otras religiones y el estatuto de libertad religiosa. Por consiguiente, evangelizar es promover en la sociedad el reino de Dios, por medio de la Iglesia como pueblo del Señor en estado de comunidad, a partir de la opción de los pobres.

En una primera parte, de tipo histórico, considero las dos primeras evangelizaciones hechas por la Iglesia en los primeros siglos y en el siglo XVI, para concluir con un resumen de la renovación misionera surgida en la Iglesia contemporánea. En la segunda parte estudio la naturaleza de la evangelización y de la «nueva evangelización», los diversos modelos evangelizadores, las relaciones entre evangelización y liberación y el proselitismo de las sectas. La tercera parte se centra en los objetivos de la evangelización respecto de los pobres, los alejados, los increyentes, la cultura y el culto. Termino con algunas consideraciones de la misión cristiana en tres áreas: América Latina, Europa y España, lugares en donde se ha propuesto la necesidad de una «nueva evangelización».

La evangelización se hace nuevamente necesaria en todas partes, pero de un modo particular en los países de cristiandad, precisamente porque la cristiandad ha llegado a su final. Nos encontramos en un período histórico de nuevo e incipiente cuño misionero. Nunca se había hablado y escrito tanto de evangelización como en la etapa posconciliar. ¿Síntoma de una descristianización todavía no acabada? ¿Toma de conciencia seria y profunda de un cristianismo evangélico? ¿Recuperación meramente verbal de la evangelización por parte de sectores tradicionalmente conservadores?

Ojalá pudiera aportar algunas orientaciones concretas pastorales a aquellos creyentes preocupados honestamente por la comunicación de su fe y por el ministerio de la evangelización.

I

HISTORIA DE
LA EVANGELIZACION

1

La primera evangelización de la Iglesia

El proyecto pastoral de la «segunda» o «nueva» evangelización hace referencia a una primera con la que comenzó la Iglesia, fundamentada en la proclamación del reino de Dios que hizo Jesús y en la misión que Jesús confió a sus discípulos. La evangelización del Señor es fuente de cualquier evangelización, así como la misión narrada por el NT es paradigma de cualquier misión. Analizaremos aquí la primera evangelización apostólica, así como la desarrollada en el imperio romano, para terminar con algunas notas sobre la llegada del cristianismo a España.

1. La evangelización apostólica (s. I)

a) El kerigma cristiano

En el tiempo transcurrido entre la crucifixión de Jesús de Nazaret, al atardecer del viernes, y la mañana del domingo siguiente, los discípulos del Mesías comienzan un proceso de conversión, meditando las palabras y acciones de Jesús a la luz de las Escrituras, en el contexto de los hechos de la pasión. Como consecuencia, se transforman en testigos de Cristo muerto y resucitado e inician una experiencia pascual que los convierte en creyentes de Jesucristo y en predicadores misioneros [1]. De este modo llegan a la confesión de fe, cuyo enunciado más primitivo es éste:

«El Mesías murió por nuestros pecados, como lo anunciaban las Escrituras, fue sepultado y resucitó al tercer día, se apareció a Pedro y más tarde a los Doce» (1 Cor 15, 3-5).

Este mensaje, recibido y transmitido por Pablo, es denominado kerigma o mensaje que se proclama. *Keryssein* significa de hecho en el NT «proclamar el evangelio», es decir, *evangelizar*, ya que se proclama el kerigma como evangelio o buena noticia. La formulación del kerigma de Pablo es anterior a los relatos de pascua, y su contenido es un hecho de salvación. Al estar unido a la historia de Jesús de Nazaret, Marcos llama asimismo *evangelio* a su relato. Esto significa que el mensaje cristiano predicado no procede sólo de la fe pascual, sino de la historia total de Jesús de Nazaret. Pero su núcleo central es la resurrección de Jesús.

«Este acontecimiento –escribe E. Lohse– no puede entenderse como un acontecimiento histórico ni describirse de una manera objetiva, sino que, por pertenecer al mundo de la fe, sólo se puede proclamar en la predicación» [2].

---

[1] Cf. X. Léon-Dufour, *Resurrección de Jesús y mensaje pascual*, Sígueme, Salamanca 1973.

[2] E. Lohse, *Teología del NT*, Cristiandad, Madrid 1978, 84.

b) La predicación del mensaje

El kerigma o contenido de la predicación misionera de la Iglesia primitiva se expresa como confesión de fe: Jesús de Nazaret, el crucificado, ha sido resucitado por Dios. Dicho de otra manera, la resurrección de los muertos ha tenido lugar en Jesús de Nazaret, el crucificado, que no es un muerto que vuelve a la vida terrena, sino que su muerte abre paso a la nueva creación del reino de Dios.

> «La experiencia pascual –afirma A. L. Descamps– se expresa en la promulgación de lo que puede llamarse una nueva versión del evangelio»[3].

Jesús anuncia la llegada del reino, y los apóstoles predican la muerte y resurrección de Jesús, en donde se revela la salvación de Dios. De acuerdo a las afirmaciones kerigmáticas contenidas en las cartas de Pablo, resume C. H. Dodd el mensaje primitivo de esta manera:

> «Se han cumplido las profecías, y se ha inaugurado la edad nueva por la venida de Cristo. Nació del seno de David. Murió, según las Escrituras, para librarnos de la perversa edad presente. Fue sepultado. Resucitó al tercer día, según las Escrituras. Está sentado a la diestra de Dios y es Señor de vivos y muertos. Vendrá de nuevo como juez y salvador de los hombres»[4].

Convencidos de la buena noticia, los apóstoles y discípulos se entregan a un ministerio de predicación acompañado de ciertos signos. Son enviados por Jesús resucitado como *testigos* para que el evangelio llegue hasta el fin del mundo. Esta actividad es denominada asimismo con los verbos *anunciar* y *proclamar*. Recordemos que el primer acto de Jesús consistió en *proclamar* (Mc), *enseñar* (Mt) o *testimoniar* (Lc, Hch). Hoy nos sorprende la expansión misionera a través de la predicación. Recordemos, no obstante, la importancia que en el mundo religioso antiguo tenía la palabra, transmitida por heraldos, predicadores, profetas y carismáticos. En el caso concreto de la expansión cristiana se observa que el medio elegido al principio por Pablo para predicar fue la *sinagoga* judía, lugar eminente de la palabra, al que se añadió más tarde el *ágora* griega, sitio público de reunión. Por otra parte, era aquél un mundo religioso con esperanzas de salvación.

c) La inculturación de la fe

La misión apostólica se dirigió en primer lugar a los judíos de Jerusalén, pero, dado el carácter cosmopolita de la ciudad, incluyó también a judíos de habla griega («helenistas») y a paganos simpatizantes del judaísmo («prosélitos»). Esto supuso la existencia de varios grupos en la Iglesia primitiva: 1) Los judeo-cristianos rigurosos o legales, de lengua aramea o hebrea, oriundos principalmente de Palestina, conscientes de que Israel era el pueblo de Dios de los últimos tiempos, fieles a ciertos aspectos del judaísmo: ritmos de oración judía, calendario de fiestas, prescripciones sobre la comida y el ayuno, liturgia sinagogal y circuncisión. Según Hegesipo, los representó Santiago «el justo»[5]. 2) Los judeo-cristianos *adaptados*, oriundos principalmente de la diáspora, que suavizan las exigencias de la ley entre los bautizados, no exigiendo la circuncisión, pero sí algunas prescripciones sobre los alimentos y medidas disciplinares. Los representó Pedro antes del concilio de Jerusalén. 3) Los pagano-cristianos *judíos* de procedencia, pero con mentalidad helenística y actitud abierta, que critican la ley y el templo. Fueron representados por los «siete» y en especial por Esteban. 4) Los pagano-cristianos o *gentiles* de extracción, que no tenían ninguna vinculación con las tradiciones judías. El primero fue el centurión Cornelio.

La postura de los creyentes «helenistas» escandalizó a los cristianos «hebreos»; la tensión creció con la admisión de gentiles por Pedro y la incorporación de Pablo a la comunidad. El denominado «concilio de los apóstoles» o de Jerusalén del año 50 hizo posible el tránsito hacia la apertura y el universalismo, al no obligar a los paganos convertidos a someterse al rito de la circuncisión y a la ob-

---

[3] A. L. Descamps, *L'origine de l'institution ecclésiale selon le Nouveau Testament*, en *L'Eglise: institution et foi*, Facultés Universitaires Saint-Louis, Bruselas 1979, 122.

[4] C. H. Dodd, *La predicación apostólica y sus desarrollos*, Fax, Madrid 1974, 17.

[5] P. V. Dias - P. Th. Camelot, *Historia de los dogmas*, III, 3a-b, *Eclesiología*, Madrid 1978, 43.

servancia de la ley. Esta decisión zanjó una tensión existente entre la tendencia judeo-cristiana, de tipo conservador, y la pagano-cristiana, más abierta, que finalmente se impuso. Pero las tensiones no eran meramente culturales, sino que procedían de la discriminación de la ayuda económica que los cristianos «hebreos» hacían a los cristianos «helenistas».

Así, pues, la primera comunidad judeo-cristiana es una muestra de la primera inculturación de la fe en el judaísmo (Hch 21, 17-25). Al ingresar los paganos en la comunidad cristiana –entre los años 40 y 50–, se incultura de nuevo la fe, sin que se le imponga «un yugo que ni nuestros padres ni nosotros hemos tenido fuerzas para soportar» (Hch 15, 10). Recordemos que los judíos imponían a los prosélitos sus usos y costumbres: la circuncisión, la guarda del sábado y las exigencias de los alimentos.

d) La primera expansión misionera

En la Iglesia primitiva, la proclamación de la fe en Jesús, el testimonio de vida y la enseñanza de la palabra de Dios están en primer plano. El anuncio del evangelio es la primera tarea de la comunidad, que culmina, después de la fe y de la conversión, en el bautismo y eucaristía. Todo está penetrado profundamente por el valor santificador de la palabra y de la predicación. De ahí que la actividad pastoral de la Iglesia se centre en el anuncio del misterio de Cristo y en su celebración cultual. La predicación y el culto sacramental, junto a las actividades complementarias de la catequesis y reflexión teológica, polarizan el dinamismo de la comunidad cristiana. La predicación misionera y la homilía litúrgica nacen con los apóstoles y discípulos, quienes reconocen al Señor como único profeta y maestro.

Sobre la primera expansión misionera de la Iglesia tenemos noticias por los Hechos y por Pablo. Tuvo lugar en Jerusalén, aprovechando la afluencia de gentes con ocasión de las tres fiestas judías anuales. Quizá algunos volvieron a sus lugares de origen ya bautizados. Hubo una segunda expansión misionera llevada a cabo gracias al círculo helenístico de la comunidad primitiva en torno a Esteban, al tener que emigrar de Jerusalén por su actitud crítica frente a la ley judía y al templo. La buena noticia llegó por Samaría y Siria hasta Antioquía (segunda sede cristiana después de Jerusalén) y desde aquí a toda el área oriental del Mediterráneo. En Antioquía de Siria hubo una gran conversión de paganos, y allí los creyentes comenzaron a llamarse «cristianos». El principal misionero de la nueva comunidad fue Pablo de Tarso, rabino fariseo. Con Bernabé y Juan Marcos hizo tres grandes viajes fundando innumerables comunidades, desde Jerusalén a Roma por el Asia Menor, convertida en el primer país cristiano.

La admiración del pueblo por la primera comunidad (Hch 2, 43; 2, 47; 4, 33; 5, 13) contrasta con la actitud hostil de las autoridades. Lucas señala como factores de expansión la calidad de vida evangélica y el testimonio contagioso de unidad que daban los creyentes. De ahí que el evangelio se extendiese rápidamente. Dadas al mismo tiempo las dificultades en ciertos medios judíos, el cristianismo pasó al mundo pagano. La evangelización era llevada a cabo, de ordinario, por un misionero y dos o tres colaboradores como evangelizadores «itinerantes». Al ser los judíos herederos de la promesa, y dada la importancia de la sinagoga como lugar de reunión y de celebración de la palabra, allí acudían los evangelizadores, a los que se invitaba como forasteros a leer algún texto de la Escritura y comentarlo. Era el momento elegido por Pablo para proclamar al Mesías crucificado por los romanos y rechazado por los jefes del pueblo judío. Algunos asistentes se interesaban por la nueva noticia, pero la mayoría reaccionaba en contra escandalizada, tachándoles de blasfemos. Esto dio origen a las primeras incomprensiones y persecuciones.

A las sinagogas acudían a veces griegos atraídos por el monoteísmo judío. Eran los «temerosos de Dios», paganos todavía no circuncidados que veneraban al Dios de Israel, leían las Escrituras y compartían la esperanza del pueblo judío, aunque se consideraban todavía externos [6]. Pero la conversión de los paganos al judaísmo era muy dura, ya que debían renunciar a la familia, patria, tradiciones y

---

[6] A. Jaubert, *Les premiers chrétiens*, Seuil, París 1967, 36.

ancestros. De otra parte, los ritos judíos parecían ridículos e incluso bárbaros a los ojos de los romanos. Como contraste, el mensaje de Jesús aparecía liberador. Cuando los creyentes eran expulsados de la sinagoga –con la ayuda oficial de las autoridades locales, dado el reconocimiento y protección estatal que tenía el judaísmo–, se retiraban con los interesados a una casa privada. Era el momento más difícil e importante: suscitar la fe y la conversión para fundar una comunidad. Esta fue la tarea principal de Pablo. Para una ulterior catequesis se empleaban textos basados en los relatos de las palabras y gestos de Cristo, que se convertirían en los evangelios. Andando el tiempo, los misioneros transmitían una tradición recibida: no eran ya testigos oculares de Jesús. Al alejarse del lugar el equipo misionero, se entregaba la misión a responsables locales, encargados de la reunión cristiana y de la liturgia dominical, constituida por lecturas, cantos, oraciones y predicación, con un final eucarístico reservado a los bautizados.

LA MISION DE LOS APOSTOLES

«El libro entero de los Hechos de los apóstoles atestigua que fueron fieles a su vocación y a la misión recibida. Los miembros de la primitiva comunidad cristiana aparecen en él *perseverantes en oír la enseñanza de los apóstoles y en la fracción del pan y en la oración*. Se encuentra allí, sin duda alguna, la imagen permanente de una Iglesia que, gracias a la enseñanza de los apóstoles, nace y se nutre continuamente de la palabra del Señor, la celebra en el sacrificio eucarístico y da testimonio al mundo con el signo de la caridad.

Que los adversarios se sientan celosos de la actividad de los apóstoles, se debe a que están *molestos porque enseñan al pueblo* y les prohíben enseñar en el nombre de Jesús. Pero nosotros sabemos que, precisamente en ese punto, los apóstoles juzgaron más razonable obedecer a Dios que a los hombres».

Catechesi tradendae, 10.

2. La evangelización en el imperio romano (s. II-III)

a) La conversión de los paganos

Los discípulos recordaron que Jesús los envió «a todas las naciones» (Mt 28, 19). Por el este, más allá del Eufrates, comenzaba el reino persa; por el norte y el oeste se extendía el imperio romano. La base misionera de las operaciones quedó situada en Antioquía, antigua capital del reino griego de Siria. De ahí se extendió el cristianismo hacia el continente asiático, las islas del mar Egeo y la Grecia continental. También fue importante como base misionera la ciudad de Alejandría, capital de Egipto y segunda ciudad del mundo de entonces. Por último, el punto de mira misionero fue Roma, capital del imperio. Recordemos que Pablo expresó su intención de ir a España, confirmado en la carta de Clemente del año 95. Es posible que Pedro y Pablo murieran en Roma hacia el año 64, bajo la persecución de Nerón. En los primeros siglos se extendió el cristianismo por el imperio romano y el norte de Africa. De hecho, hacia el año 200 estaba establecido en todo el imperio. La primera evangelización fue favorecida por los idiomas hablados, tanto en el mundo pagano occidental (el griego común o *koiné*), como en el oriental (el *arameo*). Hubo, pues, desde el principio dos misiones: la de Siria (griega) y la de Palestina (aramea) [7].

Los Hechos narran las primeras conversiones del prosélito etíope (Hch 8, 26-40), del judío Saulo (Hch 9, 1-12; 22, 6-21; 26, 12–23) y del pagano Cornelio (Hch 10, 1-11; 18) [8]. En estas conversiones se advierte un cierto itinerario: la misión desde la vida, el diálogo con el candidato, el anuncio de la buena noticia y, una vez despertada la fe en Cristo, el bautismo del convertido.

Cuando se extiende el cristianismo por el mundo romano, había varios grandes tipos de religiones: las *tradicionales*, tanto en el campo (de tipo «naturista») como en la ciudad; las *orientales*, sin

[7] J. Daniélou, *Desde los orígenes a San Gregorio Magno*, en *Nueva historia de la Iglesia*, Cristiandad, Madrid 1964, I, 58.
[8] Cf. mi libro *Para comprender el catecumenado*, Verbo Divino, Estella 1989, cap. 5, 45-55.

vinculaciones estatales, centradas en la salvación y con ceremonias secretas, y las *oficiales*, al servicio de la ideología imperial y del César, reconocido como «señor». De ahí que el cristianismo chocase con la religión imperial al proclamar a Cristo como único Señor y basarse en una fraternidad de Espíritu que rompía toda barrera. A pesar de la influencia que ejercían las religiones orientales y el judaísmo, y del factor dominante de las religiones romanas, el mundo greco-romano se hizo cristiano rápida y profundamente. Los convertidos eran en su mayoría gente sencilla (esclavos, comerciantes, marineros, agricultores), pero también hubo gente instruida (mujeres nobles, letrados, filósofos), aunque estos últimos fueron los más reacios a ser cristianos por su escepticismo, vida cómoda e inmoralidad. Las personas más abonadas para la evangelización eran los *metecos* (extranjeros domiciliados que no eran ciudadanos) y, sobre todo, los *esclavos* (semejantes a bienes que se vendían y se compraban), sensibles todos ellos a las religiones orientales extendidas por toda la cuenca del Mediterráneo. Por consiguiente, la mayor parte de los creyentes pertenecen a los *humiliores*, es decir, al pueblo sencillo. Precisamente por su condición modesta, los cristianos fueron tachados, por sabios y políticos paganos, de ignorantes que aceptan el incesto, practican la antropofagia y en el fondo son ateos. Para salir al paso de estas calumnias se escriben las *apologías*.

G. Bardy señala las causas que en los albores del cristianismo favorecieron la conversión cristiana, que se resumen en un gran deseo de verdad (al que intentaba responder la *gnosis*), de liberación del fatalismo por la falta de libertad (los dos tercios eran esclavos) y de santidad, al mostrar el cristianismo una nueva existencia (los cristianos eran la mejor prueba)[9]. La sociedad romana era terriblemente dura con los pobres y débiles, necesitados de una religión que los liberara. Algunos historiadores apuntan como factores de atracción cristiana el mensaje de fraternidad o comunidad de hermanos,

el alto nivel moral propagado por los estoicos y el sentido religioso de las clases populares, a pesar de la multiplicidad de cultos existentes. De Tertuliano es la frase conocida de que «la sangre de los mártires es semilla cristiana», sin olvidar la impresión que causaba la sencillez de las Escrituras[10]. Otros estudiosos del tema indican tres causas: el testimonio dado en las persecuciones, la curiosidad religiosa existente en el imperio en un momento de intranquilidad e insatisfacción, y el atractivo que tenía el cristianismo respecto de Dios y de la vida después de la muerte[11].

Las exigencias de los que se convertían –dice G. Bardy– consistían en la renuncia al pasado, la aceptación del mensaje cristiano y el decidido esfuerzo hacia la santidad[12]. Algunos cristianos egregios radicales como Tertuliano, Hipólito e incluso Orígenes opinaban que los candidatos al bautismo debían rechazar el servicio militar, ciertos cargos públicos y algunas profesiones paganas relacionadas con los circos. Si bien no se planteó explícitamente la abolición de la esclavitud, el cristianismo transformó la condición de los esclavos bautizados por medio de una caridad efectiva, desconocida entre los paganos.

También eran obvias las *dificultades* que tenían los paganos para ser cristianos: la renuncia a la tradición religiosa, la eventual ruptura con las exigencias de la vida familiar y la exclusión de la vida social.

«El convertido – escribe G. Bardy– se sitúa al margen del mundo, en el que, sin embargo, se ve obligado a vivir, y esto de dos maneras: la opinión pública le condena, las instituciones y las costumbres lo excluyen»[13].

El distanciamiento o la negativa de los nuevos cristianos a ejercer algunas funciones civiles y el

---

[9] G. Bardy, *La conversión al cristianismo durante los dos primeros siglos*, Desclée, Bilbao 1961, 137-189. Hay nueva edición de esta obra en Ed. Encuentro, Madrid 1990. El original francés es de 1949.

[10] J. Lortz, *Historia de la Iglesia*, Cristiandad, Madrid 1982, I, 82.

[11] Cf. K. Holl, *Die Missionsmethode der alten und die der mittelalterlichen Kirchen*, en *Kirchengeschichte als Missions-geschichte*, vol. I, Munich 1974, 3-17.

[12] G. Bardy, *La conversión al cristianismo...*, o. c., 191-246.

[13] *Ibíd.*, 268.

servicio militar plantearon problemas a los gobernantes del imperio romano. Piénsese que, a finales del s. III, el cristianismo se había extendido por todas partes. Algunos historiadores centran las dificultades en el rígido nacionalismo de los judíos, el racionalismo de los griegos, el sincretismo de los romanos, el maniqueísmo de algunas religiones mistéricas y el desprecio que tenían los gobernadores romanos por los cristianos. Naturalmente, la conversión al cristianismo suponía una ruptura religiosa y cultural con la tradición familiar y civil, ruptura desconocida en el paganismo. Quienes rechazaban a los dioses eran expulsados de la ciudad o perdían todos sus derechos. Un capítulo triste de la evangelización primitiva fue la apostasía.

> «La apostasía –escribe G. Bardy– es de algún modo el reverso de la conversión, porque todo convertido es, casi por necesidad, un apóstata en relación con la religión que abandona, el partido que deja o la escuela filosófica a la que renuncia» [14].

Apostatar quiere decir en el NT renegar de Dios. Las apostasías de la primera Iglesia se debieron a la influencia de falsos doctores y pseudoprofetas, a la atracción del gnosticismo, a la dificultad de cumplir las promesas cristianas y a las persecuciones imperiales con peligro de muerte. Aunque hubo apóstatas, la mayor parte de los bautizados fueron fieles.

La evangelización fue, desde sus comienzos, acción personal mediante un diálogo adecuado con los interesados en los lugares de trabajo, de comercio o de ocio. También había conferencias públicas o semipúblicas al estilo de los sofistas en sus manifestaciones. Incluso los mártires exponían su visión cristiana a los mismos jueces y verdugos. Por supuesto, todo creyente era activo en la misión. Los cristianos que huían de la persecución llevaban su fe al lugar de destino. También ejerció un influjo misionero beneficioso la liturgia cristiana, a pesar del esplendor ceremonial de los cultos paganos. Las asambleas cristianas en una casa o al aire libre, cerca de las ciudades, impresionaban precisamente por su simplicidad y autenticidad.

«La buena nueva –escribe J. Lortz– se extendió con los soldados, los comerciantes y los predicadores a lo largo de las vías de comunicación. Por consiguiente, se estableció primero en las estaciones de estos caminos, es decir, en las ciudades, mientras que los que vivían en los campos (los *pagani*) siguieron siendo por mucho tiempo casi todos gentiles» [15].

ACTITUD DE LOS CRISTIANOS EN EL MUNDO

«Los cristianos no se distinguen de los demás hombres ni por el país, ni por el lenguaje, ni por la forma de vestir. No viven en ciudades que les sean propias, ni se sirven de ningún dialecto extraordinario; su género de vida no tiene nada de singular... Se distribuyen por las ciudades griegas y bárbaras según el lote que le ha correspondido a cada uno; se conforman a las costumbres locales en cuestión de vestidos, de alimentación y de manera de vivir, al mismo tiempo que manifiestan las leyes extraordinarias y realmente paradójicas de su república espiritual.

Cada uno reside en su propia patria, pero como extranjeros en un domicilio. Cumplen con todas sus obligaciones cívicas y soportan todas las cargas como extranjeros. Cualquier tierra extraña es patria suya y cualquier patria es para ellos una tierra extraña. Se casan como todo el mundo, tienen hijos, pero no abandonan a los recién nacidos. Comparten todos la misma mesa, pero no la misma cama.

Están en la carne, pero no viven según la carne. Pasan su vida en la tierra, pero son ciudadanos del cielo. Obedecen las leyes establecidas y su forma de vivir sobrepuja en perfección a las leyes.

Aman a todos los hombres, y todos les persiguen. Se les desprecia y se les condena; se les mata, y de este modo ellos consiguen la vida. Son pobres y enriquecen a un gran número. Les falta de todo y les sobran todas las cosas. Se les desprecia, y en ese desprecio ellos encuentran su gloria. Se les calumnia, y así son justificados. Se les insulta, y ellos bendicen...

En una palabra, lo que el alma es en el cuerpo, eso son los cristianos en el mundo. El alma se extiende por todos los miembros del cuerpo como los cristianos por las ciudades del mundo. El alma habita en el cuerpo, pero sin ser del cuerpo, lo mismo que los cristianos habitan en el mundo, pero sin ser del mundo...

---

[14] *Ibíd.*, 345.

[15] J. Lortz, *Historia de la Iglesia, o. c.*, 83.

El alma se hace mejor mortificándose por el hambre y la sed: perseguidos, los cristianos se multiplican cada vez más de día en día. Tan noble es el puesto que Dios les ha asignado, que no les está permitido desertar de él».

Carta a Diogneto.

El lento y costoso trabajo de la evangelización rural se sitúa a finales del s. IV.

Junto a largos períodos de paz religiosa, los cristianos de los tres primeros siglos conocieron persecuciones, a veces sangrientas [16], pero al mismo tiempo evangelizaban, hacían crecer las comunidades y desarrollaban la teología y el culto. A finales del s. III, la Iglesia era la fuerza espiritual más importante en el imperio romano. Según relata G. Bardy,

«a medida que el imperio se debilita, que los bárbaros multiplican sus invasiones y sus saqueos, que la seguridad de la vida de aquí abajo disminuye, vuélvense las miradas hacia el cielo para buscar allí salvadores y diríganse las oraciones, con un fervor cada día creciente, a todos los que son considerados capaces de triunfar del destino y de traer la salvación. A finales del s. IV, la piedad pagana se encuentra más exasperada que nunca; multiplica sin cuento los ritos de iniciación en los misterios extranjeros que el oriente ha dado a conocer a Roma» [17].

b) El catecumenado antiguo

Desde finales del s. II aparece la instrucción en común, que posteriormente daría origen al catecumenado, una de las instituciones pastorales más antiguas y básicas de la Iglesia [18]. Desde sus comienzos, el catecumenado tiene un carácter litúrgico, catequético y moral. Se organiza para acoger en la comunidad cristiana a personas adultas convertidas e instruirlas en grupo durante un cierto tiempo, hasta su ingreso como fieles por medio del bautismo y de la eucaristía [19]. De hecho, a los judíos convertidos por la predicación apostólica les bastaba la confesión de fe cristiana para ser bautizados, ya que poseían una preparación sinagogal. Pero cuando la Iglesia se dirigió a paganos que desconocían la «pedagogía hacia Cristo» de los judíos, fue necesario establecer una preparación catecumenal previa al bautismo. A los paganos convertidos había que mostrarles la verdad del único Dios, el sentido de las Escrituras, la vida comunitaria y el comportamiento moral evangélico [20].

Aunque Justino afirmó hacia el año 150 que había una instrucción prebautismal, parece que el catecumenado se estableció a finales del s. II [21]. Hipólito, a comienzos del s. III, describe un catecumenado organizado que duraba tres años, después del ingreso mediante una prueba inicial a base de un examen de la conducta moral y de la intencionalidad del candidato. Los admitidos se llamaban *catecúmenos*, quienes tomaban parte en la liturgia de la palabra, en la oración y en sus reuniones propias. Volvían a tener otra prueba después de una larga etapa y, una vez admitidos, se convertían en *electi* o *competentes*. Diariamente recibían una instrucción acompañada de una imposición de manos y de un exorcismo. Eran bautizados en la noche pascual, después de una última imposición de manos, conjuración del demonio, soplo, signación y unción con el óleo del exorcismo. Al salir de la inmersión, recibían el crisma, se vestían de blanco y entraban en el templo, donde el obispo les imponía las manos, ungía con óleo de acción de gracias y sellaba su frente [22]. En los inicios del s. III utilizó Tertuliano el término *iniciación* para expresar la transmisión del

---

[16] Cf. G. Ricciotti, *La era de los mártires*, ELER, Barcelona 1961; E. Schumacher, *El vigor de la Iglesia primitiva*, Herder, Barcelona 1957.

[17] G. Bardy, *La conversión al cristianismo*, o. c., 18.

[18] Cf. A. Turck, *Évangélisation et catéchèse aux deux premiers siècles*, Cerf, París 1962; M. Dujarier, *Le parrainage des adultes aux trois premiers siècles de l'Église*, Cerf, París 1962.

[19] Cf. mi libro *Para comprender el catecumenado*, Verbo Divino, Estella 1989, especialmente cap. 6.

[20] Para una visión rápida del catecumenado antiguo, cf. M. Dujarier, *L'évolution de la pastorale catéchuménale aux six premiers siècles de l'Église*: «La Maison-Dieu» 71 (1962) 46-61; A. Turck, *Aux origines du catéchuménat*: «Revue Scientifique de Philosophie et Théologie» 48 (1964) 20-31.

[21] Ver el excelente resumen de J. A. Jungmann, *Katechumenat*, en *Lexikon für Theologie und Kirche*, VI, 51-54.

[22] Cf. Hipólito de Roma, *La tradición apostólica*, Sígueme, Salamanca 1986; J. M. Hanssens, *La liturgie d'Hippolyte*, Roma 1970. Es fundamental la edición de B. Botte, *La Tradition apostolique*, Aschendorf, Münster 1963.

misterio cristiano. La institución iniciática recibió el nombre de *catecumenado*.

Pueden advertirse en el catecumenado antiguo cuatro etapas: 1) La *misionera* o etapa de evangelización, destinada a suscitar la fe y la conversión entre los paganos mediante la predicación del evangelio, que culminaba con la entrada en el catecumenado por medio de un examen sobre los motivos y disposiciones del candidato. 2) La etapa *catecumenal*, de dos o tres años de duración, como período de formación y de prueba, que culminaba con un nuevo examen sobre el comportamiento del catecúmeno durante la instrucción; los catecúmenos participaban en la liturgia de la palabra. 3) La etapa *cuaresmal*, de unas pocas semanas de duración, como preparación intensiva al bautismo y eucaristía de la noche pascual; consistía en reuniones especiales, desde la inscripción del nombre, pasando por los escrutinios, hasta la reunión final, que culminaba con la celebración sacramental. 4) La etapa *mistagógica*, durante la octava de la pascua, en la que se desarrollaba la catequesis sacramental. Las exigencias de admisión para cada etapa eran estrictas.

Se componía el catecumenado de dos constitutivos: la *catequesis* o conjunto estructurado de enseñanzas, y la *liturgia* o proceso ascendente de celebraciones que culminan en el bautismo y la eucaristía, todo al servicio de la identificación cristiana del candidato. El elemento principal, según J. Daniélou, era la enseñanza elemental y completa del conjunto cristiano [23]. Su contenido se basaba en el símbolo de la fe y se apoyaba en la Escritura, sobre todo en el AT. Pero lo que allí se perseguía no era una mera instrucción, sino una auténtica conversión en el camino de Jesucristo. Así se lograba dar una instrucción moral adecuada a las exigencias de los catecúmenos. La transmisión de la enseñanza se hizo siempre en el marco de la celebración litúrgica comunitaria.

La mayor parte de los candidatos al bautismo, participantes del catecumenado antiguo, eran analfabetos. Pero también se daban catecúmenos instruidos, a los que debía presentarse el mensaje cristiano en relación a las tradiciones culturales filosóficas griegas. Aunque el pueblo no sabía leer y escribir, los retóricos griegos y romanos ejercían una gran influencia cultural sobre las masas. El catecumenado adoptó formas diversas en las distintas Iglesias particulares, pero siempre tuvo elementos comunes. Evolucionó sensiblemente durante los cuatro primeros siglos del cristianismo, de tal modo que el catecumenado anterior a la paz de Constantino fue diferente del posterior, reducido a finales del s. V a la cuaresma [24].

Digamos como resumen que el catecumenado es consecuencia pastoral inmediata de una Iglesia misionera. La preocupación evangelizadora de la Iglesia de los tres primeros siglos suscitó misioneros itinerantes, aunque en realidad todos los cristianos eran agentes de conversión en su propio medio de vida. El precatecumenado se desarrolló en las casas y talleres artesanales. Todo estaba en función de la fe entendida como conversión de vida hacia Cristo y el evangelio [25]. Fue decisiva en la Iglesia primitiva la función del padrinazgo, que equivalía a la responsabilidad misionera compartida y ejercida por toda la comunidad cristiana. Los padrinos tenían dos exigencias: ser *ayudantes* de los candidatos y actuar de *garantizadores* frente a la comunidad. De hecho, los padrinos –ordinariamente laicos– fueron los mejores misioneros. Eran las mismas personas que habían despertado la fe de sus propios ahijados. Es lógico que el catecumenado naciese del padrinazgo, no al revés [26].

«El catecúmeno –afirma R. Cabié– está asistido durante toda su preparación por un fiel veterano que le hace compartir su experiencia de la vida cristiana y

[23] Cf. J. Daniélou y R. de Charlat, *La catequesis en los primeros siglos*, Studium, Madrid 1975.

[24] Cf. excelentes síntesis históricas del catecumenado en M. Dujarier, *Breve historia del catecumenado*, Desclée, Bilbao 1986 (original de 1980), que recoge otro estudio anterior de A. Laurentin y M. Dujarier, *Catéchuménat. Données de l'histoire et perspectives nouvelles*, Centurion, París 1969; Th. Maertens, *Histoire et pastorale du rituel du catéchuménat et du baptême*, Saint-André, Brujas 1962.

[25] A. Turck, *Évangélisation et catéchèse aux deux premiers siècles*, Cerf, París 1962.

[26] M. Dujarier, *Le parrainage des adultes aux trois premiers siècles de l'Église*, Cerf, París 1962.

que se constituirá como garante de su recorrido ante los responsables de la Iglesia»[27].

La entrada en la existencia cristiana exigió en la Iglesia patrística el trazado de una acción pastoral completa y rigurosa. Solamente eran bautizados los candidatos que, después de un examen severo, ingresaban en un largo período de formación hasta ser admitidos, después de otro segundo examen, en el gran retiro previo al ingreso sacramental en la comunidad. El acento se ponía en la conversión, luego en la educación de la fe, para terminar con la catequesis de los sacramentos. Punto neurálgico del catecumenado antiguo fue la catequesis anterior y posterior al bautismo que, además de ser iniciación en la historia de salvación, era educación de costumbres cristianas y aprendizaje de vida comunitaria eclesial.

En el catecumenado intervenía activamente toda la comunidad. Precisamente por ser agregación de nuevos miembros a la Iglesia, es lógico que el catecumenado fuese desde el principio quehacer comunitario. La Iglesia estaba representada por la comunidad concreta local y, dentro de la misma, intervenían el obispo como máximo responsable, los catequistas como iniciadores, los padrinos como testigos y garantizadores, y los catecúmenos en sus dos grados, como *oyentes* (o interesados) primero y como *elegidos* (o decididos) después. En determinados momentos, a la hora de las admisiones y en el momento final de la incorporación, estaba presente la comunidad entera como asamblea cristiana[28].

«La historia del catecumenado antiguo –afirma I. Oñatibia– nos descubre, ante todo, la imagen de una Iglesia exigente, que se resiste a dar sus sacramentos a la ligera»[29].

El catecumenado antiguo está en función, en última instancia, del bautismo. La inmersión primitiva en las aguas vivas, con la emersión correspondiente, significó el baño del nuevo nacimiento a la vida cristiana a través de la sepultura y resurrección sacramental con Cristo. De este modo se cierra un ciclo que comienza por la conversión y termina con el sacramento de la fe[30].

3. La evangelización en el imperio cristiano (s. IV-VII)

a) Las conversiones masivas

La paz de Constantino del año 313 cambió profundamente las relaciones de la Iglesia con el imperio romano, al pasar la religión cristiana de ser perseguida a ser tolerada, legitimada y oficial. En realidad, este cambio comenzó a finales del s. III y cristalizó el año 324, cuando Constantino derrotó a Licinio, emperador de oriente, y quedó como único emperador. Luego se ratificó definitivamente con Teodosio en el año 360, al declarar al catolicismo religión de Estado. A partir de este tiempo comienza el denominado «constantinismo» o la Iglesia de cristiandad. No sólo el emperador se autodenomina «pontifex maximus» (sumo pontífice), sino que pretende ser «el obispo de fuera» igual a los apóstoles. Al mismo tiempo que el Estado interviene en la vida de la Iglesia, recibe de la misma su legitimación. Poco a poco, se prohiben las religiones paganas, se cierran sus templos y no se toleran los sacrificios. En el año 356 se establece la pena de muerte contra los infractores. No todos los obispos estuvieron de acuerdo con estas disposiciones tan rígidas. Tengamos en cuenta que la mayoría de la población del imperio en occidente a comienzos del s. IV no era cristiana.

A partir de este tiempo, la evangelización no es ya personal o comunitaria, sino masiva e interesada, favorecida por la nueva legislación. Después de recristianizar las ciudades, los misioneros se dirigen hacia finales del s. V al campo[31]. La evangelización se lleva a cabo a la luz pública. Incluso los concilios son organizados por el emperador, quien

[27] R. Cabié, *La iniciación cristiana*, en *La Iglesia en oración. Introducción a la liturgia*, Herder, Barcelona ³1987, 584.

[28] H. Chirat, *La asamblea cristiana en el tiempo de los apóstoles*, Studium, Madrid 1968.

[29] Cf. I. Oñatibia, *Actualidad del catecumenado antiguo*: «Phase» 64 (1971) 325-334.

[30] Cf. A. Stenzel, *Lo transitorio y lo perenne en la historia del catecumenado y del bautismo*: «Concilium» 22 (1967) 206-221.

[31] Cf. J. Comby. *Para leer la historia de la Iglesia*, Verbo Divino, Estella 1986, I, 186.

facilita a los obispos su presencia en las asambleas sinodales. La herejía es un crimen, y se persigue el paganismo. Pero los motivos de conversión cambian profundamente. Ser cristiano es un logro social. En los siglos IV y V se convierten al cristianismo grandes masas de paganos. La Iglesia gana en número de adeptos, pero pierde en calidad [32]. Por este motivo, el acento de los escritos patrísticos recae sobre la fe. No solamente los Padres combaten las herejías, como lo hacen Ireneo, Cipriano y Agustín, sino que exponen la doctrina de la salvación siguiendo la narración bíblica. Como resumen de la fe de esta época tenemos los grandes símbolos, que mantienen la tradición kerigmática de la época apostólica. Tanto en oriente como en occidente hay excelentes predicadores, cuyas homilías se basan en la buena nueva.

Los historiadores señalan el año 375 como el comienzo de la invasión de los pueblos germánicos, a saber, las tribus establecidas al este del Rin y al norte del Danubio. Estas invasiones terminaron el año 568, cuando los longobardos aparecieron en el norte de Italia.

b) El catecumenado a partir del siglo IV

«La historia del catecumenado –afirma M. Dujarier– se ha desarrollado en tres etapas. En el s. III, las exigencias de una Iglesia misionera mantenían en serio la preparación bautismal: examen de entrada, largo período de formación y nuevo examen antes de la admisión al bautismo. Durante los s. IV y V cambian las circunstancias por la conversión de los emperadores; se constituye la cristiandad. Se desarrolla el período cuaresmal en detrimento del catecumenado propiamente dicho. Finalmente, el s. VI sólo conservará ritos más o menos condensados, y el bautismo de infantes sustituirá al catecumenado» [33].

El cambio se operó a comienzos del s. IV.

Con la llegada al bautismo de grandes masas

en el s. IV, el catecumenado se redujo a un tiempo más breve y perdió vigor. Cobró importancia la admisión mediante una catequesis básica, la signación, el exorcismo y la sal. Inscrito el catecúmeno, participaba durante la cuaresma en una serie de reuniones basadas en la doctrina de la fe y ética cristianas. Había entrega y devolución del símbolo; en Roma se añadían el evangelio y el padrenuestro. Poco a poco llegaron a destacar tres reuniones importantes o escrutinios, que hoy, después de la reforma litúrgica conciliar, se celebran los domingos tercero, cuarto y quinto de cuaresma. El número de adultos que se preparaba para el bautismo descendió paulatinamente, y aumentó el de niños. En esta época destacaron Cirilo en Jerusalén, Teodoro en Mopsuestia de Siria, Juan Crisóstomo en Constantinopla, Ambrosio en Milán y Agustín en Cartago.

Evidentemente, la comunidad cristiana intentaba suplir lo que ya no daba el catecumenado, enormemente debilitado por la generalización del bautismo de niños. Desaparecieron las instrucciones y se mantuvieron los gestos, pero el conjunto de los ritos, planeados para una cuaresma, se concentraron en una celebración abreviada, llena de repeticiones, aunque con todos los elementos básicos antiguos. No se creó un rito bautismal adecuado a los niños. Al crecer las preocupaciones por las consecuencias del pecado original, el bautismo se adelantó «cuanto antes», con lo que desaparecieron las celebraciones tradicionales bautismales de pascua y pentecostés.

4. La primera evangelización de Hispania

El cristianismo arribó a la península desde Roma y el norte de Africa quizá en los tiempos apostólicos, sin que estemos seguros. Probablemente vino san Pablo a Hispania entre el 62-63, al quedar libre de su encarcelamiento, y el 64-67, fecha en que fue apresado de nuevo y ejecutado. No le faltó intención (cf. Rom 15, 19-29). Evidentemente, la supuesta evangelización de España por Santiago el Mayor pertenece a la leyenda –transmitida por documentos poco fiables–, ya que dicho apóstol fue martiri-

---

[32] J. Gaudemet, L'Église dans l'Empire Romain (IVe-Ve siècles), Sirey, París 1958, 30-32.

[33] M. Dujarier, Le parrainage des adultes aux trois premiérs siècles de l'Église. Recherche historique sur l'évolution des garanties et des étapes catéchuménales avant 313, Cerf, París 1962, 65.

zado en Jerusalén antes de la dispersión de los doce [34]. Según el curioso testimonio de manuscritos del s. X, «los santos apóstoles» enviaron a la importante colonia de Acci una misión de siete «varones apostólicos» que se distribuyeron por los pueblos. Hacia el año 47 se estableció Torcuato en Guadix como primer obispo [35]. De hecho, estos datos son pura leyenda [36], aunque es significativo que Félix, obispo de la antigua Guadix, presidiese el concilio de Granada (Illiberri) hacia los años 300-302, lo cual demuestra la venerabilidad de esa diócesis o, quizá, la veteranía episcopal de su prelado. Asistieron a este concilio 19 obispos y 18 presbíteros en representación de 37 comunidades, consolidadas ya a finales del s. III.

Recordemos que la Bética era región muy romanizada y que el cristianismo penetró por las mismas vías de la romanización. Hispania recibe colonos, soldados y mercaderes de Roma y de todo el imperio.

«Entre todas esas personas que van y vienen –escribe M. Sotomayor– hay cristianos, y estos cristianos van propagando a su alrededor la nueva fe. Van surgiendo así pequeñas comunidades en los puntos más dispersos de Hispania, sobre todo en la Bética, la región más romanizada» [37].

Ciertamente, debido al intercambio comercial intenso entre Hispania y Africa, es posible que hubiese una evangelización proveniente del norte del continente africano. Pero la influencia normal era la romana, puesto que las relaciones marítimas y terrestres de Hispania con Italia eran continuas.

El testimonio histórico más antiguo que habla de la existencia de cristianos en España es de Ireneo, en su escrito *Contra las herejías*, de los años 182-188, donde se refiere a las Iglesias de «las Iberias». Tertuliano, a comienzos del s. III, dice que es adorado el nombre de Cristo en «todas las fronteras de las Hispanias». Por consiguiente, pudo establecerse la Iglesia en Hispania a principios del s. II o finales del s. I. [38] El tercer documento es de Cipriano, quien de una manera clara señala que el cristianismo estaba asentado entre nosotros en la primera mitad del s. III. A partir de Cipriano, abundan los documentos que dan fe del temprano establecimiento de la Iglesia en la península ibérica.

Se puede afirmar que el cristianismo se inculturó bien, a pesar de algunas dificultades. Lógicamente, los primeros misioneros en nuestra patria fueron militares, marinos, comerciantes, colonos y esclavos. Sabemos por el concilio de Granada que se convirtieron al cristianismo gentes de todo tipo y condición social: sacerdotes del culto pagano, matronas, agricultores, comerciantes, aurigas y cómicos. A la hora de la conversión se insistía –como en otras Iglesias– en la gravedad de tres pecados: homicidio, fornicación e idolatría, típicos del ambiente pagano en el que se movían los primeros cristianos.

El catecumenado consistía en un tiempo más o menos largo de preparación de los candidatos, que por regla general era de dos años. Como en todas las Iglesias, había *catecúmenos* propiamente dichos (a los que se les explicaba la ley) y *competentes*, próximos a ser bautizados (a quienes se les iniciaba en el misterio del sacramento). Durante cuarenta días se purificaban los elegidos con exorcismos, oraciones y ayunos. Al final de la preparación se celebraba el bautismo, al que accedía el candidato presto a confesar la fe y arrepentido de sus pecados. Los días de celebración bautismal fueron la pascua y pentecostés. Se prohibía aceptar en la comunidad cristiana a sacerdotes paganos en ejercicio *(flámines)* y a los que trabajaban en los circos (*aurigas* y *cómicos*). Las prostitutas que dejaban de serlo eran admitidas inmediatamente.

Cuando en los inicios del s. IV se produce en la

[34] Cf. R. García Villoslada (ed.), *Historia de la Iglesia en España*, vol. I: *La Iglesia en la España romana y visigoda*, Ed. Católica, Madrid 1979.

[35] B. Llorca, *Historia de la Iglesia católica*, Ed. Católica, Madrid 1955, 153.

[36] Cf. J. Lebreton y J. Zeller, *El nacimiento de la Iglesia*, t. I de A. Fliche y V. Martin (eds.), *Historia de la Iglesia*, Edicep, Valencia 1978, 289.

[37] M. Sotomayor, *La Iglesia en la España romana*, en R. García Villoslada (ed.), *Historia de la Iglesia en España*, vol. I, Ed. Católica, Madrid 1979, 133.

[38] *Ibíd.*, 40.

Iglesia un cambio radical, con tensiones dinásticas y políticas que perturbaban la paz religiosa, en Hispania la situación era tranquila.

«En el s. IV, el paganismo, no eliminado todavía en la península y especialmente arraigado en ciertas zonas del norte –dice M. Sotomayor–, perdió, sin embargo, importancia»[39].

Recordemos que, a finales del s. IV, un español llegó a ser emperador: Teodosio I. En todo caso, el cristianismo estaba ya generosamente implantado entre nosotros a partir del s. IV.

Bibliografía

G. Bardy, *La conversión al cristianismo durante los primeros siglos*, Encuentro, Madrid ²1990; J. Daniélou y H. I. Marrou, *Nueva historia de la Iglesia*, vol. I, Cristiandad, Madrid 1964; C. H. Dodd, *La predicación apostólica y sus desarrollos*, Fax, Madrid 1974; A. Ehrhard-W. Heuss, *Historia de la Iglesia*, vol. I, Rialp, Madrid 1962; A. Fliche-V. Martin (eds.), *Historia de la Iglesia*, vols. I, II y III, Edicep, Valencia 1974-1980; R. García Villoslada (ed.), *Historia de la Iglesia en España*, vol. I, Ed. Católica, Madrid 1979; H. Jedin (ed.), *Manual de historia de la Iglesia*, vol. I, Herder, Barcelona 1978ss; B. Llorca, R. García Villoslada y F. J. Montalbán, *Historia de la Iglesia Católica*, vol. I, Ed. Católica, Madrid ⁵1976; F. Martín Hernández, *La Iglesia en la historia*, vol. I, Atenas, Madrid 1984; W. A. Meeks, *Los primeros cristianos urbanos. El mundo social del apóstol Pablo*, Sígueme, Salamanca 1988; L. J. Rogier, R. Aubert y M. D. Knowles, *Nueva historia de la Iglesia*, vol. I, Cristiandad, Madrid 1964; D. Rops, *Historia de la Iglesia de Cristo*, vol. I, Barcelona 1969; G. Theissen, *Sociología del movimiento de Jesús. El nacimiento del cristianismo primitivo*, Sal Terrae, Santander 1979; id., *Estudios de sociología del cristianismo primitivo*, Sígueme, Salamanca 1985; Ph. Vielhauer, *Historia de la literatura cristiana primitiva*, Sígueme, Salamanca 1991.

---

[39] *Ibíd.*, 171.

2

La evangelización española de América

El hecho histórico llevado a cabo por Cristóbal Colón en 1492 ha influido en gran parte del mundo [1]. En el continente americano por el descubrimiento de nuevas tierras y posterior conquista. En los países africanos por la trata de esclavos negros que reemplazaron a los indígenas americanos diezmados en las colonias a consecuencia de guerras, epidemias y trabajos forzados. En España, recién constituida como nación en 1492, por el descubrimiento y conquista de tierras en el Nuevo Mundo y el declive de la coexistencia de las «tres culturas», merced al final de la reconquista con la toma de Granada y a la expulsión de los judíos [2]. Finalmente, en Europa por la nueva cosmovisión del mundo y el inicio de un capitalismo colonial a costa de indoamericanos y africanos. Recordemos que, en 1542, el cronista F. López de Gómara afirmó que

«la mayor cosa después de la creación del mundo, sacando la encarnación y muerte del que lo creó, es el descubrimiento de Indias, y así las llaman Mundo-Nuevo» [3].

En cualquier caso, la hazaña de Colón marca el inicio de la edad moderna [4].

Mi propósito –la evangelización del Nuevo Mundo– va emparejado con el descubrimiento, encuentro o epopeya de América, según formulan unos; o con el encubrimiento, desencuentro o dominación, según plasman otros. Es de notar la inmensa producción histórica, literaria y religiosa sobre este tema, especialmente respecto del V Centenario en 1992. Los especialistas advierten que las visiones antagónicas de hace unos años entre hispanistas e indigenistas se han acercado, gracias al crecimiento de la objetividad, aunque las formulaciones de los

---

[1] Actualizo en este capítulo mi trabajo *Evangelization in the «New World»: An Old World Perspective:* «Missiology» XX/2 (1992) 133-149.

[2] Colón mismo, en el diario de su primer viaje, reconoce que en el «presente año de 1492» los Reyes Católicos dieron «fin a la guerra de los moros» y expulsaron «fuera todos los judíos» de los «reinos y señoríos» españoles. Granada fue tomada el 2 de enero de 1492; los judíos fueron expulsados el 31 de marzo de ese mismo año. En 1492 publicó Elio Antonio de Nebrija la primera *Gramática de la lengua castellana*.

[3] F. López de Gómara, *Historia general de Indias (1552)*, BAE, Madrid 1946, 156.

[4] Cf. sobre el V Centenario: I. Ellacuría, *Quinto Centenario de América. ¿Descubrimiento o encubrimiento?*, Cristianisme e Justícia, Barcelona 1990; *1492-1992. La voz de las víctimas*: «Concilium» 232 (1990); J. A. Lobo (ed.), *V Centenario: Otro lenguaje sobre el «descubrimiento»* (Cuadernos Verapaz, n. 5), Ed. San Esteban, Salamanca 1990; Conferencia Episcopal de Estados Unidos, *Herencia y esperanza*, Washington 1991.

conquistadores no coinciden, como es lógico, con las que expresan las víctimas [5].

A la hora de interpretar nuestra aventura colonial y misionera, los españoles –al menos los de mi generación– padecemos respecto de *América Latina* –oficialmente denominada *Hispanoamérica* o *Iberoamérica* en España– dos influencias contradictorias, derivadas de las llamadas «leyenda dorada» y «leyenda negra». Una primera influencia es ingenua: procede de la enseñanza histórica en los años de la ideología «hispanista», al aprender en aquellos manuales de historia –hoy en desuso– las alabanzas de la «obra de España en América». La segunda, estrictamente crítica, sin que se identifique con la «leyenda negra», surge al conocer la realidad latinoamericana «desde el reverso de la historia» o «desde la historia del otro» (G. Gutiérrez), por informaciones complementarias o por viajes y estancias en América Latina, sobre todo al asumir la opción por los pobres mediante la conversión cristiana generada por el Vaticano II, Medellín y Puebla, tesis fundamental en la teología de la liberación [6].

No pretendo describir aquí el hecho de la conquista, sino el proceso de la evangelización española en América. Naturalmente, la evangelización de América no se comprende sin la imposición colonial. Digamos, de antemano, que lo discutido no es el descubrimiento, sino la misma conquista, por una triple consecuencia: usurpación de las tierras a los propietarios naturales, destrucción del mundo cultural indígena y sometimiento de los nativos a una cierta esclavitud, en aras, todo ello, del «oro de las Indias» [7]. Pero al mismo tiempo podemos afirmar con el historiador norteamericano L. Hanke:

«La conquista española de América fue mucho más que una extraordinaria hazaña militar y política... Fue también uno de los mayores intentos que ha presenciado el mundo para que prevalezcan los preceptos cristianos en las relaciones entre las gentes. Este intento se convirtió en una fogosa defensa de los derechos de los indios, que descansaba en dos de las presunciones que puede hacer un cristiano, a saber: que todos los hombres son iguales ante Dios, y que un cristiano es responsable del bienestar de sus hermanos, a pesar de lo ajenos o humildes que sean» [8].

1. Presupuestos de la misión «colonial»

Las expansiones coloniales de españoles y portugueses en los s. XV, XVI y XVII dieron origen a la conquista y misión del Nuevo Mundo, al que llegó la primera expedición de Colón en 1492 [9]. Para juzgar esta empresa misionera debemos tener presente el estatuto «teocrático» de los Estados peninsulares conquistadores (Castilla, Aragón y Portugal) y la mentalidad teológica y eclesial europea del s. XVI.

a) El Estado «teocrático»

Precisamente a raíz del descubrimiento de las Indias se originó un pleito entre las coronas de España y Portugal que dio lugar a las bulas alejandrinas *Inter caetera* y *Dudum siquidem* de 1493 [10]. El punto de partida de estas bulas –con antecedentes

[5] Cf. N. Wachtel, *Los vencidos. Los indios del Perú frente a la conquista española (1530-1570)*, Madrid 1976; A. Ortega y Medina, *La idea colombina del descubrimiento desde México (1836-1986)*, UNAM, México 1987, 127-171; M. León-Portilla, *Visión de los vencidos. Relaciones indígenas de la conquista*, México 1980; id., *El reverso de la conquista. Relaciones aztecas, mayas e incas*, México 1980.

[6] Según el historiador A. Romeu de Armas, la leyenda negra «se generó por la prepotencia aplastante de España en el siglo XVI y la defensa a ultranza del catolicismo».

[7] Cf. F. Morales, *Historia del Descubrimiento y Conquista de América*, Ed. Nacional, Madrid 1971; CEHILA, *Historia general de la Iglesia en América Latina*, Sígueme, Salamanca 1983 ss.; *Historia de la Iglesia en América Española*, I: *México. América Central. Antillas* por L. Lopetegui y F. Zubillaga, Ed. Católica, Madrid 1965; II: *Hemisferio Sur* por A. de Egaña, Ed. Católica, Madrid 1966.

[8] L. Hanke, *La lucha española por la justicia en la conquista de América*, Aguilar, Madrid 1967, 15.

[9] Cf. AA.VV., *Para una historia de la evangelización en América Latina: Symposio CEHILA*, Barcelona 1977; G. Guarda, *Los laicos en la cristianización de América. Siglos XV-XVI*, Santiago de Chile 1973.

[10] La interpretación de estas bulas ha provocado múltiples trabajos; cf. una síntesis de este tema en L. Lopetegui, *La Iglesia española y la hispanoamericana de 1493 a 1810*, en R. García Villoslada (ed.), *Historia de la Iglesia en España*, Ed. Católica, Madrid 1980, III/2, 366-384.

similares y previos en la segunda mitad del s. XV– es el derecho pontificio de conceder a los Reyes Católicos españoles los territorios descubiertos para ejercer la misión cristiana con sus moradores. Estamos en el momento de terminar la reconquista peninsular a los árabes, tanto por parte de Castilla como de Portugal. En las bulas se trataba de la soberanía pontificia sobre tierra de «infieles». La mentalidad de Isabel de Castilla y Fernando de Aragón era de «cruzada», y sus intereses estaban puestos en nuevas conquistas para enderezar sus maltrechas economías.

Recordemos que la doctrina del «agustinismo político» había dado lugar a que el derecho natural del Estado fuese absorbido en algunas ocasiones por el derecho superior de la Iglesia [11]. Evidentemente, el papa intervenía en casos extraordinarios, por ejemplo cuando se trataba de herejías (con repercusiones políticas) o luchas intestinas entre príncipes cristianos (por ambiciones personales). Las bulas se concedían para regular el derecho de propiedad de los infieles y salir al paso de las conversiones forzadas, la justificación de la esclavitud o el derecho a la guerra. No olvidemos que, a lo largo de la Edad Media, la conquista de países no cristianos se justificaba por razones misioneras, que enmascaraban los verdaderos motivos económicos y políticos. Las intervenciones de la Santa Sede obedecían a estos criterios: justificar la lucha contra el islam, defender la autoridad papal sobre los príncipes cristianos y fomentar la expansión de la fe cristiana y de la Iglesia. A partir de comienzos del s. XVI, las bulas pontificias exigían a los reyes la donación de los diezmos para fundar Iglesias, ayudarlas y sostener a los eclesiásticos encargados de las mismas. En definitiva, la Iglesia española actuaba en el s. XVI bajo la dependencia del Estado; era instrumento de un Estado monárquico-absolutista [12]. Por esta razón se creó en 1508 el *Patronato* o *Patronazgo Real de Indias*, una especie de «vicariato regio», en virtud del cual la Santa Sede delegaba en los reyes de España la cristianización del Nuevo Mundo, la presentación de obispos y la administración de los bienes religiosos. En la práctica, el Patronato ejercía su cometido mediante el *Consejo Real y Supremo de Indias*, formalizado en 1524, encargado de dirigir todo lo pertinente a la colonia y a los asuntos eclesiásticos de América [13]. Hasta después de la independencia de la América española no tuvo la Santa Sede relación directa con aquellas Iglesias.

Por otra parte, el papa era considerado entonces *dominus totius orbis*, «señor del mundo entero». Por consiguiente, en virtud de la concesión de Alejandro VI a España a partir de la bula *Inter caetera* del 3 de mayo de 1493, algunos creían que podía ejercerse el famoso *requerimiento*, según el cual el conquistador –antes de tomar posesión de unas tierras– invitaba a los indígenas a abrazar la fe; si aceptaban, podían conservar vida, libertad y bienes; si se oponían, eran sometidos a esclavitud. Esta mentalidad medieval chocaba de plano con las nuevas ideas renacentistas y con la misma reforma franciscana española previa a la de Lutero. De hecho, el requerimiento fue rechazado o criticado por muchos misioneros. Se abolió en 1573. En cambio, mediante el régimen de la *encomienda* (también denominado *repartimiento*) quedaban los indígenas sometidos a los conquistadores, quienes se hacían cargo de los nativos para educarlos, adoctrinarlos y sobre todo servirse de la fuerza de sus brazos. Si se resistían, estaba justificada la guerra de «pacificación» o «guerra justa». De ahí la lucha constante entre misioneros y «encomenderos», y las tensiones entre éstos y los «encomendados». Las Casas calificó el régimen del repartimiento y de la encomienda como «tiránica peste». Este régimen se mantuvo de hecho durante los siglos XVI y XVII.

b) La mentalidad religiosa del s. XVI

A pesar de la renovación teológica, pastoral y espiritual promovida por fray Hernando de Talavera

---

[11] Es la tesis, quizá exagerada, de H.-X. Arquilière, *Saint Grégoire VII. Essai sur sa conception du pouvoir pontifical*, París 1934.

[12] Cf. P. Castañeda Delgado, *La teocracia pontificial y la conquista de América*, Eset, Vitoria 1968.

[13] Cf. E. Schäfer, *El Consejo Real y Supremo de las Indias. Su historia, organización y labor administrativa hasta la terminación de la casa de Austria*, 2 vols., Sevilla 1935-1947; A. de Egaña, *La teoría del Regio Vicariato español en Indias*, Roma 1958.

y el cardenal Francisco Jiménez de Cisneros (1436-1517) en la España de comienzos del s. XVI, la Iglesia vivía sometida a múltiples intereses económicos y políticos [14]. Había obispos que estaban más cerca de la corte o de los centros de poder que de sus feligreses. Por otra parte, no faltaban religiosos y sacerdotes ávidos de beneficios, escasos de preparación y desviados en su conducta moral, provocando el desprecio de los laicos [15]. La edición de innumerables catecismos intentó remediar la ignorancia religiosa del pueblo, escaso de doctrina y de predicación, como atestiguan los comentaristas del tiempo, desde J. de Valdés a Fray Luis de León y Miguel de Cervantes [16].

Teólogos y humanistas se enfrentaron en el s. XVI a nuevos problemas derivados de las guerras de religión en Europa y de la conquista de América [17]. Tales fueron la guerra y la paz, la libertad y el derecho de los pueblos, la justicia y la caridad, la experiencia mística y la actividad humana. El pensamiento misionero de la Iglesia española del s. XVI se centraba en la «salvación del alma» y en el bienestar espiritual del individuo, en contraste con las religiones indígenas americanas, que valoraban más la preservación del orden cósmico y el perfeccionamiento de la colectividad [18]. La existencia de «infieles» no bautizados, junto a ciertas prácticas indígenas, como los sacrificios humanos, plantearon a los españoles de entonces agudos problemas [19]. ¿No podría una persona honesta salvarse sin que hubiese aceptado el mensaje evangélico y el bautismo? Unos, como Francisco de Vitoria, pensaban que la salvación de los indios honestos era po-

sible, dada su «ignorancia invencible» de Jesucristo; otros, como Domingo de Soto y Andrés Vega, sostenían que era suficiente una «fe implícita». Finalmente, había quienes afirmaban, como J. Martínez de Ripalda, que, en el caso de una ignorancia inculpable, Dios salvaba mediante una «vía extraordinaria». Por el contrario, no faltaban los defensores, como Juan de Acosta, de la necesidad de la fe explícita en Cristo para salvarse. De hecho, el aprecio del valor absoluto de la salvación cristiana y el menosprecio de la religiosidad indígena justificó muchos atropellos, como la destrucción de los lugares de culto y los objetos de adoración de los nativos. Este tipo de evangelización contrasta con la llevada a cabo por los jesuitas en Asia, al reconocer en las religiones orientales semillas del Verbo.

2. Características de la misión «colonial»

a) Rasgos principales

Los propósitos oficiales de la conquista fueron dos: anexionar a los reinos de España las nuevas tierras conquistadas e incorporar a la Iglesia católica a los indígenas bautizados.

«El carácter marcadamente confesional del Estado español, que convirtió la conquista en acción misionera –escribe L. N. Rivera Pagán–, y la subordinación de la Iglesia a la corona, que, a su vez, hizo de la propagación de la fe una empresa estatal, confirió a los intensos debates una fisonomía propia, inigualada en la historia» [20].

La conquista y posterior colonización produjo un choque de culturas y civilizaciones. Se destruyó el sistema económico indígena, precario pero consistente, y se intentó sustituirlo con muchas dificultades por el que traían los españoles. De otra parte, las epidemias contribuyeron a mermar notablemente la población. De ahí que se dieran disputas frecuentes entre misioneros y conquistadores a propósito del injusto deterioro sufrido por las comunidades indígenas. El declive de los indígenas propició el ascenso de la clase *criolla*.

---

[14] V. Beltrán de Heredia, *Historia de la Reforma en la provincia de España (1450-1550)*, Roma 1939.

[15] Cf. las introducciones de I. Velo Pensado al catecismo de F. de Meneses, *Luz del alma cristiana*, Madrid 1978, y de L. Resines a los *Catecismos de Astete y Ripalda*, Madrid 1987.

[16] Cf. M. Bataillon, *Erasmo y España*, México ²1966, 797-798.

[17] Cf. M. Andrés, *La teología española del siglo XVI*, 2 vols., Madrid 1976-1977; E. Vilanova, *Historia de la teología cristiana*, II, Herder, Barcelona 1989, 693-745.

[18] F. Morales, *La evangelización en el siglo XVI*, en CELAM, *La evangelización fundante en América Latina (Estudio histórico del siglo XVI)*, Bogotá 1990, 280.

[19] Sepúlveda, Motolinía, Juan de Zumárraga y otros afirman que los aztecas ofrecían a los dioses 20.000 sacrificios humanos anuales.

[20] L. N. Rivera Pagán, *Evangelización y violencia: la conquista de América*, CEMI, San Juan de Puerto Rico 1991, 333.

Evidentemente, el camino más común fue el de la conquista. Uno de los grandes escollos de la evangelización lo constituyó la falta de aprecio de la cultura indígena. Provistos los misioneros de una cultura y teología occidentales, les costó mucho aceptar la cosmovisión de los indios. Algunos predicadores ni siquiera hicieron diferencia entre cristianización e hispanización [21]. Asimismo, al rechazar idolatría y magia, sacrificios humanos y ritos sanguinarios, danzas y cantos obscenos, muchos misioneros cometieron injusticias manifiestas. Pero no faltaron los que estudiaron detenidamente la cultura y costumbres indígenas, como Bernardino de Sahagún y José de Acosta, con la intención de evangelizar mejor. La dificultad en aprender los idiomas de los nativos (se calcula que había en América unos 600 idiomas diferentes) y la ideología imperial fomentaron la imposición del castellano. Otro presupuesto nefasto fue la creencia de que los indios no eran personas libres, sino esclavos por naturaleza. Esta convicción interesada produjo innumerables abusos, además de dar origen a contratestimonios que impidieron una misión evangélica.

b) Etapas misioneras

La evangelización de la América española comenzó por la etapa de las Antillas (1493-1522), extendida principalmente a Santo Domingo, Puerto Rico, Cuba y costas continentales adyacentes (Venezuela, Colombia y Panamá). Se inició propiamente en 1502 [22]. La primera misión del Caribe no tuvo éxito, o lo tuvo escaso, por las guerras de conquista, huidas de los indios a las montañas, epidemias con efectos devastadores y esclavitud más o menos disimulada por medio de la encomienda. Pronto se multiplicaron las quejas de los misioneros frente a los encomenderos, nunca resueltas del todo por las juntas de juristas civiles, canonistas y teólogos. Precisamente esto dio origen a las Leyes de Indias de 1512.

---

[21] Cf. J. Höffner, *La ética colonial española del siglo de oro. Cristianismo y dignidad humana*, Madrid 1957, 175.

[22] Cf. E. Dussel, *Historia de la Iglesia en América Latina. Coloniaje y liberación (1492/1972)*, Madrid ⁵1983; L. Ugalde, *De la evangelización fundante a la Iglesia colonial*: «Iter» 1 (1990/2) 109-125.

EL DIOS ORO

«En esta tierra hay más daño del que allá han informado, porque una cosa es oírlo y otra verlo... En esta entrada quedaron los indios escandalizados y alborotados y con odio a los españoles que, si Dios no remedia, las fuerzas nuestras no bastan para sedar ni mitigar su justa saña, porque certifico a V. Merced que toda la tierra por donde fue (el gobernador) quedó tan destruida, robada y asolada, como si el fuego pasara por ella... Vi que el Dios y la administración que les enseñan y predican es: "Dadme oro, dadme oro"... y tomando tizones para quemar sus casas... Esto hacía el gobernador apeándose en cada pueblo...».

Informe de Fray Tomás Ortiz,
protector de los indios en Nueva Granada,
contra el gobernador García de Lerma, en 1529.

Al disminuir la población autóctona y comprobar que no había el oro que se buscaba, se agotó la etapa antillana hacia 1520. Los intereses se dirigieron a las nuevas tierras conquistadas en el continente. Las Antillas serán bases para nuevas expediciones. Sin embargo, en las tierras del Caribe comenzaron las críticas radicales contra la conquista, por boca sobre todo de Montesinos y Las Casas. Especial discusión produjo la tesis de Sepúlveda de conquistar primero para evangelizar después, contestada radicalmente por Las Casas, quien la juzgó «camino de Mahoma». Las Casas y sus seguidores, como el franciscano Juan de Silva, propugnaban una conversión «mediante persuasión, no por coacción».

La segunda etapa misionera se desarrolló en Nueva España (México) a partir de 1524 [23], en la región central a partir de 1536 y en la región peruana desde 1540. Culminó esta importante etapa hacia 1560. Prácticamente empieza en 1523-1524 con la llegada de las órdenes mendicantes, a saber, franciscanos, dominicos y agustinos, aptos para evangelizar gracias a la reforma cisneriana. Los primeros misioneros genuinos en México fueron «los doce frailes de san Francisco», bajo la dirección de fray Martín de Valencia, con Pedro de Gante y Toribio

---

[23] Cf. J. L. Martínez, *Hernán Cortés*, Fondo de Cultura Económica, México 1990.

de Benavente (sobrenombrado Motolinía, que significa en lengua indígena «pobreza») entre ellos. Intentaron misionar con independencia de la conquista, ya que, como entenderá Las Casas, «dominación y evangelización son irreconciliables». A estos franciscanos españoles de la provincia de San Gabriel en Extremadura, siguieron doce dominicos, entre los cuales sobresalió *Bartolomé de las Casas*. Por influjo de la corriente reformadora mendicante basada en la sencillez y la pobreza, el entusiasmo de aquellos franciscanos rayó en la utopía. Dos años después, en 1526, llegaron los dominicos, y en 1533 los agustinos. En 1572 arribaron los jesuitas por decisión de su general san Francisco de Borja. Tuvo un gran influjo misionero la advocación de la Virgen de Guadalupe a partir de 1531.

Los pueblos de la meseta mexicana y del altiplano peruano, a diferencia de los del Caribe, tenían una cultura espléndida y una organización envidiable. No estaban dispuestos a ser sometidos con facilidad. El obstáculo de los sacrificios humanos hizo destruir apresuradamente aquellas culturas, tachadas de demoníacas. Sin embargo, el espíritu misionero cristiano fue defendido por algunos excelentes obispos, como fray Juan de Zumárraga o Vasco de Quiroga (inspirados en la *Utopía* de santo Tomás Moro), quienes se consideraron «protectores de los indios» y defensores de la cultura indígena. Hubo además preocupación por la educación de los nativos.

Recordemos que la evangelización de los incas en Perú se vio obstaculizada gravemente por las luchas internas entre españoles, es decir, entre pizarristas y almagristas, a causa de «apetencias de mando» y la obligación de liberar a «todos los esclavos», al ser aplicadas las Leyes Nuevas de Indias promulgadas en 1542. Esto suponía el triunfo de las tesis lascasianas. El único caso de evangelización sin conquista militar previa fue Vera Paz (Guatemala), misión ejemplar fundada por Las Casas [24].

c) Proceso catecumenal

En realidad, la evangelización de América fue un adoctrinamiento propio de la cristiandad del s. XVI. Se utilizaron diversos procedimientos. Desde un principio se crearon, por ejemplo en México, centros de misión.

«La conversión del indígena mexicano –escribe F. Morales– fue una tarea que se realizó a lo largo de varios años, en ambientes, a veces hostiles, a veces pacíficos, con apoyo de la conquista o, con frecuencia, a pesar de ella» [25].

Hay testimonios que refieren diálogos entre misioneros y sabios nativos con objeto de afrontar el rechazo que provenía, sobre todo, de los ancianos y de los sacerdotes indígenas. La misión se llevaba a cabo de un modo «vertical» (conversión primero de los jefes o caciques) y «capilar» (convivencia y trato del misionero con el pueblo). Para los hijos de la nobleza india se crearon escuelas conventuales, en las que confluyeron la tradición franciscana de Cisneros y la mexicana indígena. Los jóvenes formados en estas escuelas ayudaron eficazmente en la acción misionera.

Otro importante procedimiento evangelizador se basó en las reducciones, establecidas por sugerencia del III Concilio provincial de Lima (1582-1583) para reunir al pueblo indio, facilitarle una comunidad de vida y ayudarle en su proceso de maduración humana y cristiana. De hecho, a pesar de algunos abusos, las reducciones constituyeron una ayuda manifiesta en las misiones jesuíticas de los guaraníes en Paraguay y en las franciscanas de Fray Junípero Serra en California [26]. Recordemos que en los s. XVII y XVIII se habían separado conquista y misión. En las reducciones se construían junto al templo una escuela y un hospital. Se enseñaba el catecismo, las letras, el canto y la música. También se fomentó la religiosidad popular a través de procesiones, imágenes, ceremonias, representaciones y pinturas [27]. Fueron muy utilizados el teatro y las pantomimas.

---

[24] Cf. A. Saint-Lu, *La Vera Paz. Esprit évangélique et colonisation*, Centre de Recherches Hispaniques, París 1968.

[25] F. Morales, *La evangelización en el siglo XVI*, en CELAM, *La evangelización fundante en América Latina*, Bogotá 1990, 288.

[26] Cf. J. Villegas, *Las reducciones jesuíticas del Paraguay como sistema de evangelización. Siglo XVII*, en *Para una historia de la evangelización de América*, CEHILA, Barcelona 1977; M. Chevenor, *Las «reducciones» jesuíticas del Paraguay:* «Concilium» 207 (1986) 245-252.

[27] Cf. P. Borges, *Métodos misionales en la cristianización de*

Como a veces los niños nativos aprendían el castellano antes que el idioma indígena los misioneros, intervenían muchachos en la predicación como intérpretes. Para darse mejor a entender, los predicadores usaban gestos. Pero les preocupó el aprendizaje de las lenguas indígenas. De ahí que, para implantar una Iglesia autóctona que devolviese el habla a los indígenas, se recomendase el conocimiento del idioma popular. Pronto se redactaron vocabularios y gramáticas de los dialectos indígenas.

Estos ensayos creativos y el mismo espíritu misionero decaerán a partir de 1550. Hubo demasiado etnocentrismo (pretendida superioridad moral y religiosa del mundo occidental) y escasa sensibilidad por la esclavitud de los negros.

3. Críticas a la misión «colonial»

Un genuino representante y defensor de la misión «colonial» fue Juan Ginés de Sepúlveda, cronista oficial y capellán del emperador, cuyas tesis fueron condenadas por las universidades de Alcalá y Salamanca, las de mayor prestigio en su tiempo [28]. Es la antítesis de Bartolomé de las Casas [29]. Sepúlveda justifica la guerra de los españoles («prudentes, poderosos y perfectos») contra los indios («hombres bárbaros, incultos e inhumanos»). Representa, según V. Codina, la corriente esclavista [30]. Lo cierto es que muchos misioneros han dejado testimonios espléndidos de la naturaleza humana de los indios. Para J. de Mendieta «son de bonísima complexión y natural, aptos para todo, y más para recibir nuestra santa fe» [31]. Otro tanto piensan fray

Martín de Valencia y fray Toribio de Motolinía [32]. En realidad, la bula de Pablo III *Sublimis Deus* de 1537 no pretende afirmar la racionalidad de los indios (estaba fuera de duda), sino su libertad (que se encontraba constantemente amenazada).

Por las ambigüedades que entrañaba la misión colonial, propia de una Iglesia europea de cristiandad, surgieron las críticas. Unas procedían desde la consideración del otro, del indígena a evangelizar; otras derivaban de la predicación misma, más centrada en una doctrina que en una fe. Por justificar discutiblemente la conquista, podemos afirmar con lenguaje actual que la teología misionera de la cristianización de América fue más teología de dominación que de liberación. Sin embargo, no podemos ignorar la defensa que muchos misioneros españoles hicieron de los indios con verdadero espíritu profético. Muchos historiadores

«afirman –según refiere la Conferencia de Religiosos de Colombia– que la mayoría de los misioneros de la época tenían una clara opción por la prioridad absoluta de la evangelización misionera. Opción que los situaba decididamente del lado de los indígenas, en la defensa de su dignidad y de sus derechos» [33].

Es de notar que la colonización misionera española hizo posible, dentro de una crítica interna, una especie de conciencia anticolonial, que contribuyó a la plasmación de una filosofía moral y jurídica de grandes alcances y proporciones.

«Indeleble honor cabe a España –escribe L. N. Rivera Pagán– por haber producido ella misma los más severos y rigurosos críticos de sus hazañas imperiales» [34].

El pensamiento de los críticos se confrontó, a veces violentamente, con el pensamiento más reaccionario de la Contrarreforma y con la misma Inquisición. En el fondo se debatían en América dos

América. Siglo XVI, CSIC, Madrid 1960; A. Santos Hernández, *Las misiones católicas*, en Fliche-Martin, *Historia de la Iglesia*, XXIX, Edicep, Valencia 1978.

[28] Su obra principal es *Democrates secundus sive de iustis causis belli apud Indos*, edición crítica bilingüe, CSIC, Madrid 1951.

[29] Recordemos que, mientras las obras de Las Casas se difundieron ampliamente, no ocurrió lo mismo con las de Sepúlveda, que se editaron cuatro siglos después de ser redactadas. Las escuelas de Salamanca y Alcalá no dieron licencia a Sepúlveda para imprimir sus escritos.

[30] Cf. V. Codina, *Evangelizar 500 años después*, en id., *Parábolas de la mina y el lago*, Sígueme, Salamanca 1990, 190.

[31] Cf. su obra *Historia Eclesiástica Indiana*.

[32] Cf. su obra *Historia de los indios de la Nueva España*.

[33] Conferencia de Religiosos de Colombia, *Formación en la Nueva Evangelización*, Bogotá, s. a., 36.

[34] L. N. Rivera, *Evangelización y violencia, o. c.*, 2.

concepciones casi antagónicas, la absolutista e imperial de cariz beligerante y la humanista y evangélica de proyección pacífica.

a) La crítica mesurada de los teólogos «salmantinos»

Algunos teólogos de la «escuela de Salamanca» –como Francisco de Vitoria, Domingo de Soto, Martín de Azpilcueta y Juan de Medina– dieron su juicio ponderado sobre los problemas que planteó la conquista y evangelización de América, justificadas de antemano con argumentos de carácter misionero y de índole social o civilizador [35]. Vitoria rechazó, por ilegítimos, los títulos de conquista derivados de la donación pontificia (el papa no es señor del orbe) y del *requerimiento* (tampoco el emperador es soberano del universo). Afirma resueltamente que los indios son dueños legítimos de sus tierras, sin que pierdan este derecho por herejía o idolatría. Para justificar la conquista, el argumento principal lo situó Vitoria en la «solidaridad natural de los pueblos» o en el «derecho de gentes». En una palabra, los españoles podían predicar el evangelio a los indios, pero debían respetar su soberanía y propiedades. Los indios, por el contrario, tampoco estaban obligados a creer lo que se les anunciaba, ni pecaban por su posible incredulidad. Unicamente se justificaba la guerra si los indios no respetaban el «derecho de gentes», o si impedían abiertamente a los españoles predicar la fe. A propósito de la conquista de América, se produjeron en Salamanca, alrededor de Francisco de Vitoria, importantes debates sobre la guerra justa, licitud de la conquista, esclavitud de los indígenas y negros, y derecho natural de gentes.

b) La crítica profética de los «lascasianos»

La primera crítica a la justificación de la conquista procede de fray Antonio de Montesinos en su famoso sermón del cuarto domingo de adviento de 1511, en la isla La Española (Santo Domingo), ante una minoría dirigente, al denunciar la dominación ejercida sobre el indio mediante la «encomienda» [36]. Predicó Montesinos en nombre de una comunidad de dominicos –cuyo superior era Pedro de Córdoba–, después de «continuas oraciones y ayunos» [37]. Produjo lógica indignación entre los colonos y encomenderos la afirmación rotunda de Montesinos: «Todos estáis en pecado mortal y en él vivís y morís, por la crueldad y tiranía que usáis con estas inocentes gentes». Una copia de este sermón llegó nada menos que hasta el rey Fernando. Hay quienes sostienen que aquí comenzó la *teología de la liberación*. E. Dussel piensa que el nacimiento de dicha teología coincide con la «conversión profética» de Las Casas [38]. Ciertamente, Montesinos primero, y Las Casas después, clamaron proféticamente por la justicia.

DEFENSA DE LOS INDIOS

«Llegado el domingo y la hora de predicar, subió en el púlpito el susodicho padre Antón Montesinos, y tomó por tema y fundamento de su sermón, que ya llevaba escripto y firmado de los demás: "Yo soy la voz que clama en el desierto" (cf. Mt 3, 3). Hecha su introducción y dicho algo de lo que tocaba a la materia del tiempo del Adviento, comenzó a encarecer la esterilidad del desierto de las conciencias de los españoles desta isla y la ceguedad en que vivían, diciendo así: "Para os lo dar a cognoscer me he sobido aquí, yo que soy la voz de Cristo en el desierto desta isla"... "Esta voz, dijo él, que todos estáis en pecado mortal y en él vivís y morís, por la crueldad y tiranía que usáis con estas inocentes gentes. Decid, ¿con qué derecho y con qué justicia tenéis en tan cruel y horrible servidumbre aquestos indios? ¿Con qué auctoridad habéis hecho tan detestables guerras a estas gentes que estaban en sus tierras mansas y pacíficas, donde tan infi-

---

[35] Cf. V. Diego Carro, *La teología y los juristas españoles ante la conquista de América*, Salamanca 1981.

[36] En virtud de la «encomienda», el indio debía trabajar gratis para el español durante un cierto tiempo.

[37] El sermón de Montesinos es citado por B. de Las Casas, *Historia de las Indias*, III, c. 4.

[38] E. Dussel, *Hipótesis para una historia de la teología en América Latina (1492-1980)*, en P. Richard (ed.), *Materiales para una historia de la teología en América Latina*, DEI, San José de Costa Rica 1981, 406.

nitas dellas, con muerte y estragos nunca oídos, habéis consumido? ¿Cómo los tenéis tan opresos y fatigados, sin dalles de comer ni curallos en sus enfermedades, que de los excesivos trabajos que les dais incurren y se os mueren y, por mejor decir, los matáis, por sacar y adquirir oro cada día? ¿Y qué cuidado tenéis de quien los doctrine, y conozcan a su Dios y criador, sean baptizados, oigan misa, guarden las fiestas y domingos?".

"Estos, ¿no son hombres? ¿No tienen ánimas racionales? ¿No sois obligados a amallos como a vosotros mismos? ¿Esto no entendéis? ¿Esto no sentís? ¿Cómo estáis en tanta profundidad de sueño tan letárgico dormidos? Tened por cierto que, en el estado que estáis, no os podéis más salvar que los moros o turcos que carecen y no quieren la fe de Jesucristo". Finalmente, de tal manera explicó la voz que antes había muy encarecido, que los dejó atónitos, a muchos como fuera de sentido, a otros más empedernidos y algunos algo compungidos, pero a ninguno, a lo que yo después entendí, convertido».

B. de Las Casas, *Historia de las Indias*, cap. 4, BAE, t. 96, 176.

Un oyente (o lector) destacado del sermón de Montesinos fue precisamente el sevillano Bartolomé de Las Casas (1474-1566), quien a partir de 1514 (masacre de indígenas indefensos en Cuba) hizo un cambio radical en su vida después de ser «encomendero» durante doce años. Ordenado sacerdote y hecho dominico, comenzó a denunciar «la insaciable codicia y ambición» de muchos conquistadores, que tenían «por su fin último el oro y henchirse de riquezas en muy breves días». Por eso afirma que el oro es «sangriento e inicuo». Su actividad fue incansable en el ámbito de la acción pastoral (fue obispo de Chiapas), en el plano de la ideología (por sus escritos) y en las intervenciones políticas (influyó en la redacción de las *Leyes Nuevas* de Indias de 1542) [39]. Sobre B. de Las Casas se ha escrito mucho y de diversa índole, juzgado por Menéndez Pidal «paranoico» [40], por el dominico Dávila Padilla

«un segundo apóstol san Pablo», por el historiador Jaun Friede «portavoz de un partido político indigenista» y por algunos teólogos latinoamericanos «profeta» o «teólogo de la liberación» [41]. Sin duda alguna fue un converso radical, de fuerte temperamento, apasionado por la justicia, la libertad y los derechos humanos, con una opción evangélica por los indios, oprimidos y explotados [42]. Realmente fue un defensor y profeta de los indígenas americanos.

Otro gran crítico fue el franciscano Fray Bernardino de Sahagún (1499-1590), conocedor y defensor de la cultura indígena. Finalmente, cabe reseñar al jesuita José de Acosta (1540-1600), teólogo del gran arzobispo limeño santo Toribio de Mogrovejo e impulsor del tercer concilio provincial de Lima [43]. De hecho, hubo entre 1504 y 1620 una generación profética de obispos dominicos alineados con Las Casas [44]. En 1550 fue asesinado el obispo de Nicaragua Antonio de Valdivieso a causa de sus predicaciones a favor de los indios. Pero así como se dio un movimiento defensor de los indígenas, no hubo otro semejante a favor de los esclavos negros, considerados mano de obra imprescindible, dada la debilidad de los nativos para realizar trabajos duros [45]. Ciertamente, en Brasil, los jesuitas M. García y G. Leite levantaron voces de protesta por la esclavitud de los negros. Asimismo es de notar el ministerio de Alonso de Sandoval y san Pedro Claver en Colombia con los de raza negra.

[39] Cf. L. Galmes, *Bartolomé de Las Casas, defensor de los derechos humanos*, Ed. Católica, Madrid 1982; I. Pérez Fernández, *Fray Bartolomé de las Casas*, OPE, Caleruega 1984; id., *Cronología documentada de los viajes, estancias y actuaciones de Fray Bartolomé de las Casas*, CEDOC, Bayamón (Puerto Rico) 1985.

[40] Cf. R. Menéndez Pidal, *El Padre Las Casas y su doble personalidad*, Espasa Calpe, Madrid 1963, XIV.

[41] Cf. G. Gutiérrez, *Dios o el oro en las Indias (Siglo XVI)*, Sígueme, Salamanca 1989.

[42] De la inmensa producción literaria de Bartolomé de Las Casas sobresalen: *De unico vocationis modo omnium gentium ad veram religionem* (1537) y *Brevísima relación de la destrucción de las Indias* (1542 y 1546); cf. sus publicaciones en *Obras escogidas*, 5 vols., BAE, Madrid 1957-1958.

[43] Cf. *Obras del padre José de Acosta*, Madrid 1954 (BAE 73).

[44] Un 33 por ciento según E. Dussel, en *Las motivaciones reales de la conquista*: «Concilium» 232 (1990) 412; cf. del mismo autor: *El episcopado latinoamericano y la liberación de los pobres (1504-1620)*, CRT, México 1979; E. L. Stehle, *Testigos de la fe en América Latina*, Estella 1986; L. Gómez Canedo, *Pioneros de la cruz en México: Fray Toribio de Motolinía y sus compañeros*, Madrid 1988.

[45] El primer barco negrero llegó de Africa a América en 1518. El comercio esclavista fue suprimido en 1873. Se calcula que fueron introducidos en cuatrocientos años entre 15 y 20 millones de negros como esclavos.

Según Puebla,

«la obra evangelizadora de la Iglesia en América Latina es el resultado del unánime esfuerzo misionero de todo el pueblo de Dios. Ahí están las incontables iniciativas de caridad, asistencia, educación y de modo ejemplar las originales síntesis de evangelización y promoción humana de las misiones» (n. 9).

4. Conclusión

La conmemoración del V Centenario de la llegada a América del cristianismo nos ha hecho ver que la mirada debe ponerse no sólo en el pasado, sino en el presente y en el futuro. La historia debe enseñarnos a no repetirla de la misma manera. De la historia no deducimos un mero saber de curiosidad, sino una ética de comportamiento. En realidad, los hechos históricos no están en los documentos, sino que perviven en la memoria colectiva y en las huellas de los vencidos. Con el crecimiento de la conciencia crítica latinoamericana, la presencia de movimientos en favor de las bases populares, la lectura evangélica a la luz de la situación de los pobres y las llamadas a la edificación de comunidades populares adultas, se están dando pasos importantes para identificar humana y cristianamente a los pueblos latinoamericanos. A unos países –los dominadores– se les exige el desagravio para que reconozcan en los pueblos dominados –sean mestizos o indígenas– sus derechos, la preservación de sus culturas y la defensa de su dignidad humana.

«Hay claves de lectura –afirma la Conferencia de Religiosos de Colombia– que privilegian la óptica de los que sufrieron la evangelización, tendiendo hacia la actitud crítica y la memoria penitencial-transformadora de un pasado hecho de luces y sombras» [46].

---

[46] Conferencia de Religiosos de Colombia, *Formación...*, o. c., 27.

En definitiva, la historia debe enseñar a los creyentes a rechazar lo equivocado o injusto y a reconocer lo acertado o evangélico. De este modo se podrá desarrollar una «nueva evangelización», bajo el signo de la liberación, que integra y supera –sin suprimir– los logros de la primera evangelización, llevada a cabo bajo el signo de la sujeción.

Bibliografía

L. Bethel, *Historia de América Latina*, 4 vols., Ed. Crítica, Barcelona 1990; CEHILA, *Para una historia de la evangelización en América latina*, Nova Terra, Barcelona 1976; CELAM, *La evangelización fundante en América Latina* (Estudio histórico del siglo XVI), DEC, Bogotá 1990; E. Dussel, *Historia general de la Iglesia en América Latina*, t. I/1: *Introducción general a la historia de la Iglesia en América Latina*, Sígueme, Salamanca 1983; E. Galeano, *Las venas abiertas de América Latina*, Ed. Siglo XXI, Madrid 1989; G. Girardi, *La conquista de América, ¿con qué derecho?*, DEI, San José de Costa Rica 1988; G. Gutiérrez, *Dios o el oro de las Indias*, CEP, Lima 1989 o Sígueme, Salamanca 1990; J. Höffner, *La ética colonial española del siglo de oro: Cristianismo y dignidad humana*, Ed. Cultura Hispánica, Madrid 1957; Instituto Teológico de la Vida Religiosa, *Gracia y desgracia de la evangelización de América*, Publicaciones Claretianas, Madrid 1992; L. Lopetegui, *Historia de la Iglesia en la América Española. Introducción general*, Ed. Católica, Madrid 1965; F. Mires, *En nombre de la cruz. Discusiones teológicas y políticas frente al holocausto de los indios*, DEI, San José de Costa Rica 1986; id., *La colonización de las almas. Misión y conquista de Hispanoamérica*, DEI, San José de Costa Rica 1987; H. Prien, *La historia del cristianismo en América latina*, Sígueme, Salamanca 1985; L. N. Rivera Pagán, *Evangelización y violencia. La conquista de América*, CEMI, San Juan de Puerto Rico 1991; D. Ramos y otros, *La ética en la conquista de América*, CSIC, Madrid 1984; T. Todorov, *La conquista de América. La cuestión del otro*, México 1987.

3

Renovación moderna de la evangelización

Al valorar el Vaticano II la reforma eclesial, afirma que

«los diferentes aspectos de la vida de la Iglesia por medio de los cuales se está llevando ya a cabo esta renovación –como son los movimientos bíblico y litúrgico, la predicación de la palabra de Dios y la catequesis, el apostolado seglar, las nuevas formas de vida religiosa, la espiritualidad matrimonial, la doctrina y actividad de la Iglesia en el campo social– han de considerarse como otras tantas garantías y augurios que presagian felizmente los progresos futuros del ecumenismo» (UR 6).

Todos estos movimientos de renovación, desarrollados desde finales del siglo pasado hasta el Vaticano II, influyen notablemente en el sentido pastoral que Juan XXIII dio al Concilio. Antes del Concilio, la misión quedaba relegada a un segundo plano en la pastoral de cristiandad. Incluso las misiones eran actividades apostólicas secundarias y de especialistas. Con el Vaticano se abre para toda la Iglesia un período de preocupación por la evangelización. El Vaticano II supuso, pues, un respaldo teológico y eclesial decisivo a los conceptos de misión y de evangelización, ya introducidos en la teología y pastoral misioneras después de la segunda guerra mundial. Según el Concilio, evangelizar es anunciar o pregonar «el mensaje de Cristo con el testimonio de la vida y de la palabra» (LG 35, 2) «a

los no creyentes para llevarlos a la fe», y a los fieles «para instruirlos, confirmarlos y estimularlos a mayor fervor de vida» (AA 6, 3), con objeto de cooperar «a la dilatación e incremento del reino de Cristo en el mundo» (LG 35, 4).

1. Las misiones de la Iglesia en la época moderna

a) Origen y desarrollo de las misiones

Como ya vimos, la Iglesia se extiende con la misión en el período apostólico dentro del mundo grecorromano; en la Edad media son evangelizados los pueblos bárbaros y eslavos; en el s. XVI se abre la misión, con la conquista, a los pueblos recién descubiertos de América Latina y del Extremo Oriente, y recientemente se inicia, a partir del s. XIX, una época clásica de las misiones en Africa y Asia.

El concepto de misión, tal como lo entendemos hoy, reapareció hacia el 1544 por obra de san Ignacio de Loyola y Diego Laínez como sinónimo de cristianización de paganos en las tierras recién descubiertas de América, Africa y Asia [1]. Hasta entonces, dicho término se utilizaba únicamente en la

---

[1] Cf. J. Mitterhöfer, *Thema Mission*, Herder, Viena 1974, 65.

teología trinitaria. A partir del s. XVI, la cruzada medieval es sustituida por la misión, impregnada lógicamente por la ideología de la conquista. De hecho, la misión pretendía transplantar a las nuevas tierras conquistadas la sociedad cristiana europea [2]. Las modernas misiones se originaron por primera vez en el mundo moderno gracias a la protección directa de los reyes de Portugal y España mediante el «patronato real», derivado de la «concesión del derecho de conquista», dado por los papas a los reyes de la península ibérica a partir de 1452. Más tarde, el sujeto de la misión será el papado.

Por eso, el comienzo de las misiones católicas se sitúa en 1622, al crear entonces Gregorio XV la *Congregación de Propaganda Fide* (actualmente llamada *Congregación para la evangelización de los pueblos*) con la intención de neutralizar los efectos negativos de una misión estrechamente ligada a la conquista. La misión se entendía como *propagación de la fe* a todos los pueblos, en todas sus circunstancias históricas, con la finalidad de que hubiese conversiones y la Iglesia se implantase entre los no cristianos. Propiamente los misioneros ejercían un apostolado especial en países a ultramar de Europa. No había misiones en los países de cristiandad, en donde se rezaba por los misioneros, se fomentaban las vocaciones especiales de este apostolado y se hacían colectas para sus correspondientes obras. Las misiones evocaban países exóticos, religiones paganas, costumbres primitivas y pobreza ancestral. De ahí el prestigio extraordinario que tenían los misioneros, dada su generosidad y valentía.

La expansión de las misiones se llevó a cabo principalmente en el s. XIX, cuando se abrieron a las influencias extranjeras los países del Extremo Oriente y fue conquistada Africa entera. Entre 1870 y 1914 culminó la colonización europea de Africa y, con la colonización, se implantaron las misiones. La *Congregación de Propaganda Fide* asumió la dirección misional en toda la cristiandad gracias al impulso de los papas, especialmente de Gregorio XVI en 1831. En 1839 se condenó la esclavitud, se impulsó la creación del clero indígena y se favoreció la implantación de Iglesias locales. Pero las mi-

siones siguieron un camino paralelo a las colonizaciones europeas y a la romanización de un catolicismo exportado a los países de ultramar.

También llegaron a las misiones las consecuencias de la división de la Iglesia, derivada en la Reforma, mediante conflictos entre misioneros católicos y protestantes. Recordemos que las Iglesias protestantes comenzaron su despliegue misionero a principios del s. XVIII, con la primera misión pietista de carácter privado. Precisamente el intento de superar las divisiones contribuyó notablemente al desarrollo del ecumenismo. Las misiones católicas siguieron las directrices de la *Congregación de Propaganda Fide*. Antes del Vaticano II fueron documentos importantes las encíclicas *Maximum illud* de Benedicto XV (1919), *Rerum Ecclesiae* de Pío XI (1926) y *Evangelii praecones* (1951) y *Fidei donum* (1957) de Pío XII.

b) La misionología y sus escuelas

Un renovado concepto de misión se desarrolló entre las dos últimas guerras mundiales, edad de oro de la misionología. Los aportes exegéticos de O. Cullmann, J. Jeremias, G. Stählin, J. Schmidt, W. Trilling, etc., arrojaron muchas luces en la interpretación del mandato misionero. La misionología como ciencia comenzó a ser estudiada entre los protestantes a partir de 1896, con la creación de una cátedra sobre las misiones en la Facultad de Teología de Halle (Berlín). El protestante G. Warneck (1834-1910) es considerado como el fundador de la misionología moderna. En la Iglesia católica se desarrolló este tratado a partir de la fundación en Münster (1911) del *Instituto Internacional de Investigaciones Misionológicas*, gracias a J. Schmidlin.

Hubo, hacia los años treinta, dos escuelas teológicas misioneras. Una es la *escuela alemana de Münster*, representada por J. Schmidlin, quien pone el objetivo de la misión en la «salvación de las almas». La justificación misionera de esta escuela se basa en la «voluntad salvífica de Dios». Siguen esta tesis Th. Ohm, P. O'Connor y otros. Otra es la *escuela belga de Lovaina*, dada a conocer hacia 1924 por los trabajos de P. Charles, bajo la influencia del

---

[2] Cf. Th. Ohm, *Machet zu Jüngern alle Völker. Theorie der Mission*, Wewel, Friburgo de Brisgobia 1962.

misionólogo protestante G. Warneck [3]. La defendieron asimismo A. Perbal, A. Seumois y otros. Según esta escuela, el punto de partida de las misiones descansa en el mandato de Cristo, y su fin primario y específico está puesto en la «implantación de la Iglesia». Esta tesis de P. Charles fue aceptada posteriormente por diversos documentos pontificios.

En realidad, ya existían en los Padres de la Iglesia expresiones semejantes: «dilatación de la Iglesia» o «dilatación de la fe». La plantación de la Iglesia como objetivo de la misión cristiana intentaba rectificar el fin individualista de la «salvación de las almas». Esta postura fue contestada por P. O'Connor en 1951, quien sostuvo la tesis münsteriana de la salvación de las almas. En defensa de la implantación de la Iglesia salió E. J. Murphy, discípulo del belga Charles. Estas dos opiniones, en un justo equilibrio, pesarán en la redacción del esquema *Ad gentes* del Vaticano II.

La escuela española de misionología, identificada fundamentalmente con el belga Charles, comenzó a desarrollarse, hacia 1920, por obra del arzobispo de Burgos J. Benlloc y del jesuita J. Zameza. Acentúan en las misiones la importancia del «cuerpo místico» en una doble expansión: hacia fuera (la catolicidad de la Iglesia) y hacia dentro (la conversión y el bautismo). Se trata, pues, de implantar la Iglesia. Todavía puede hablarse de una escuela francesa, complementaria de la alemana y de la belga, según la cual la implantación de la Iglesia se lleva a cabo mediante la conversión y salvación de todos, universalmente. Es la posición de equilibrio entre las diversas escuelas, defendida por el jesuita A. Santos [4].

c) Rasgos de la Iglesia de las misiones

La Iglesia de las misiones ha sido una Iglesia dependiente de la Santa Sede. El cristianismo se implantó en los países misioneros bajo control de la *Congregación de la propagación de la fe*, al mismo tiempo que se extendía la civilización europea a impulsos de una conquista sensiblemente violenta. La Iglesia era una instancia supranacional para que la acción misionera no sucumbiese a los intereses comerciales y estratégicos de los países colonizadores. Por estas razones, las misiones extranjeras dependieron totalmente de la sede apostólica. Al mismo tiempo se relacionaba la Iglesia con el sistema colonial. Las misiones fueron creadas en general en el marco de una conquista o incluso con la protección de los reyes, como fueron los casos de Portugal y España. Para bien y para mal, tenían las misiones el apoyo del poder político y económico de los colonizadores.

Básicamente era una Iglesia netamente rural. Las misiones se desarrollaron entre poblaciones sencillas y pobres en un mundo agrícola. Este sello daba facilidad al misionero occidental, exterior al país mismo, de imponerse por sus valores culturales y religiosos. Menos misionadas fueron las ciudades y sus barrios. También fue una Iglesia extranjera. Los indígenas aceptaban sumisamente los valores culturales importados por el misionero. Prácticamente, las misiones dependían de Europa (más tarde también de EE.UU.) con impronta occidental, rito latino, teología blanca y normatividad romana. Se estaba lejos de la inculturación. Naturalmente, era una Iglesia sacerdotal. La totalidad de la misión, con todas sus obras (escuelas, hospitales, etc.), eran dirigidas por sacerdotes, religiosos y religiosas. El personal laico, de ordinario dedicado a la catequesis, era considerado auxiliar.

d) Crisis de la Iglesia de las misiones

Recordemos que, a partir de 1945, al finalizar la segunda guerra mundial, y después de la creación de la ONU, se extiende rápidamente la descolonización en los continentes africano y asiático. Se hace presente en la escena internacional el Tercer Mundo, que rechaza ser periferia de occidente. Termina la época colonial clásica, aunque la dominación económica subsiste por otros caminos; se impone la independencia de los países colonizados y se exige la igualdad de nación a nación. Al formar la Iglesia parte de la sociedad occidental, de su poder y de

[3] Cf. S. Dianich, *Iglesia en misión. Hacia una eclesiología dinámica*, Sígueme, Salamanca 1988, 19.

[4] Cf. A. Santos, *Teología sistemática de la misión*, Verbo Divino, Estella 1991.

La renovación de la evangelización después de la segunda guerra mundial se debió al movimiento misionero francés. En 1943, H. Godin e Y. Daniel mostraron en su libro: *France, pays de mission?* que los países de cristiandad son asimismo de misión [6]. De hecho fue el consiliario Godin quien atisbó en el mismo año de su muerte, en 1944, una concepción apostólica de la Iglesia basada en un dinamismo misionero, con una gran preocupación social, plenamente realista con la situación, encarnada en el mundo y totalmente apoyada en la participación responsable del seglar [7]. Esta percepción misionera se produjo cuando se crearon la *Misión de Francia* (1941) y la *Misión de París* (1943), y surgieron los curas obreros, siendo arzobispo de París el cardenal Suhard [8]. Del cardenal Suhard es la carta pastoral de la cuaresma de 1947 titulada *Essor ou déclin de l'Église*. Incluso G. Michonneau pretendió convertir la parroquia en comunidad misionera. En 1951 se creó el *Centre pastoral des missions intérieures* (C.P.M.I.) con la preocupación de renovar la misión popular desde la denominada misión general, que coordinaba,

«bajo la del obispo del lugar, todas las fuerzas de la Iglesia (clero secular y regular, parroquial, de enseñanza y especializado, religiosas y laicado), en vistas a una evangelización cada vez más profunda de las personas y medios de vida» [9].

La misión se entendió como evangelización de la clase obrera descristianizada, no como recristianización del Estado y de sus estructuras [10]. Se acuñó la expresión «Iglesia en estado de misión», utili-zada por el cardenal Suhard primero y luego por el entonces obispo auxiliar de Malinas L.-J. Suenens y por A. Rétif [11].

Paradójicamente, la pastoral europea se inspiraba en las misiones de tierras lejanas (conversión, catecumenado, comunidad), en tanto que las *Iglesias jóvenes* se situaban en un plano de igualdad y reciprocidad con las *Iglesias veteranas*. Antes del Vaticano II, en la década de los cincuenta, se elaboró una teología de la misión, que algunos llamaron evangelización [12]. En resumen, la misión se descubre en los países de cristiandad gracias a los movimientos apostólicos, sobre todo en los sectores obrero y rural, iniciados entre las dos guerras mundiales. Son movimientos que asumen el encargo de misionar o evangelizar zonas descristianizadas y sectores marginados que aparecen con la industrialización y el crecimiento de las grandes ciudades [13].

3. El aporte misionero del Vaticano II

a) El decreto «Ad gentes»

Los misioneros y obispos de los países de misión deseaban al comienzo del Vaticano II un «aggiornamento» de su ministerio. Pedían fundamentalmente tres cosas: una *teología de la misión*, que se derivase de la fuente trinitaria y del mandato misionero que da Jesús a los apóstoles (Mt 28, 19-20); un *entronque eclesial de las misiones*, es decir, que las misiones se encuadrasen dentro de la misión de la Iglesia; y unas *orientaciones pastorales básicas* para que las misiones no se redujesen a construir escuelas y hospitales, sino que su objetivo se definiese por el triple ministerio de la evangelización, el catecumenado y la comunidad. La concepción misionera de la Iglesia fue una preocupación básica del Concilio, que se refleja en casi todos sus documentos [14].

[6] Cf. H. Godin / Y. Daniel, *France, pays de mission?*, L'Abeille, Lyon 1943; Plon, París 1962.

[7] Cf. F. Benz, *Missionarische Seelsorge. Die missionarische Seelsorgebewegung in Frankreich und ihre Bedeutung für Deutschland*, Herder, Friburgo 1958.

[8] Cf. E. Poulat, *Naissance des prêtres-ouvriers*, Casterman, París 1965; G. Siefer, *Die Mission der Arbeiterpriester. Ereignisse und Konsequenzen*, Driewer, Essen 1960.

[9] J. F. Motte, *Le centre pastoral des missions intérieures*, en M. van Deleft, *La mission paroissiale*, París 1974, 156; cf. además J. F. Motte y M. Dourmap, *Mission générale, oeuvre d'Église*, París 1956; *La mission générale. Dix ans d'expérience au C.P.M.I.*, París 1961.

[10] Cf. A. Laurentin y M. L. Le Guillou, *La misión como tema eclesiológico*: «Concilium» 13 (1966) 406-450.

[11] Cf. Y. M. Congar y M. Peuchmaurd (dirs.), *La Iglesia en el mundo de hoy*, Taurus, Madrid 1970, 211-255.

[12] Es clásico el trabajo de P. A. Liégé, *Évangélisation*, en *Catholicisme*, IV, París 1956, 755-764.

[13] Cf. F. Boulard, *Problèmes missionnaires de la France rurale*, 2 vols., Cerf, París 1945-46.

[14] Cf. A. Santos, *Evolución conciliar del Decreto*, en *Decreto*

El decreto *Ad gentes* del Vaticano II fue elaborado por la comisión correspondiente a lo largo de siete sucesivas redacciones, entre 1962 y 1964. Con objeto de señalar su importancia, Pablo VI pronunció en el concilio un discurso sobre las misiones. En el decreto sobre las misiones pueden observarse estas afirmaciones centrales: 1) La *teología de la misión* es trinitaria y cristológica (n. 1-4), ya que la misión procede de Jesús, enviado del Padre, y que envía a sus apóstoles y discípulos. 2) *La Iglesia es misionera* (n. 5-6), es decir, las misiones se enraizan en la misión de la Iglesia por su origen y naturaleza (misión desde el Padre) y por su finalidad (que el pueblo sea pueblo de Dios). La Iglesia es misionera en relación a las religiones (misión de cercanía), al ecumenismo (misión de unidad) y al mundo (misión de humanización) con un doble objetivo: la conversión personal y la creación de comunidades. 3) Hay necesidad en la Iglesia de una *actividad misionera* (n. 7-10). La misión se justifica porque de este modo Dios hace efectiva su voluntad, que se realiza a través de la edificación de la Iglesia hasta llegar a la plenitud del reino, que es la nueva creación. 4) La obra misionera es fruto del *testimonio, diálogo y compromiso* (cap II-VI), y su desarrollo viene dado en el esquema: evangelización, catecumenado y comunidad.

El decreto *Ad gentes* no fija ninguna definición exacta de la misión con objeto de salvaguardar las diversas opiniones. Plantea una descripción general de la misión como realización del mandato de Cristo, implantación de la Iglesia y anuncio de la buena nueva. Se propone una doctrina sintética y común. La misión abarca la conversión al Dios de Jesucristo y la creación de una nueva comunidad cristiana a la que se incorporen los convertidos. Naturalmente, no se trata de crear instituciones o de reproducir la Iglesia oficial, sino de originar la Iglesia local o comunitaria como «sacramento universal de salvación» y «congregación del pueblo de Dios». Tanto en la primera convocatoria conciliar de Juan XXIII (25.12.1962), como en el decreto *Ad gentes*, (7.12.1965), se afirma vigorosamente que «la Iglesia, por su propia naturaleza, es misionera».

b) Balance misionero conciliar

Sin embargo, el vocabulario misionero del decreto *Ad gentes* no es del todo claro. De ordinario, la palabra *misión*, en singular, equivale a la misión de la Iglesia; y la expresión en plural *misiones* es sinónimo de «actividad misionera» o evangelización entre los no cristianos. En los documentos del Vaticano II aparece 31 veces el sustantivo evangelización y 18 veces el verbo evangelizar, especialmente en el decreto *Ad gentes*. Evidentemente se emplea mucho más el término misión. «El fin de la actividad misionera es la evangelización y la plantación de la Iglesia» (AG 6). Según este texto, la evangelización se sitúa entre la misión y la fundación de la Iglesia. Evangelizar es anunciar el evangelio o revelar el misterio de Cristo al mundo. Ahora bien, la acción evangelizadora puede entenderse en los textos conciliares de dos modos: como misión en el mundo, básicamente de *promoción, humanización o liberación*, y como misión a las personas, fundamentalmente de *conversión y de edificación de la Iglesia*. Aunque la actividad misionera «es única e idéntica en todas partes y en toda situación», no siempre «se ejerce del mismo modo»; depende de muchas «circunstancias» (AG 6). Hoy denominamos evangelización a toda la misión de la Iglesia, ya sea remotamente «preparación evangélica» en base a las «semillas del Verbo» (AG 11), ya sea «propuesta directa de la fe» en relación inmediata con la «conversión» (AG 13). Para evitar ambigüedades se emplea la expresión «evangelización liberadora»[15]. Esta expresión nació con la teología de la liberación inmediatamente después del Concilio para evitar un concepto de misión eminentemente colonizador, estrechamente unido a la dominación de los países opulentos nordatlánticos, de donde partían los misioneros.

«Si nos atenemos al sentido estricto de las palabras –afirma Cl. Geffré–, podríamos decir que la palabra *misión* tiene un sentido más amplio que el de *evangelización*: más allá de la tarea fundamental de la evangelización, la misión de la Iglesia designa toda su actividad pastoral y sacramental, así como las diver-

---

Ad gentes sobre la actividad misional de la Iglesia, Madrid 1966, 9-106.

[15] Cf. mi libro *La evangelización, tarea del cristiano,* Cristiandad, Madrid 1978, cap. III, *La evangelización «liberadora»,* 34-43.

sas formas de servicio al hombre en el sentido del evangelio» [16].

Otros, en cambio, como A. Santos, sostienen que *misión* designa

«la actividad específica de la Iglesia que tiende a ir extendiendo cada vez más las fronteras del cristianismo. *Evangelización* es la función general total que Cristo encomendó a su Iglesia en toda la gama del apostolado» [17].

Según esto, toda actividad misional es evangelización, pero no toda evangelización es misionera. J. A. Vela distingue en el decreto *Ad gentes* una evangelización *global* y otra *específica*. La evangelización global se dirige al mundo para reafirmar ciertos valores y compromisos y preparar el camino al evangelio. La específica se dirige a quienes ya fueron tocados por el mensaje evangélico; supone una palabra cristiana explícita que exige conversión o cambio de vida [18].

Recordemos que el decreto *Ad gentes* provocó un cierto entusiasmo, seguido poco después de algunas críticas. La expresión «implantar la Iglesia» hacía temer la extensión de una Iglesia occidental y romana, y la actividad misionera podría entenderse sólo de un modo espiritualista, sin incluir la promoción humana o la liberación.

4. Renovación de la misión después del Concilio

a) Primeros aportes posconciliares

Como acabamos de ver, a partir del Vaticano II se intenta plasmar teológica y pastoralmente un nuevo sentido de la misión de la Iglesia mediante el concepto de *evangelización*. Precisamente en 1967, la Congregación de la propagación de la fe se deno-

minó *Congregación para la evangelización de los pueblos*. Inmediatamente después del Concilio, los episcopados de todos los continentes trataron la cuestión de la evangelización.

Fue tema importante del CELAM en Medellín (1968), en donde se descubre el compromiso claro e inequívoco de la Iglesia a favor de los pobres, de la justicia y de la liberación, sin el cual no hay evangelización. Después de esta asamblea, puede hablarse con propiedad de la «evangelización liberadora». Lo que Medellín dijo para América Latina en la década de los sesenta, fue recogido por la Iglesia universal en la década de los setenta. Las Iglesias asiáticas estudiaron la evangelización en la reunión de Bangkok (1973). Igualmente fue tema de estudio entre los cristianos africanos a partir de los encuentros de Kampala (1969) y Lusaka (1974), en donde se tomó conciencia crítica de la africanización del cristianismo. Las perspectivas misioneras del Consejo Ecuménico de las Iglesias, en su reunión de Upsala (1968), siguieron rutas semejantes. La evangelización, en relación con el sacramento, fue objeto particular de estudio de algunas conferencias episcopales europeas, como es el caso de la francesa en 1971 y en 1974 de la española. También es preciso reseñar la crítica de J. Grand'Maison en 1973 a un concepto demasiado verbal de evangelización [19].

Las críticas a la concepción que había de las misiones surgieron en toda la Iglesia nada más acabar el Concilio. Se evidenciaron entonces las deficiencias del decreto *Ad gentes* sobre la actividad misionera de la Iglesia y de la constitución *Gaudium et spes* sobre la misión de la Iglesia en el mundo actual. En realidad, el servicio de la Iglesia al mundo es un constitutivo de la misión. Era necesario, pues, unir la misión de la Iglesia y la tarea de las misiones con la misión temporal de la Iglesia en el mundo. Esto lo intentó el IV Sínodo de los Obispos de 1974 sobre la evangelización del mundo contemporáneo. De un lado, el decreto *Ad gentes* no precisaba teológicamente el concepto de misión; de otro, la actividad misionera en países de ultramar, llevada a cabo por misioneros procedentes de los países de

---

[16] Cl. Geffré, *El cristianismo ante el riesgo de la interpretación*, Cristiandad, Madrid 1984, 289-290.

[17] A. Santos, *Teología sistemática de la misión*, o. c., 382.

[18] J. A. Vela, *Reiniciación cristiana*, Verbo Divino, Estella 1986, 37-38.

---

[19] Cf. J. Grand'Maison, *La seconde évangélisation*, Fides, Montreal 1973.

cristiandad, estaba lejos de la inculturación de la fe. En los años posconciliares creció la autocrítica de las «misiones coloniales». La misión equivalía, en muchos casos, a proselitismo, a saber, presión sobre las conciencias sin suficiente libertad religiosa. De ahí que se llegase a hablar de una «di-misión» o de una «moratoria» en el quehacer misionero. En lugar de misiones se prefiere hablar hoy de «Iglesias jóvenes», y en vez de utilizar la palabra misión se habla de evangelización. Las voces nuevas provienen de las Iglesias autóctonas, al tener en cuenta la *dependencia* en América Latina respecto de los países nordatlánticos, el sentido *oriental* del cristianismo en los países asiáticos y la valoración de las *culturas y religiones* africanas. En el Sínodo de 1974, los obispos del Tercer Mundo, no sólo fueron mayoría, sino que se mostraron dinámicos y creativos [20].

b) La exhortación «Evangelii nuntiandi» de Pablo VI

La exhortación apostólica *Evangelii nuntiandi* de Pablo VI, publicada a los diez años del Vaticano II (8.12.1975) como conclusión del Sínodo celebrado un año antes sobre la evangelización, describe los elementos básicos de la evangelización, aunque reconoce la complejidad de la acción evangelizadora [21].

> «La tarea de evangelización de todos los hombres constituye la misión esencial de la Iglesia... Evangelizar constituye, en efecto, la dicha y vocación propia de la Iglesia, su identidad más profunda» (EN 14).

En este importante documento se estudian, a diferencia de *Ad gentes*, cuatro temas nuevos: la evangelización de la cultura, el quehacer indispensable de la liberación, el papel de las comunidades de base y la importancia de la religiosidad popular. La primera cuestión procedía de Africa y las otras tres de América Latina. Según la *Evangelii nuntiandi*, la evangelización no sólo es «primer anuncio» o anuncio kerigmático de Jesús a los no creyentes, sino acción pastoral con los descristianizados o incluso fieles que necesitan fortalecer su fe. Es una «realidad rica, compleja y dinámica» que no es fácil definir. Según Pablo VI, posee

> «elementos variados: renovación de la humanidad, testimonio, anuncio explícito, adhesión del corazón, entrada en la comunidad, acogida de los signos, iniciativas de apostolado» (EN 24).

En realidad, esta exhortación apareció un año después de concluido el Sínodo, en el que se manifestaron líneas misioneras contrapuestas y cuestiones candentes, como la emancipación de la mujer y los derechos humanos, que no se reflejaron en la exhortación de Pablo VI.

c) La evolución misionera posterior

La misión de la Iglesia fue profundamente tratada en la Tercera Conferencia del CELAM en Puebla (1979), cuyo tema central fue: *La evangelización en el presente y en el futuro de América Latina* [22]. Se da primacía a la «evangelización liberadora» a causa de la opción por los pobres, la misión de mundos culturales alejados y la defensa de los derechos humanos. La evangelización es entendida en un sentido amplio, como lo explicitó la exhortación de Pablo VI.

En la Asamblea ecuménica de Vancouver de 1983 se sugiere que no se disocie el «evangelio espiritual» (evangelización) del «evangelio material» (acción social), puesto que para Jesús son ambas cosas un solo evangelio [23].

Finalmente, Juan Pablo II promulgó la encíclica *Redemptoris missio* sobre las misiones el 7 de diciembre de 1990, con ocasión del veinticinco aniversario del decreto conciliar *Ad gentes* y del decimoquinto de la exhortación *Evangelii nuntiandi*. Su objetivo es relanzar la actividad misionera de la Iglesia, tanto la misión estricta *Ad gentes* como la nueva evangelización. En este documento distingue

---

[20] Cf. O. Degrijse, *L'éveil missionnaire des Églises du Tiers Monde*, Fayard, París 1983.
[21] Cf. comentarios al IV Sínodo y a *Evangelii nuntiandi*.

[22] Cf. M. A. Keller, *Evangelización y liberación*, Ed. Biblia y Fe, Madrid 1987.
[23] Cf. *Mission and Evangelism. An Ecumenical Affirmation*: «International Revue of Mission» 71 (1982) 427-451.

Juan Pablo II tres situaciones «desde el punto de vista de la evangelización»: 1) la *actividad misionera específica* o misión ad gentes, allí «donde Cristo y el evangelio no son conocidos»; 2) la *atención pastoral a los fieles* o misión, donde las comunidades cristianas «tienen un gran fervor de fe y de vida»; 3) la *nueva evangelización* o *re-evangelización* en los países de antigua cristiandad,

> «donde grupos enteros de bautizados han perdido el sentido vivo de la fe o incluso no se reconocen ya como miembros de la Iglesia, llevando una existencia alejada de Cristo y de su evangelio» [24].

Junto a este recorrido oficial de los documentos papales o episcopales, teólogos de la evangelización abordan el tema de la misión desde nuevas perspectivas culturales en consonancia con la teología de la liberación. De este modo se está elaborando una nueva reflexión sobre la denominada «segunda evangelización».

---

[24] *Redemptoris missio,* 33.

Bibliografía

M. Dhavamony, *Evangelización y diálogo en el Vaticano II y en el Sínodo de 1974,* en R. Latourelle (ed.), *Vaticano II: Balance y perspectivas,* Sígueme, Salamanca 1987, 921-933; S. Dianich, *Iglesia en misión,* Sígueme, Salamanca 1988; *L'Eglise des cinq continents. Bilans et perspectives de l'évangélisation,* París 1975; P. G. Falciola, *Evangelization according to the Mind of Paul VI,* Roma 1972; J. Martín Velasco, *La misión desde el hoy de la Iglesia. Un intento de redefinición:* «Pastoral Misionera» 174 (1991) 72-103; P. Richard, *Mort des chrétientés et naissance de l'Église,* París 1978; J. Schütte (ed.), *Las misiones después del Concilio,* Ed. Guadalupe, Buenos Aires 1968; P. Tihon, *Des Missions à la Mission. La problématique missionnaire depuis Vatican II:* «Nouvelle Revue Théologique» 107 (1985) 520-536 y 698-721; R. Laurentin, *L'Evangélisation après le quatrième synode,* París; Varios, *Haced discípulos a todas las gentes. Comentarios y texto de la encíclica «Redemptoris missio»,* Edicep, Valencia 1991; J. A. Vela, *Problemas básicos de la evangelización desde el Sínodo hasta la Evangelii nuntiandi:* Documentación CELAM 2 (1976) 973-996.

II

NATURALEZA DE
LA EVANGELIZACION

4

Qué es evangelizar

La obra de la evangelización –afirma el Vaticano II– es deber fundamental del pueblo de Dios, puesto que «toda la Iglesia es misionera» (AG 35). Desde esta perspectiva conciliar, la exhortación *Evangelii nuntiandi* sostiene que «la tarea de la evangelización de todas las personas constituye la misión esencial de la Iglesia» (EN 14). En el documento final del Sínodo extraordinario de 1985 sobre el Vaticano II se afirma que «la evangelización es el primer oficio no sólo para los obispos, sino también para los presbíteros y diáconos, más aún, para todos los fieles cristianos». Recientemente, la encíclica *Redemptoris missio* recuerda que

«el Vaticano II ha querido renovar la vida y actividad de la Iglesia según las necesidades del mundo contemporáneo; ha subrayado su índole misionera, basándola dinámicamente en la misma misión trinitaria. El espíritu misionero pertenece, pues, a la naturaleza íntima de la vida cristiana» (n. 1).

De ahí que la evangelización sea actualmente uno de los temas que suscita abundante reflexión porque de hecho es la tarea central y más urgente de la acción pastoral [1].

«El tema de la evangelización –escribe J. Sobrino– no es sólo actual porque es abundantemente tratado, sino que es tratado porque en sí mismo es de gran actualidad» [2].

1. Misión y evangelización

La Iglesia nace en virtud de la misión que Jesús dio a los apóstoles. Precisamente el vocablo *misión* se deriva de *apostello*, que significa enviar; en latín *mittere*, del que procede el sustantivo *missio*. La misión es un envío de la Iglesia *ad hebraeos* y *ad gentes;* el misionero, un enviado o apóstol; y el apostolado, envío, misión, delegación o embajada. El término neotestamentario misión se relaciona con la fundación de la Iglesia. Los evangelios describen los distintos matices de la misión confiada por Jesús. Según Mateo, consiste en hacer discípulos, bautizar y enseñar lo que Cristo mandó (Mt 28, 19-20); para Marcos es proclamar la buena nueva a toda la creación (Mc 16, 15); Lucas la identifica con la proclamación y el testimonio (Lc 24, 47-48); los Hechos dicen que el testimonio debe extenderse

---

[1] Resumo aquí mis trabajos: *Estudio teológico-bíblico sobre la evangelización*, en *Pastoral de la juventud*, PPC, Madrid 1967, 153-188; *Pastoral de la palabra de Dios*, en *Teología de la acción pastoral*, Ed. Católica, Madrid 1968, 307-355; *La evangelización*, en *Conceptos Fundamentales de Pastoral*, Cristiandad, Madrid 1984, 339-351; *La evangelización*, en *Iniciación práctica a la teo-*

logía, Cristiandad, Madrid 1985, V, 220-245; *Evangelización*, en *Conceptos Fundamentales del Cristianismo*, Trotta, Madrid 1992.

[2] J. Sobrino, *Evangelización e Iglesia en América Latina:* ECA 32 (1977) 723.

«hasta los confines de la tierra», y Juan habla de la misión que Jesús recibió del Padre y que confía a sus discípulos [3].

Aparentemente, el concepto de misión parece reducirse a proclamación o anuncio de la buena nueva. Pero cuando analizamos la totalidad de la misión de Jesús, a saber, sus gestos y sus acciones de carácter profético, vemos que

«toma posición –escribe J. Dupuis– comprometiéndose frente al legalismo de los escribas, la autojustificación de los fariseos, el ritualismo de los sacerdotes y de los levitas. No teme la oposición del poder injusto e incluso religioso de su pueblo. Rechaza toda discriminación social y se asocia de forma preferencial con los pobres y los marginados para decirles que a ellos se dirige prioritariamente la buena nueva. Si no es un revolucionario político, su vida y su muerte tienen, sin embargo, una dimensión política en cuanto que sus actitudes representan un desafío y una amenaza para la autoridad, tanto política como religiosa. Esta amenaza fue la que le condujo al suplicio de la cruz» [4].

Jesús es el *apóstol* (Heb 3, 1) o enviado por excelencia de Dios, cumpliendo la misión prevista para el siervo o el profeta, enviado por Yahvé para «llevar la buena noticia a los pobres» (Is 61, 1s). A su vez, la misión de Jesús se prolonga con las de sus propios enviados, los doce, que por esa razón se llaman *apóstoles*. El apóstol es enviado o misionero por elección de Dios para la salvación de los hombres. En cuanto enviado, comporta dos relaciones: con quien lo envía y con quien ejerce su envío. Es enviado por alguien y a alguien; es un mediador activo. En la misión cristiana, Dios es el único capaz de enviar, puesto que es creador del orden natural y donante de la gracia. «Nadie puede apropiarse nada si Dios no se lo permite» (Jn 3, 27). Pero en virtud del mandato de Cristo existe la misión o evangelización, que consiste en «predicar el evangelio» (Hch 8, 40) o en «predicar a Jesús» (Hch 9, 20) en su totalidad.

Hay una primera misión dentro de la Trinidad. En tanto que el Padre nunca es llamado «enviado» por la Biblia, reciben esta denominación el Hijo y el Espíritu. El Hijo es enviado por el Padre, y el Espíritu Santo por el Padre y el Hijo. El aspecto misionero de la Iglesia –nos dirá el Concilio– «toma su origen de la misión del Hijo y de la misión del Espíritu Santo según el propósito de Dios Padre» (AG 2), y cumple su objetivo en relación a todas las personas y pueblos que todavía son paganos y a todos aquellos que con apariencia cristiana viven en realidad un nuevo paganismo. La misión, de hecho, va dirigida especialmente a «los pueblos o grupos humanos en los cuales (la Iglesia) no ha arraigado todavía» (AG 6).

La tradición de la Iglesia ha hablado más de misiones que de misión. Las misiones han sido, sobre todo a partir del s. XVI, una de las tareas de extensión de la Iglesia en tierras de «no cristianos». Desde hace unos pocos años, al reconocer que los países de cristiandad también eran tierra de misión, comenzó a hablarse de misión en singular o, si se prefiere, de la misión evangelizadora de la Iglesia.

El término *evangelización*, recientemente empleado y generalizado en el vocabulario pastoral, es la adjetivación del sustantivo *evangelio*, que en el Antiguo Testamento equivale a la recompensa que se da al mensajero porque trae una «buena noticia», y a la noticia misma como mensaje gozoso generador de alegría. En el mundo griego, evangelio era asimismo recompensa por la buena noticia y mensaje gozoso [5]. *Evangelizar* equivale a comunicar el evangelio, a saber, «proclamar buenas noticias» o «anunciar hechos salvadores». Evangelio significa el mensaje mismo, a saber, la «buena noticia» de la llegada al pueblo de auténtica prosperidad, justicia y paz anunciada por el pregonero.

El NT no usa el término evangelización, sino el

---

[3] Cf. L. Legrand, *Le Dieu qui vient. La mission dans la Bible*, París 1988; D. Senior y C. Stuhlmueller, *Biblia y misión*, Verbo Divino, Estella 1985.

[4] J. Dupuis, *Evangelización* (I. *Evangelización y misión*), en R. Latourelle y R. Fisichella, *Diccionario de teología fundamental*, Paulinas, Madrid 1992, 445.

[5] Cf. J. M. González Ruiz, *Evangelio*, en C. Floristán y J. J. Tamayo (eds.), *Conceptos Fundamentales de Pastoral*, Cristiandad, Madrid 1983, 323-338.

verbo evangelizar y el sustantivo evangelio [6]. Evangelio procede del Deuteroisaías, según el cual el «mensajero de la paz» (Is 52, 7) anuncia la llegada de la era mesiánica o el reinado de Dios, universal y definitivo. Jesús es, pues, el mensajero de la buena noticia (evangelizador), y la buena noticia misma (evangelio). En resumen, evangelio es la «buena noticia de Dios» o «de Jesucristo» [7]. Según Marcos, evangelio es la historia de Jesús a través de sus acciones; Mateo dice que Jesús proclama el «evangelio del reino»; Lucas afirma que el evangelio es alegría y esperanza; Juan sustituye el término evangelio por testimonio y envío, y Pablo escribe que el evangelio es la buena noticia de la salvación del mundo realizada por Dios en Jesús. En definitiva, evangelizar es anunciar y llevar a cabo el evangelio o la salvación de Jesucristo, que se hace efectiva con la llegada del reino de Dios, reino de justicia (Mc 1, 1). Equivale a descubrir, notificar y realizar el proyecto salvador de Dios manifestado en Cristo, que viene a un mundo carente de vida o de vida en plenitud.

La palabra evangelización la utilizó por primera vez el protestante Al. Duff en 1854, en un congreso de Nueva York. Asimismo la empleó J. R. Mott en 1888. En 1900, con ocasión de la Conferencia Ecuménica de la Iglesia Presbiteriana de los Estados Unidos, entendió R. Speer la evangelización como «enseñanza y predicación del puro evangelio de la salvación» u «oportunidad de conocer a Jesucristo en cuanto Señor y Salvador personal» [8]. Ahí se consagró dicho término, usado ya durante el s. XIX entre los protestantes, equivalente a encarnar todo el evangelio en el hombre para convertirlo en hijo de Dios, y en la sociedad para transformarla en reino de Dios [9]. El Consejo Mundial de las Iglesias instituyó un departamento de evangelización. Este término fue utilizado en la Iglesia católica antes del Concilio, en pleno auge misionero, porque se deriva de evangelio, por su empleo ecuménico (los protestantes se llaman evangélicos) y por las connotaciones coloniales que entrañaba la expresión sinónima de misión (tierras lejanas, exotismo de costumbres, día del Domund) o en plural misiones (ejercicio extraordinario de predicación en las parroquias cada diez años).

«El concepto englobante de evangelización –escribe Cl. Geffré– tiende a suplantar al término misión para subrayar que, por encima de la proclamación explícita de Jesucristo, la misión de la Iglesia engloba actividades como son la promoción de la justicia, la liberación humana, el diálogo interreligioso, que no son tareas accesorias, sino formas auténticas de evangelización» [10].

Claro está, al poner de relieve la misión de la Iglesia en la sociedad, existe el peligro de no valorar su actividad específicamente misionera, señalada con el término «misión ad gentes». A partir de la exhortación Evangelii nuntiandi, el término evangelización (exclusivamente religioso) ha sustituido casi enteramente al de misión (que se emplea también en el ámbito profano).

2. Naturaleza de la evangelización

La evangelización, en cuanto función esencial de la Iglesia o su razón de ser, se fundamenta en la encarnación del Verbo de Dios en Jesucristo y en estas palabras de Jesús: «Como tú me enviaste al mundo, así también los envío yo» (Jn 17, 18). El fundamento de la misión cristiana es trinitario y cristológico.

«En realidad –afirma Cl. Geffré–, la Iglesia no define su misión, sino que la misión determina el rostro

---

[6] El verbo evangelizar se encuentra 57 veces en el NT, sobre todo en Pablo (28 veces), Hechos (15 veces) y Lucas (10 veces). El término evangelio es usado 76 veces en el NT, de las cuales 7 corresponden a Marcos y 60 a Pablo. Ni evangelizar ni evangelio se hallan en Juan.

[7] Cf. G. Friedrich, Evangelizzare, en G. Kittel (ed.), Grande lessico del Nuovo Testamento III, Brescia 1967, 1023-1106.

[8] Cf. J. López-Gay, Evolución histórica del concepto «evangelización», en M. Dhavamony (ed.), Evangélisation, Univ. Gregoriana, Roma 1975, 161-190; D. Grasso, Evangelizzazione, senso di un termine, en M. Dhavamony (ed.), o. c., 21-47; G. de Rosa, Significato e contenuto de «evangelizzazione»: «La Civiltà Cattolica» 3.040 (1977) 321-336.

[9] Cf. J. A. Vela, Reiniciación cristiana, Verbo Divino, Estella 1986, 6.

[10] Cl. Geffré, La mission comme dialogue de salut: «Lumière et Vie» 205 (1991) 38-39.

de la Iglesia para que sea el signo escatológico del reino» [11].

Por consiguiente, sin proceso evangelizador no
hay Iglesia, que por naturaleza propia queda espe-
cificada, a su vez, por la misión. La Iglesia debe
evangelizar constantemente a través de los cristianos, ya estén dispersos por el mundo, ya se encuentren reunidos en comunidad. Al mismo tiempo que
la Iglesia evangeliza al mundo, se evangeliza a sí
misma. Pero al mismo tiempo que la evangelización suscita una demanda religiosa, anuncia que la
fe tiene sentido y da sentido a la tarea de vivir personalmente y en sociedad edificando un mundo
nuevo. Por consiguiente, no debe hacerse una distinción rígida entre compromiso con el mundo y
servicio a la Iglesia.

Según E. Alberich, la evangelización «es el
anuncio o testimonio del evangelio que la Iglesia
realiza en el mundo mediante todo cuanto ella dice,
hace y es» [12]. Los documentos del Vaticano II entienden la evangelización de dos modos: como misión con los no creyentes de cara a su conversión, y
como el conjunto de toda la actividad misionera de
la Iglesia. La exhortación *Evangelii nuntiandi* en-
sancha el concepto de evangelización al incluir no
sólo el anuncio o proclamación del evangelio, sino
la promoción humana, la lucha por la justicia e incluso el diálogo con otras religiones.

> «Evangelizar– dice EN– significa llevar la buena
> nueva a todos los ambientes de la humanidad y, por
> su influjo, transformar desde dentro, renovar a la
> misma humanidad» (n. 18).

Según la encíclica *Redemptoris missio*, la misión
de la Iglesia se entiende de tres maneras: misión *ad
gentes* con los no cristianos, acción pastoral (evangelizadora) con los cristianos y «nueva evangelización» con los bautizados no creyentes (n. 33).

Podemos describir la evangelización del siguiente modo:

*a) Evangelizar es testimoniar
la buena noticia desde Jesucristo*

Hemos visto que el término evangelización equivale a comunicación de una buena noticia. Naturalmente, «no cualquier buena noticia que se anuncia
–afirma J. R. Moreno– es cristiana, como tampoco
es cristiano cualquier modo de anunciarla» [13]. Según Pablo VI, «evangelizar es, ante todo, dar testimonio de una manera sencilla y directa de Dios, revelado por Jesucristo mediante el Espíritu Santo»
(EN 26). Dicho de otro modo, «no hay evangelización verdadera mientras no se anuncie el nombre,
la doctrina, la vida, las promesas, el misterio de Jesús de Nazaret, Hijo de Dios» (EN 22).

En definitiva, la buena noticia proclamada por
Jesús es la cercanía del reino de Dios. Ahora bien,
para expresar correctamente el sentido de la buena
noticia y del reino de Dios es necesario tener en
cuenta el evangelio de Jesús y Jesús como evangelio. La *Evangelii nuntiandi* lo expresa claramente:
«Jesús mismo es evangelio de Dios» (n. 7). La buena noticia, procedente de Dios, tiene relación con la
creación (es buena) y con la historia (tiene sentido);
evangelizar es afirmar que hay esperanza frente a
los fracasos y la muerte. El anuncio del evangelio
concierne a las raíces de lo humano y de lo social;
no es algo privado ni accidental. Se relaciona con
Jesús de Nazaret, muerto y resucitado, coherente
en su pensar y en su obrar.

En resumen, la buena noticia es el evangelio de
Jesús, siendo Jesús «primer evangelizador» (EN 7)
de la buena nueva del reino de Dios, que llega a los
pobres y marginados de este mundo, a los que Dios
ama y defiende. Jesús evangeliza como pionero del
reino y en cuanto tal comunica y hace efectiva la
buena noticia: Dios va a gobernar el mundo, se acabó la explotación y el dominio del hombre sobre el
hombre. Para que esto sea verdad, hay que cambiar
de conducta, hay que convertirse.

La evangelización comienza por anunciar lo que
anunció Jesús: la buena noticia de Dios como Padre
y del reino como liberación y salvación. Así se llega
a aceptar a Jesús como buena noticia. Es decir, la

---

[11] *Ibíd.*, 37-38.

[12] E. Alberich, *La catequesis en la Iglesia. Elementos de catequesis fundamental*, CCS, Madrid 1991, 43; cf. J. Mejía, *Evangelio y evangelización en la Escritura*, en *Exégesis, evangelización y
pastoral*, Bogotá 1976, 13-21.

[13] J. R. Moreno, *La evangelización en el mundo contemporáneo:* «Revista Latinoamericana de Teología» 5 (1988) 267.

evangelización anuncia a Jesús como evangelio. Con todo, es más fácil anunciar a Jesús como Cristo o como Señor que anunciar lo que él anunció. Así se puede llegar a anunciar a Cristo sin reino de Dios para los pobres [14]. También cabe anunciar un reino sin Dios. La misión de la Iglesia, en continuidad de la de Jesús, es apresurar la llegada del reino de Dios, que adviene precisamente cuando los pobres son evangelizados [15].

b) Buena noticia en relación a los pobres

De hecho sólo puede ser evangelizado quien posee una necesidad apremiante de salvación, quien vive las expectativas de liberación y las ansias de plena realización, y esto no de forma individual, sino socializada, compartida. En este sentido, sólo pueden ser evangelizados radicalmente los pobres (cf. Lc 4, 18).

La buena noticia que anuncia Jesús como evangelizador equivale a la presencia del reino de Dios, aquí y ahora, para todos, pero de un modo preferencial para los pobres, excluidos de toda salvación y buena noticia. La evangelización comienza por anunciar lo que anunció Jesús: el reino de Dios a los pobres y marginados, e intenta hacerlo como lo hizo Jesús. Así se llega a considerar a Jesús como buena noticia, hecha definitiva con su resurrección. Jesucristo es la buena noticia que, en definitiva, anuncia la evangelización. Con otras palabras, la evangelización, como proceso de salvación liberadora o de liberación salvadora, va dirigida a todos los hombres a partir de las exigencias del reino de Dios. Por esta razón tiene unos destinatarios privilegiados, que son los pobres, a los que Dios ama y defiende porque quiere que se implante la justicia de su reino.

c) Mediante palabras y hechos

Recordemos que Jesús anuncia la venida del reino con palabras y lo hace presente con sus acciones. De ahí que Lucas describa en su evangelio los *dicta* y *facta* de Jesús, a saber: «todo lo que hizo y dijo» (Hch 1, 1), o sus «hechos» y «enseñanzas» (Lc 1, 1) [16]. Como consecuencia, el anuncio o la evangelización tiene una doble dimensión: la palabra y la acción. No se trata sólo de predicar la buena noticia, sino de que la noticia se lleve a cabo. Es decir, la buena noticia debe ser dicha y hecha. Se necesita que la verdad se realice, que sea amor en concreto. Sin hechos que demuestren la verdad, la evangelización se convierte en ideología. Se trata de anunciar de tal manera que la buena noticia se haga realidad. La buena noticia que la evangelización anuncia hace cambiar felizmente el sentido de la vida, basado en la llegada del reino, anticipado en el Resucitado.

No olvidemos que la primera palabra evangelizadora es hoy el compromiso y la segunda el testimonio. Los evangelios recalcan que Jesús fue maestro de sabiduría y de vida. La revelación de Dios, que se expresa en la evangelización, «se cumple –afirma el Concilio– por hechos y palabras íntimamente trabados entre sí» (DV 2), de tal modo que las obras corroboran la doctrina y las palabras proclaman las obras. En continuidad con este espíritu, *Evangelii nuntiandi* afirma que Jesús evangelizó «mediante la predicación infatigable de una palabra» (n. 11) «y por medio de innumerables signos» (n. 12) o acciones. Es cierto que el primer significado de evangelizar equivale a «la proclamación verbal de un mensaje» (EN 42), pero debemos descubrir otros dos aspectos: el «testimonio de vida» (EN 21, 41, 76, 78) y la «acción transformadora» (EN 4) o «liberación» (EN 30).

Recordemos que los evangelios describen frecuentemente tres gestos de Jesús: un caminar con los pies hacia las aldeas y pueblos («recorría»,

---

[14] Cf. J. Sobrino, *Qué es evangelizar*: «Misión Abierta» (985/3) 33-43; id., *Evangelización e Iglesia en América Latina*: ECA 32 (1977) 723-748 y en *Resurrección de la verdadera Iglesia*, Sal Terrae, Madrid 1981, 267-314.

[15] Cf. G. Gutiérrez, *La fuerza histórica de los pobres*, Sígueme, Salamanca 1982.

[16] Cf. C. M. Martini, *Il vocabulario dell'annuncio*: «Documenta Missionalia» 9 (1975) 1-19; J. Mejía, *Evangelio y evangelización en la Escritura*, en *Exégesis, evangelización y pastoral*. Primer encuentro de escrituristas en América Latina, CELAM, Bogotá 1976, 13-21.

«iba», «cruzaba», «se acercó», etc.); una mirada con los ojos a la multitud y a Dios («dándose cuenta», «levantando los ojos», «viendo», «mirándole», etc.); y una donación de las manos («les dio», «le tocó», «les repartió», etc.). No se queda en la proclamación verbal, sino que finaliza su misión con hechos.

> «Son estos hechos – escribe J. R. Moreno– los que dan credibilidad a la palabra, como anticipaciones que comunican ya vida, aunque no sean la plenitud de la vida; que liberan de la opresión, aunque no sean la liberación final y plena de todas las servidumbres; que son presencia actuante del reino, aunque no sean la irrupción escatológica y definitiva del reino» [17].

Mediante la palabra y los hechos, la evangelización ofrece al destinatario la buena noticia que su situación existencial exige. De este modo se hace presente en el mundo de la persona y de los pueblos el amor de Dios, que comunica vida y libera de toda atadura.

d) Con el propósito de fomentar la conversión

El objetivo de la evangelización es la conversión, que entraña al mismo tiempo un cambio en el creyente, en la Iglesia y en la sociedad. La evangelización suscita fe y conversión personales, eclesiales y sociales. Intenta dar sentido y dirección cristiana a la totalidad de la existencia. No se reduce a la esfera filosófica o científica, sino que se circunscribe a lo que significa *ser persona*, en su profunda realidad de espíritu encarnado, y a lo que supone convivir socialmente en la dimensión de comunión o koinonía. La evangelización

> «nos llama a la conversión, que es reconciliación y vida nueva, nos lleva a la comunión con el Padre y nos hace hijos y hermanos» (DP 252).

En definitiva, el objetivo de la evangelización es la fe como seguimiento de Jesús y la conversión como aceptación de su evangelio. Una Iglesia evangelizadora es una Iglesia en estado de conversión.

La evangelización suscita fe y conversión personales y sociales. Por desgracia, la fe tradicional de tipo atávico ha estado a menudo ligada a prácticas religiosas, moralidades de régimen sexual y seguros de cara al más allá, sin implicaciones con la justicia. Por estas razones se ha originado un cristianismo desde el fatalismo, la magia y la predestinación. Se lo ha visto como doctrina de orgullosos o como resignación de esclavos.

e) En las condiciones culturales presentes

La evangelización cristiana no se sitúa fuera de la historia, sino en su interior, permanentemente conflictivo; se desarrolla en la realidad social, tal como está estructurada; va dirigida al hombre y a la mujer concretos, dentro de su situación económica, cultural, política y social. Pero la evangelización es proceso generativo de fe cristiana en el interior de los procesos generativos más genuinamente humanos, a saber, en los procesos de dignificación humana y de transformación de la sociedad para hacerla más libre y más justa.

Con razón se ha dicho que el mundo en el que vivimos es «aldea global», pero al mismo tiempo es mundo diferenciado o subdividido en varios mundos. Merced al avance de la tecnología, los países más ricos y desarrollados gozan de los bienes de consumo y de servicio, al paso que los países pobres, sometidos y explotados, «sufren el peso intolerante de su miseria» [18]. Incluso la situación de los países más pobres se ha agravado últimamente.

Aunque muchas naciones han accedido a su independencia política, sus poblaciones viven económicamente dependientes de las grandes metrópolis. Los millones de refugiados y de emigrantes –de ordinario ilegales– representan la tragedia de una sociedad insolidaria, inhóspita e inhumana, alejada del proyecto del reino de Dios y de Dios Padre, que nos considera a todos hermanos.

---

[17] J. R. Moreno, *La evangelización en el mundo contemporáneo...*, o. c., 276.

[18] Juan Pablo II, *Sollicitudo rei socialis*, 13.

«Mucho más que el ateísmo que niega su existencia –escribe J. R. Moreno–, el enemigo real del Dios de Jesús sigue siendo, en nuestro mundo, esta idolatría que sacrifica millones de víctimas humanas ante el altar del poder y del dinero» [19].

La evangelización, de cuño liberador, ha de ayudar a que los pobres cobren conciencia de su dignidad y de sus derechos, empezando por el derecho elemental a la vida.

«Desde el seno de los diversos países del continente –afirma Puebla– está subiendo hasta el cielo un clamor cada vez más tumultuoso e impresionante. Es el grito de un pueblo que sufre y que demanda justicia, libertad, respeto a los derechos fundamentales del hombre y de los pueblos» (n. 87).

La evangelización exige descubrir en el mundo actual los dolores y esperanzas humanas. No sirve repetir fórmulas hechas. Con frecuencia abusamos de una especie de inflación del vocabulario misionero. Necesitamos cambiar muchos lenguajes, formulaciones, vías de penetración y compromisos.

Evangelizar no es re-catolizar. No se trata –afirma un grupo de jesuitas belgas– «de asegurar más firmemente nuestra identidad católica ni de devolver su consistencia a una cultura cristiana en vías de extinción», ni de fomentar «las actuales tendencias a la restauración», ni «de recuperar una audiencia perdida» [20]. Evangelizar es intentar que el evangelio sea una buena noticia para que transforme la vida de quienes lo aceptan. Sin embargo, testimoniar esta buena noticia no es hoy fácil a causa de la moderna idolatría, de la increencia occidental, de la sociedad consumista, del crecimiento de algunos fenómenos sectarios religiosos, de la vitalidad de algunos fundamentalismos y del auge de los sustitutivos religiosos. Tampoco podemos olvidar las dificultades que provienen de la misma Iglesia, ya que no siempre da testimonio de Jesús.

3. Exigencias de la evangelización

a) Primacía del Dios del reino y del reino de Dios

La Iglesia no es la meta última de la misión cristiana o de la evangelización, sino el reino de Dios, del que la Iglesia es signo o sacramento. No olvidemos que «Cristo, en cuanto evangelizador, anuncia ante todo un reino, el reino de Dios» (EN 8). Lo que importa –y ésta es la tarea de la evangelización– es que el reino de Dios esté presente ya en medio de nosotros, aunque todavía no está en su plenitud. Según la *Evangelii nuntiandi*, «la tarea de la evangelización de todos los hombres constituye la misión esencial de la Iglesia» (n. 14), de tal modo que es «su identidad más profunda». La Iglesia existe para evangelizar y «nace de la acción evangelizadora de Jesús y de los Doce» (n. 15).

La perspectiva del reino de Dios en la evangelización está insinuada en el Vaticano II y en *Evangelii nuntiandi*, pero claramente expresada en Puebla. La evangelización es la tarea de la Iglesia en el mundo bajo las perspectivas del reino de Dios. La buena noticia del evangelio se relaciona con la presencia de Dios en el reino, presencia misericordiosa, salvífica y liberadora que afecta a todos los niveles afectivo-trascendentes y sociales-utópicos. El concepto de reino o de reinado lo extrae Jesús de la tradición profética, que proviene a su vez de la yahvista. Es reino de asunción y de totalidad. En el reino no se separa lo religioso, como lo único y definitivo, de lo humano, entendido como trabajo y ocio, sociedad y cultura, bienestar y seguridad, libertad e igualdad. La evangelización de Jesús relativa al reino es respuesta concreta de Dios a la situación histórica, a la crisis como «juicio de este mundo» (Jn 12, 31), bajo estas dos caras: una negativa, denunciadora de las fuerzas diabólicas que se oponen al reino; otra positiva, anunciadora de la misma llegada de Dios y del reino [21].

[19] J. R. Moreno, *La evangelización en el mundo contemporáneo, o. c.*, 279.

[20] Cf. el documento de un grupo de jesuitas belgas, *Anunciar el evangelio hoy. A propósito de la «nueva evangelización»*: «Sal Terrae» 76 (1988) 316.

[21] Cf. I. Ellacuría, *Conversión de la Iglesia al Reino de Dios. Para anunciarlo y realizarlo en la historia*, Sal Terrae, Santander 1984.

b) Presencia en la realidad social

La evangelización ha sido frecuentemente reducida de un modo *espiritualista*, al entender el reino de Dios de una manera gnóstica, contrapuesto al reino de este mundo, pasajero y despreciable, del que hay que huir. Con esta paradoja: se desprecia el mundo, incluso como creación, al mismo tiempo que se defiende el *sistema* de dominación. Este tipo de evangelización desconoce el compromiso político de los cristianos, ya que separa fe y vida pública.

Por otra parte, también cabe una reducción política de la evangelización, cuando se entiende el reino de Dios como mera liberación política, incluso de una manera partidista. En realidad, la evangelización liberadora asume la acción política, pero no se agota en ella, sino que la trasciende.

El mensaje de Jesús ha de tener en la sociedad una presencia original. De una parte, es partícipe consciente y responsable de la misma vida de Jesús. La fe no es propiamente algo que el creyente tiene para relacionarse con Dios, sino que es la relación que Dios tiene para que el creyente viva[22]. De este modo puede entenderse la «nueva evangelización», es decir, la evangelización liberadora.

Para hacer efectiva la evangelización, el cristiano ha de estar atento a la situación social y política de las personas en una sociedad concreta, al mismo tiempo que descubre, con antenas de fe, el desarrollo de la obra de Dios en la acción de Jesús. En este trabajo evangelizador, el misionero es asimismo evangelizado por las dos acciones, la del ser humano y la de Dios, recíprocas y concatenadas. El evangelio no se reduce a un libro ni tan siquiera a un mensaje que se posee formulado. Aunque se encuentra cristalizado en unas Escrituras, se halla asimismo misteriosamente injertado en múltiples facetas de la vida humana.

El evangelizador ha de permitir ser evangelizado, a saber, ha de acoger la buena noticia de la misericordia y de la gracia de Dios, que equivale a su conversión hacia los pobres y marginados. Vista con hondura la realidad del pobre, se impregna el evangelizador de la justicia y de la misericordia de Dios. Sólo así puede acercarse a la realidad doliente e injusta de la pobreza.

La buena noticia que anuncia la evangelización es una noticia escandalosa, ya que califica a los pobres de dichosos y a los ricos de desgraciados. La noticia es asimismo necesaria, porque hay una oposición irreductible entre el Dios de la vida y los ídolos de muerte.

La denuncia fue hecha por los profetas de Israel y por Jesús, quienes denunciaron la opresión para que los opresores descubrieran precisamente la buena noticia al dejar de serlo. Naturalmente, cuando la Iglesia evangeliza y denuncia, entra en conflicto con los poderosos, es atacada por los falsos dioses denunciados.

c) Sin evangelización no hay Iglesia

La evangelización está al servicio del reino de Dios e identifica a la Iglesia. En realidad, la evangelización es anterior a la Iglesia, puesto que la Iglesia nace del evangelio y está al servicio del mismo. Dicho de otro modo: el evangelio no es mero modo para implantar la Iglesia, sino al revés: la Iglesia es medio para fundar el evangelio o, si se prefiere, para hacer presente el reino de Dios. Por consiguiente, no es la Iglesia la que crea la evangelización, sino al revés: la evangelización genera y recrea a la Iglesia. Lo dijo Pablo VI: «Existe un nexo íntimo entre Cristo, la Iglesia y la evangelización» (EN 16). Por esta razón, «la tarea de la evangelización de todos los seres humanos constituye la misión esencial de la Iglesia» (EN 16).

Por otra parte, no se puede evangelizar sin la Iglesia. Precisamente uno de los objetivos de la evangelización es la incorporación de los convertidos a la Iglesia, a pesar de que la misma Iglesia es con frecuencia obstáculo de la evangelización por su burocracia, conservadurismo y divisiones internas. Si la Iglesia no es fiel a sí misma, ni se evangeliza ni es capaz de evangelizar. La Iglesia necesita

---

[22] Cf. J. J. Tamayo, *Cristianismo: profecía y utopía*, Verbo Divino, Estella 1987.

convertirse a la tarea de la evangelización. Ahora bien, aunque la evangelización es personal, no es meramente individual. Su objetivo es convertir personas para crear comunidad, sacramento de salvación en el mundo. Por eso evangeliza mejor quien vive la comunidad y es capaz de edificarla.

Una noticia es aceptada cuando el que la propone es persona razonable. Se cree a una persona o a un grupo coherente que dice y hace, que es consecuente. Si se trata de una buena noticia, el evangelizador ha de ser creíble, auténtico testigo. De ordinario nadie pone en duda el valor del evangelio o la causa de Jesús, pero en general no son creíbles las Iglesias. La Iglesia es creíble no sólo cuando su forma de vida es evangélica, sino cuando evangeliza. Al evangelizar, nos damos cuenta de vivir evangélicamente. Dicho de otro modo, la evangelización exige evangelismo en la Iglesia. No basta con la santidad de la doctrina o de los sacramentos.

LA AUTOEVANGELIZACION

«El misterio de la vida divina, del que la Iglesia participa, ha de ser proclamado a todos los pueblos. La Iglesia misma es, por su naturaleza, misionera (cf. AG 2); los obispos, por tanto, no son solamente doctores de los fieles, sino también predicadores de la fe que traen a Cristo nuevos discípulos (cf. LG 25). La evangelización es el primer oficio no sólo para los obispos, sino también para los presbíteros y diáconos, más aún, para todos los fieles cristianos.

Por todas partes en el mundo, la transmisión de la fe y de los valores morales que proceden del evangelio a la generación próxima (a los jóvenes) está hoy en peligro. El conocimiento de la fe y el reconocimiento del orden moral se reducen frecuentemente a un mínimo. Se requiere, por tanto, un nuevo esfuerzo en la evangelización y en la catequesis integral y sistemática.

La evangelización no pertenece sólo a la misión del sentido ordinario, es decir, a los gentiles. La evangelización de los no creyentes presupone la autoevangelización de los bautizados y también de los mismos diáconos, presbíteros y obispos. La evangelización se hace por testigos, pero el testigo no da sólo testimonio con las palabras, sino con su vida. No debemos olvidar que en griego testimonio se dice *martirio*. Desde este punto de vista, las Iglesias más antiguas pueden aprender mucho de las Iglesias recientes, de su dinamismo, vida y testimonio hasta el martirio de sangre por la fe».

Documento final de la
II Asamblea General Extraordinaria
del Sínodo de Obispos de 1985.

---

4. Resumen

Podemos decir que evangelizar es comunicar y hacer presente la «buena nueva» o noticia del evangelio que Jesús proclamó, a saber, la cercanía inminente del reinado de Dios, que entraña dos cosas: el reconocimiento de Dios como Padre y la aceptación de que todos somos hermanos. Esta noticia esperanzadora se hace real cuando con amor, justicia y libertad, tanto en el desarrollo personal como en el ámbito social, especialmente a partir de los pobres, edificamos una Iglesia viva en una sociedad renovada. La evangelización se puede resumir en tres acciones: 1) *anunciar* la llegada del reino de Dios predicado por Jesús; 2) *compartir* en una misma mesa el banquete con los hermanos y la cena del Señor, lo cual exige solidaridad y reparto de todos los recursos; 3) *transformar* el corazón de las personas y las estructuras sociales mediante una radical conversión [23].

A partir del Vaticano II –escribe S. Dianich– se ensanchan los espacios de la misión o evangelización,

«desde la pura predicación del evangelio y la tarea de fundación de nuevas Iglesias al compromiso en el servicio del ser humano mediante el crecimiento de su dignidad y la evolución de la sociedad hacia formas de vida más libres y justas» [24].

Según la exhortación *Evangelii nuntiandi*, la ta-

---

[23] Cf. S. Mier, *Los pobres nos evangelizan. Una evangelización nueva en su sujeto*: «Christus» LVI (1991/8) 35.

[24] S. Dianich, *Iglesia extrovertida. Investigación sobre el cambio de la eclesiología contemporánea*, Sígueme, Salamanca 1991, 15.

rea de la evangelización incluye la lucha por la justicia y el desarrollo de la paz. No olvidemos que la lucha por la justicia ha sido un tema de preocupación creciente en la Iglesia desde el magisterio de León XIII hasta la encíclica *Centesimus annus,* que conmemoró, en 1991, el centenario de la *Rerum novarum* [25]. Pero con un matiz importante: la doctrina social de la Iglesia propone la tarea de la promoción humana como consecuencia ética de la predicación del evangelio, mientras que la teología de la liberación entiende la evangelización desde las exigencias de la salvación integral del ser humano [26]. De ahí que no sea posible entender la evangelización sin comprender las condiciones reales de los destinatarios de la evangelización, que son los pobres.

El objetivo de la evangelización no se reduce, pues, a la «salus animarum» o a la «plantatio ecclesiae». Tampoco pretende sólo la transformación del pueblo en Iglesia, ni la cristianización de las culturas; incluye la construcción de una sociedad libre y justa, ya que la Iglesia es «sacramentum mundi». Es más, la experiencia cotidiana es el lugar donde debe tener cabida el anuncio cristiano. Por consiguiente, la evangelización pretende no sólo convertir el ser humano al evangelio, sino descubrir al Dios del evangelio en medio de la vida. De ordinario, el pueblo encuentra a Dios antes de que llegue la Iglesia. En definitiva, evangelizar es descubrir al Dios de Jesús como Padre en medio de la vida, y ayudar a que se edifique en el mundo el reino de Dios.

Bibliografía

K. Boyack, *Catholic Evangelization Today,* Paulist Press, Nueva York 1987; A. M. Calero, *Evangelizar, una exigencia renovada,* PPC, Madrid 1985; J. Comblin, *Teología de la misión. La evangelización,* SRL, Buenos Aires 1974; M. Dagras, *Théologie de l'Évangélisation,* Desclée, París 1976; M. Dhavamony (ed.), *Evangelisation,* Universidad Gregoriana, Roma 1975; C. Floristán, *La evangelización, tarea del cristiano,* Cristiandad, Madrid 1978; id., *Evangelización,* en *Conceptos Fundamentales del Cristianismo,* Trotta, Madrid 1992; J. Gevaert, *Primera evangelización,* CCS, Madrid 1990; A. M. Henry, *Mission,* en *Catholicisme,* IX (1982) 298-374; P. Rossano, *Teología de la misión,* en *Mysterium salutis,* IV/1, 517-546; A. Santos, *Teología sistemática de la misión,* Verbo Divino, Estella 1991; J. Sobrino, *La evangelización como misión de la Iglesia,* en id., *Resurrección de la verdadera Iglesia,* Sal Terrae, Santander 1984, 267-314; id., *¿Qué es evangelizar?:* «Misión Abierta» (1985/3) 305-313; H. Teissier, *La mission de l'Église,* París 1985; D. Valentini, *Evangelización,* en *Nuevo Diccionario de Teología,* 497-516; Varios, *L'annunzio del Vangelo, oggi,* Roma 1977.

Números especiales de revistas: *Evangelizar en el mundo actual:* «Pastoral Misionera» 10 (1974/1); *Evangelization:* «Documenta Missionalia» 9 (1975); *La evangelización en el mundo de hoy:* «Concilium» 134 (1978); *Evangelización, misión esencial a la Iglesia:* «Misión Abierta» 50 (1985/3); *Animación misionera en España:* «Misiones Extranjeras» 88-89 (1985); *Evangelización y hombre de hoy:* «Sal Terrae» 73 (1985/10).

---

[25] Cf. La encíclica de Juan Pablo II *Centesimus annus,* en el centenario de la *Rerum novarum* (1.5.1991).

[26] Cf. S. Dianich, *Iglesia extrovertida, o. c.,* 100.

5

La nueva evangelización

Aunque se considera a Juan Pablo II creador e impulsor de la «nueva evangelización», en realidad este proyecto pastoral comenzó en América Latina en los años sesenta, gracias a la renovación misionera promovida por el Vaticano II y a los impulsos evangelizadores de Medellín, Sínodo de la evangelización, *Evangelii nuntiandi* y Puebla [1]. Juan Pablo II hizo suyo el programa de la «nueva evangelización» por primera vez en Polonia, a propósito del primer milenio de su evangelización; después en América Latina, con motivo del quinto centenario de la primera evangelización del continente; finalmente en Europa, dada la proximidad del tercer milenio cristiano [2]. El prefijo renovador de las expresiones «nueva evangelización», «segunda evangelización» o «re-evangelización» significa que se consideran hoy insuficientemente logradas las anteriores evangelizaciones.

1. Las primeras propuestas, de Medellín a Juan Pablo II

El Vaticano II, aunque no lo expresa claramente, parece referirse a una nueva o renovada evangelización, distinta de la actividad misionera primera y de la acción pastoral permanente, cuando en el decreto *Ad gentes* alude a «circunstancias» y a «condiciones enteramente nuevas» (AG 6) que exigen una actividad misionera adecuada. En la constitución apostólica que convocaba a Concilio, Juan XXIII dijo que «la Iglesia tiene ante sí tareas inmensas, como en las épocas más difíciles de su historia», en virtud del «orden nuevo que se está gestando» y que exige a la Iglesia «infundir en las venas de la humanidad actual la virtud perenne, vital y divina del evangelio» [3]. En función de este propósito, intentó Pablo VI en 1975 «hacer a la Iglesia del s. XX más apta para anunciar el evangelio a la humanidad de este siglo» (EN 2).

El término re-evangelización, precursor de la expresión «nueva evangelización», aparece oficialmente por primera vez en la Segunda Conferencia General del Episcopado Latinoamericano celebrada en Medellín (1968), cuando, al trazar los criterios

---

[1] Cf. mi ponencia *Nueva evangelización y reiniciación cristiana* en las actas del congreso del Instituto Superior de Pastoral, *La transmisión de la fe en la sociedad actual*, Verbo Divino, Estella 1991, 100-128.

[2] Cf. F. Martínez Díez, *La nueva evangelización en América Latina (Reflexiones críticas)*: «Pastoral Misionera» 177 (1991) 75-90.

[3] Juan XXIII, *Constitución apostólica de convocatoria del Concilio*, 25.12.1961, n. 2.

teológicos de la pastoral popular, propone una «pedagogía pastoral que asegure una seria *re-evangelización* de las diversas áreas del continente»[4]. En las conclusiones de esta importante asamblea se dice que «hasta ahora se ha contado principalmente con una pastoral de conservación, basada en una sacramentalización con poco énfasis en una previa evangelización»[5]. Las circunstancias actuales –se afirma en el citado documento– «exigen una revisión de esa pastoral, a fin de que se adapte a la diversidad y pluralidad culturales del pueblo latinoamericano», constituido por una «gran masa de bautizados». La Iglesia latinoamericana se compromete en Medellín a «alentar una nueva evangelización y catequesis intensivas que lleguen a las élites y a las masas para lograr una fe lúcida y comprometida»[6]. De ahí que se abogue por

> «una línea de pedagogía pastoral que: a) asegure una seria re-evangelización de las diversas áreas humanas del continente; b) promueva constantemente una re-conversión y una educación de nuestro pueblo en la fe a niveles cada vez más profundos y maduros»[7].

Para una correcta evangelización de los bautizados en América Latina, Medellín propone que se tengan en cuenta las semillas evangélicas de la religiosidad popular, se purifiquen los motivos de la adhesión religiosa y se promueva la aceptación personal y comunitaria de la fe[8].

De una manera explícita habla de «re-evangelización» el Directorio general de pastoral catequética de 1971, al señalar que la fe cristiana «ha pasado una grave crisis» a causa de la identificación de la religión con las clases sociales acomodadas, del costumbrismo religioso superficial, de la unanimidad cristiana impuesta sin libertades y del ascenso creciente de la increencia.

> «Ahora, más que de conservar sólo costumbres religiosas transmitidas –afirma el citado Directorio–, se trata sobre todo de fomentar una adecuada re-evan-

gelización de los hombres, de obtener su re-conversión, de impartirles una más profunda y madura educación en la fe» (n. 6).

Entendida la re-evangelización como evangelización segunda a los bautizados para que hagan personal su fe y acepten la conversión cristiana a través de un nuevo catecumenado, vuelve a encontrarse este concepto en el Sínodo de Obispos de 1974 sobre la evangelización. En este sínodo, el entonces cardenal Wojtyla distinguió entre la evangelización «ad extra» con los paganos que no conocen el evangelio y la evangelización «ad intra» con los bautizados para que sean cristianizados o re-cristianizados[9]. Se da una analogía entre dos conceptos de evangelización –en los países misioneros y en los países de cristiandad–, cuyas diferencias se ponen en el «sentido» y en los «métodos»[10].

La exhortación apostólica *Evangelii nuntiandi* de Pablo VI (1975), después de recordar la importancia del «primer anuncio» a «quienes nunca han escuchado la buena nueva de Jesús», afirma la necesidad de evangelizar a un «gran número de personas que recibieron el bautismo, pero viven al margen de toda vida cristiana» (EN 52). Es el mundo de los «no practicantes», a saber,

> «toda una muchedumbre, hoy día muy numerosa, de bautizados que, en gran medida, no han renegado formalmente de su bautismo, pero están totalmente al margen del mismo y no lo viven» (EN 56).

En la Tercera Conferencia General del Episcopado Latinoamericano de Puebla (1979) se afirma que las «situaciones nuevas (AG 6) que nacen de cambios socioculturales requieren una *nueva evangelización*»[11], al constatar la necesidad de «atender a situaciones más necesitadas de evangelización»[12]. La nueva evangelización equivale en Puebla a una re-evangelización de la cultura[13].

Al relacionar la catequesis con el primer anun-

---

[4] CELAM, *La Iglesia en la actual transformación de América a la luz del Concilio*, Medellín 1968, Pastoral popular, cap. 6, n. 8.

[5] *Ibíd.*, cap. 6, n. 1.

[6] *Ibíd.*, Mensaje a los pueblos de América Latina, 6.9.1968.

[7] *Ibíd.*, cap. 6, n. 8.

[8] *Ibíd.*, cap. 6, n. 5-9.

---

[9] Cf. G. Caprile, *Il Sinodo dei Vescovi*, Roma 1975, 975.

[10] *Ibíd.*, 989.

[11] III Conferencia General del Episcopado Latinoamericano, *La evangelización en el presente y en el futuro de América Latina*, Puebla 1979, n. 366.

[12] *Ibíd.*, n. 364.

[13] *Ibíd.*, n. 385-443.

cio del evangelio, la exhortación apostólica *Catechesi tradendae* de Juan Pablo II (1979) reconoce que «a veces la primera evangelización no ha tenido lugar» con determinados bautizados (CT 19). Se necesita una cierta «re-evangelización».

En resumen, durante la primera etapa que va del Vaticano II hasta los comienzos del pontificado de Juan Pablo II, la «nueva evangelización» es entendida básicamente como «segunda evangelización» de bautizados en países de tradición cristiana, dada la escasa o nula operatividad de vida cristiana que manifiestan muchos de ellos. Este cometido evangelizador fue asumido por la Iglesia de base en una línea liberadora en la perspectiva conciliar de la *Evangelii nuntiandi*.

2. La «nueva evangelización» según Juan Pablo II

Juan Pablo II ha desarrollado en diferentes alocuciones un concepto ambicioso de «nueva evangelización». Esta consigna la pronunció por primera vez el 9 de junio de 1979 en el santuario de Santa Cruz de Mogila de la ciudad industrial de Nowa Huta, unos meses después de ser elegido papa. Al consagrar una cruz en dicho lugar, afirmó que así «se ha dado comienzo a una nueva evangelización, como si se tratara de un segundo anuncio, aunque en realidad es siempre el mismo» [14]. Equivale a entender y aceptar el evangelio en las nuevas condiciones históricas.

PROGRAMA DE LA NUEVA EVANGELIZACION

«La conmemoración del medio milenio de evangelización tendrá su significación plena si es un compromiso vuestro como obispos, junto con vuestro presbiterio y fieles, compromiso no de re-evangelización, pero sí de una evangelización nueva. Nueva en su ardor, en sus métodos, en su expresión».

Juan Pablo II, en Puerto Príncipe, Haití,
Discurso a la XIX Asamblea del CELAM, 9.3.1983.

«El próximo centenario del descubrimiento y de la primera evangelización nos convoca a una nueva evangelización de América Latina, que despliegue con más vigor –como la de los orígenes– un potencial de santidad, un gran impulso misionero, una vasta creatividad catequética, una manifestación fecunda de colegialidad y comunión, un combate evangélico de dignificación del hombre, para generar, desde el seno de América Latina, un gran futuro de esperanza».

Juan Pablo II, en Santo Domingo,
Discurso al CELAM, 12.10.1984.

a) La evangelización de América Latina

Con ocasión de varias alocuciones en América Latina, Juan Pablo II ha desarrollado algunas claves de la «nueva evangelización» [15]. De un modo solemne proclamó esta consigna el 9 de marzo de 1983 en la catedral de Puerto Príncipe de Haití, con ocasión de la XIX Asamblea Ordinaria del CELAM, cuando dijo, después de referirse a la «conmemoración del medio milenio de evangelización», que la Iglesia en América Latina tiene un «compromiso no de re-evangelización, pero sí de una evangelización nueva». Al evocar «la obra evangelizadora de la Iglesia, iniciada con el descubrimiento», habla de una «nueva evangelización, nueva en su ardor, en sus métodos, en su expresión» [16]. Los presupuestos de la «nueva evangelización» son, según el papa, tres: «sacerdotes numerosos y bien preparados», «laicos que ocupen su lugar en la Iglesia y en la sociedad» y «difusión del documento de Puebla en su integridad» [17].

El 12 de octubre de 1984 pronunció de nuevo Juan Pablo II en Santo Domingo un discurso programático ante los obispos de América, reunidos para inaugurar el novenario ante el V Centenario de

---

[14] Cf. la homilia en «L'Osservatore Romano», edición en español, 24.6.1979.

[15] Recordemos que, entre 1983 y 1988, Juan Pablo II fue a América Latina seis veces.

[16] Juan Pablo II, Discurso a la Asamblea del CELAM en Haití, el 9.3.1983, en «Ecclesia», n. 2.119 (1983) 415.

[17] «L'Osservatore Romano», edición en español, 20.3.1983.

la evangelización [18]. Según expuso el papa a los obispos del CELAM en Santo Domingo (12.10.84), «el próximo centenario del descubrimiento y de la primera evangelización nos convoca, pues, a una nueva evangelización de América Latina». La «nueva evangelización» exige, de una parte, «una mirada hacia el pasado» para valorar los aciertos (lucha por la justicia contra dictadores y encomenderos) y los errores (interdependencia entre la cruz y la espada o confusión entre las esferas laica y religiosa); de otra, «hacia el futuro» teniendo en cuenta la escasez de ministros, la secularización de la sociedad, el antitestimonio de algunos cristianos y el clamor por una urgente justicia largamente esperada.

> «La nueva evangelización –escribe A. González Dorado– es una nueva etapa de la evangelización ya iniciada, adaptada a las nuevas circunstancias y a los nuevos desafíos» [19].

En el Documento de Consulta de la IV Conferencia del CELAM en Santo Domingo (1992) se afirma que

> «la nueva evangelización nació con el claro propósito de insertarse en el camino histórico de nuestro continente, en su realidad socio-cultural y en la coyuntura particular que viven nuestras Iglesias. Está enmarcada en el contexto de un pueblo profundamente religioso, que sufre hirientes injusticias de todo género, hasta niveles infrahumanos de miseria. Un pueblo en que los pobres esperan tener las preferencias de la Iglesia» [20].

b) La evangelización de Europa

En su discurso al Consejo de las Conferencias Episcopales de Europa, reunido en 1978, Juan Pablo II recordó a los obispos una consigna pronun-ciada por Pablo VI en 1975: «Hacer resurgir el alma cristiana de Europa» [21]. El nuevo proyecto evangelizador de Europa fue desarrollado por el actual papa en múltiples discursos, entre los cuales destacan los pronunciados en Santiago de Compostela en 1982 y 1989 y los tenidos con ocasión de la celebración de los patronos de Europa: Benito de una parte, y Cirilo y Metodio de otra [22]. Así, el 21 de mayo de 1985, con ocasión de su visita a Bélgica, Juan Pablo II pronunció un discurso titulado *Líneas pastorales para una nueva evangelización* de las mentalidades actuales. En octubre de ese año, el VI Simposio del Consejo de las Conferencias Episcopales de Europa trató el tema *Secularización y evangelización en Europa hoy* [23]. En el discurso final pronunciado por Juan Pablo II –similar al de Haití– se afirma que

> «Europa, a la que hemos sido enviados, ha experimentado tales y tantas transformaciones culturales, políticas, sociales y económicas, que plantea el problema de la evangelización en términos totalmente nuevos» [24].

En diversas ocasiones, Juan Pablo II ha aludido a «la tarea de evangelizar o, mejor aún, de re-evangelizar el viejo continente» [25]. La «nueva evangelización» ha sido el marco ordinario de las visitas «ad limina» de los episcopados de Italia, España, Francia, Bélgica y Austria.

Los juicios del papa sobre la situación religiosa en Europa están teñidos de pesimismo, ya que el viejo continente –afirma Juan Pablo II– «camina hacia el fracaso y el caos» a causa del «materialismo y el hedonismo». Por esto

---

[18] Cf. Discurso de Juan Pablo II el 12 de octubre de 1984 en Santo Domingo, en «Ecclesia», n. 2.193 (1986) 24-27.

[19] A. González Dorado, *La nueva evangelización. Génesis y líneas de un proyecto misionero*, en *Nueva evangelización. Génesis y líneas de un proyecto misionero*, CELAM, Bogotá 1990, 37.

[20] IV Conferencia del CELAM, *Nueva evangelización. Promoción humana. Cultura cristiana* (Documento de Trabajo), 1992, n. 429.

[21] Cf. este discurso en «L'Osservatore Romano» del 21.1.1979.

[22] Recordemos que Juan Pablo II, entre 1978 y 1988, visitó 18 países europeos en 21 viajes.

[23] Cf. VI Simposio de los Obispos de Europa, *Secularización y evangelización en Europa hoy*, Roma 7-11 de octubre de 1985, «Ecclesia», n. 2.242 (1985).

[24] «Ecclesia», n. 2.242 (1985) 1.320.

[25] Juan Pablo II, *Las raíces cristianas de Europa: unidad y evangelización*, 2 de enero de 1986, «L'Osservatore Romano», edición en español, 26.1.1986.

«es preciso reconstruir Europa según su verdadera identidad, que es, en sus raíces originarias, una identidad cristiana» [26].

«Hay que estudiar a fondo en qué consiste esta nueva evangelización, ver su alcance, su contenido doctrinal e implicaciones pastorales; determinar los métodos más apropiados para los tiempos en que vivimos; buscar una expresión que la acerque más a la vida y a las necesidades de los hombres de hoy, sin que por ello pierda nada de su autenticidad y fidelidad a la doctrina de Jesús y a la tradición de la Iglesia».

Juan Pablo II,
Discurso a la Comisión Pontificia de América Latina,
7.12.1989.

---

c) La «nueva evangelización», programa pastoral de la Iglesia

La consigna papal de la «nueva evangelización», evocada por primera vez en Polonia (1979), proclamada solemnemente en Haití (1983) y extendida después a Europa (1985), se ha tornado universal. El Sínodo extraordinario celebrado en Roma en diciembre de 1985 afirmó, en su *Mensaje al pueblo de Dios,* que

«la evangelización no pertenece sólo a la misión del sentido ordinario, es decir, a los gentiles. La evangelización de los no creyentes presupone la autoevangelización de los bautizados y también de los mismos diáconos, presbíteros y obispos» [27].

A finales de 1985 propone Juan Pablo II para toda la Iglesia

«una nueva evangelización misionera, según el impulso que le ha sido otorgado, ad extra y ad intra, por las consignas del Vaticano II, retomadas e irradiadas por el Sínodo de los Obispos» [28].

En la exhortación *Christifideles laici,* promulgada en 1987, Juan Pablo II recuerda «la actual urgencia de una nueva evangelización» (n. 34-35). El 7 de diciembre de 1989 recomienda el papa a la Comisión Pontificia para América Latina «promover y animar la nueva evangelización en dicho continente». Finalmente, en la encíclica *Redemptoris missio* del 7 de diciembre de 1990 Juan Pablo II sitúa la «nueva evangelización» en el horizonte de la misión *ad gentes.*

«Las Iglesias de la antigua cristiandad –afirma el papa–, ante la dramática tarea de la nueva evangelización, comprenden mejor que no pueden ser misioneras respecto a los no cristianos de otros países o continentes, si antes no se preocupan seriamente de los no cristianos de su propia casa. La misión ad intra es signo creíble y estímulo para la misión ad extra, y viceversa» [29].

De acuerdo al pensamiento de Juan Pablo II, los grandes objetivos de la «nueva evangelización» son dos:

«La instauración de la civilización del amor y de la solidaridad en el mundo, y la renovación de la propia Iglesia de tal manera que la capacite para prestar este importante servicio evangelizador a toda la humanidad» [30].

Recordemos que en 1964 Pablo VI había definido la civilización del amor –frase suya– como una «nueva civilización cristiana». Al recordar esta cita, afirma el documento preparatorio de la Conferencia de Santo Domingo:

«Esto ha originado la sospecha en no pocos ambientes de que el proyecto trazado por el papa tenía como meta la restauración o la creación de una nueva cristiandad» [31].

Naturalmente, el documento preparatorio niega los fundamentos de esta sospecha.

---

[26] Cf. las citas del papa en R. Luneau, *«Retrouve ton âme, vieille Europe»,* en R. Luneau y P. Ladrière (eds.), *Le rêve de Compostelle. Vers la restauration d'une Europe chrétienne?,* Centurion, París 1989, 25-49.

[27] *El Vaticano II, don de Dios. Los documentos del Sínodo extraordinario de 1985,* PPC, Madrid 1986, 769.

[28] «Ecclesia», n. 2.251 (1986) 27.

[29] *Redemptoris missio,* 34.

[30] A. González Dorado, *Juan Pablo II y la «nueva evangelización»:* «Missión Abierta» (1990/5) 46.

[31] Cf. CELAM, *Elementos para una reflexión pastoral en preparación de la IV Conferencia General del Episcopado Latinoamericano,* Bogotá 1990, 183.

3. Ambigüedades de la «nueva evangelización»

a) ¿Cómo se entiende la evangelización, calificada de «nueva»?

Evidentemente, la evangelización entraña siempre novedad porque se funda en la «buena nueva» de Jesucristo. La salvación de la opresión y del pecado constituye una radical novedad. Teniendo en cuenta que el adjetivo «nuevo» puede entenderse en relación a la historia y a la naturaleza, la «nueva evangelización» propuesta se considera «nueva» porque nos encontramos en un mundo con una nueva cultura y porque dice relación a una primera evangelización.

En primer lugar, porque nos hallamos en un mundo totalmente distinto al de hace unos años; aquí se plantea la comprensión de la cultura. De hecho, el calificativo «nuevo» se emplea en razón de la «nueva» cultura correspondiente al mundo en el que nos encontramos.

> «Para cada nuevo tipo de hombre o de humanidad –escribe A. González Dorado– es necesaria una nueva evangelización, fiel al evangelio, pero, precisamente por eso, convenientemente adaptada al hombre que ha de ser evangelizado» [32].

Según J. Vélez Correa,

> «la evangelización hoy debe ser nueva porque se refiere a una cultura nueva» [33].

La exhortación *Evangelii nuntiandi* había advertido que

> «la ruptura entre evangelio y cultura es, sin duda alguna, el drama de nuestro tiempo, como lo fue también en otras épocas» (EN 20).

En segundo lugar, la evangelización es «nueva» porque pretende completar un tipo de evangelización anterior. El adjetivo «nuevo» hace referencia, sobre todo, a la primera evangelización de los españoles y portugueses del s. XVI en América Latina, «evangelización fundante» o «constituyente», como la llaman algunos [34].

A la hora de entender la evangelización, algunos teólogos y responsables de la acción pastoral acentúan el anuncio del evangelio de Jesucristo en detrimento de la realización de su reino mediante la transformación de la sociedad. Otros ponen en primer plano la conversión personal y dejan en la penumbra la edificación de comunidades cristianas de base. Hay quienes valoran la fuerza de la palabra de Dios transmitida como kerigma, al paso que silencian la manifestación de Dios a través de los signos de los tiempos. No faltan los que dan relieve total a la gratuidad de la gracia y a la salvación de Dios, sin mencionar apenas la liberación histórica. Y, por supuesto, los movimientos más conservadores insisten en el crecimiento de sus instituciones o de su propia institución, mediadora única de evangelización, con la convicción de que la Iglesia y su misión comienza con ellos, vayan donde vayan.

Tal como es entendida por algunos sectores conservadores de la Iglesia, la «nueva evangelización» se sitúa teóricamente en la trayectoria misionera avalada por el Vaticano II, formulada en *Evangelii nuntiandi* y aplicada para América Latina en Medellín y Puebla, pero en la práctica se identifica a menudo con una acción pastoral distanciada claramente de la liberación (concepto apenas pronunciado), de la lucha por la justicia (el compromiso es meramente personal) e incluso de la pastoral misionera promovida por los movimientos apostólicos y las comunidades de base. Algunos evangelizadores nuevos no ponen de relieve la conversión de la Iglesia al reino y no tienen en cuenta el programa evangelizador de Medellín y Puebla, según el cual los pobres son los destinatarios primeros y privilegiados de la evangelización [35].

Naturalmente, evangelizar –y en esto estamos de acuerdo todos los creyentes– es decir y hacer lo que dijo e hizo Jesús, sin olvidar lo que le hicieron (cru-

---

[32] A. González Dorado, *Juan Pablo II y la «nueva evangelización»:* «Misión Abierta» (1990/5) 42.

[33] J. Vélez Correa, *Nueva evangelización para una nueva cultura*, en *Nueva evangelización. Génesis y líneas de un proyecto misionero*, CELAM, Bogotá 1990, 13.

[34] Cf. Departamento de Educación del Consejo Episcopal Latinoamericano, *La evangelización fundante en América latina*, CELAM, Bogotá, 1990.

[35] Cf. *Un documento controvertido: Santo Domingo:* «Christus» 642 (1991/1).

cificarlo por predicar el reino) y lo que Dios le concedió (la resurrección, por ser la plenitud de la vida, el Liberador y Salvador). Efectivamente –afirma *Evangelii nuntiandi*–,

> «no hay evangelización verdadera mientras no se anuncie el nombre, la doctrina, la vida, las promesas, el misterio de Jesús de Nazaret, Hijo de Dios» (EN 22).

Lo cierto es que no todas las evangelizaciones son rigurosamente cristianas, ni todos los anuncios cristianos son acertadamente evangelizadores.

En definitiva, frente a un entendimiento de la «nueva evangelización» desde posiciones neoconservadoras, cabe una interpretación de este nuevo proyecto con las claves eclesiales y sociales del Vaticano II, la comprensión de una teología liberadora, la opción por los pobres, la lucha por la justicia y por la paz, el fomento de las comunidades de base y la identificación con el espíritu evangélico de las bienaventuranzas.

b) ¿En qué cultura se encarna la «nueva evangelización»?

El proyecto de la «nueva evangelización» tiene en cuenta dos claves básicas: el análisis cultural de la sociedad actual y la autocomprensión de la misión de la Iglesia como evangelización de la cultura. Pero algunos intérpretes de la «nueva evangelización» tienen una visión totalmente pesimista de la sociedad, debido a un juicio negativo de la «modernidad». Frente a la cultura «nacida de la fe», sólo ven la cultura «nacida del agnosticismo y de la increencia»[36]. Al mismo tiempo añoran la sociedad cristiana del pasado, cuando afirman:

> «Teníamos una sociedad evangelizada, vivíamos en una cultura nacida de la fe cristiana como matriz cultural y fuente de inspiración espiritual»[37].

Esto es, lisa y llanamente, nostalgia de la cristiandad. De ahí que estos intérpretes pretendan sentar las bases de una nueva cultura cristiana de cara a una sociedad ansiadamente tradicional, en la que se dé nuevamente una coincidencia entre cultura, religión y patria. El propósito de la nueva evangelización – reconoce F. Sebastián– es nada menos que

> «enfrentarnos con la inmensa tarea de acomodar de nuevo las características de la nueva cultura a la fe que profesamos y que tenemos que anunciar de manera comprensible y aceptable a los demás»[38].

Cambiar de cultura, además de imposible, es un proyecto difícilmente aceptable por no creyentes respetuosos con la fe, por cristianos no católicos e incluso por católicos no tradicionales. Se trata de inculturar el evangelio en la cultura actual, en nuestro mundo.

Recordemos que a veces se reduce toda cultura –incluida la popular– a la cultura cultivada burguesa, impuesta desde arriba, blanca y occidental. No se tienen en cuenta suficientemente ni las culturas populares, ni la cultura en la que están sumergidos los pobres. En el fondo, lo que se debate en torno al entendimiento de la inculturación en la evangelización es la dimensión política y social de la fe. O bien la Iglesia evangeliza la sociedad con influencias, poderes e instituciones propias desde una perspectiva de cristiandad, teniendo en cuenta la cultura moderna increyente a la que pretende sustituir por una cultura cristiana, o bien evangeliza con la desnuda fuerza profética del evangelio de Jesús a partir de la opción por los pobres, de cara a una inculturación de la fe en las bases populares – y de la cultura popular en el seno de la Iglesia– para que se transforme el pueblo en pueblo de Dios y la sociedad en reino. Pero aunque no cabe una drástica disyuntiva, no podemos olvidar que la evangelización de la cultura de los pobres es exigencia primera y lugar teológico de la evangelización de cualquier cultura[39]. Estamos de acuerdo con esta afirmación de la exhortación *Christifideles laici*: «hay que rehacer el entramado entero de la sociedad humana» (n. 34), pero no tanto porque no es «cristiana» (ojalá fuese rigurosamente secular), sino porque es injusta. Por supuesto, el cambio del «entramado» nos afecta a todos, creyentes y no creyentes.

---

[36] F. Sebastián, *Nueva evangelización. Fe, cultura y política en la España de hoy*, Encuentro, Madrid 1991, 31.

[37] *Ibíd.*, 42.

[38] *Ibíd.*, 31.

[39] Cf. F. Martínez Díez, *La nueva evangelización en América Latina (Reflexiones críticas)*: «Pastoral Misionera» 177 (1991) 90.

c) ¿Cómo se relaciona con la primera evangelización de América?

La «nueva evangelización» se relaciona de un modo especial con el quinto centenario de la evangelización de América Latina. Efectivamente, en 1992 se conmemoró el quinto centenario de un hecho histórico que ha influido en gran parte del mundo y con el que comienza la edad moderna. Esta fecha representa el descubrimiento, encuentro o epopeya de América, según formulan unos; o el encubrimiento, desencuentro o dominación, según plasman otros. Los creyentes podemos decir que si bien la conquista fue un hecho condenable, hubo acciones evangelizadoras ejemplares. Junto a la evangelización colonizadora, por coacción e inspirada en el modelo de cristiandad, se dio otro tipo de evangelización profética, correspondiente al modelo liberador, que acabó asfixiada por los intereses dominantes. Ciertamente, Bartolomé de Las Casas no fue testigo único. Hubo un tercio de obispos del s. XVI y un gran número de religiosos misioneros que propugnaron una evangelización pacífica y evangélica. Naturalmente, eran deudores de la visión teológica de un estado teocrático y de una Iglesia de cristiandad. Lo cierto es que prevaleció la evangelización de la cristiandad colonial.

¿Con qué tipo de evangelización del s. XVI se identifica hoy la «nueva evangelización»?. Recordemos que la autocrítica que hicieron algunos españoles de la conquista y de la evangelización por coacción fue radical. Con todo, la fecha del quinto centenario ha sido recordada por algunos para relanzar una evangelización con el propósito –enteramente discutible– de actualizar lo que constituyó la misión colonial, dentro de un sistema cultural de cristiandad. La primera evangelización de América es denominada «fundante» o «constituyente».

> «La convocatoria a una nueva o segunda evangelización –afirma sorprendentemente F. Sebastián– no incluye ningún juicio negativo respecto de aquella otra evangelización fundante»[40].

En realidad, la evangelización de América fue un adoctrinamiento o catequización propios de la cristiandad española del s. XVI. De ahí que la «nueva evangelización» no debe ser entendida como regreso a la primera evangelización, actualizada y renovada por tratarse de una «segunda». Debe hacer memoria –escribe F. Martínez Díez– para «discernir los errores y los valores de los distintos modelos de la primera evangelización»[41]. Para evitar ambigüedades con esta fecha, la CLAR de América Latina ha recordado que

> «conmemorar el V Centenario de la evangelización de América es hacer memoria, es decir, actualizar ese acontecimiento para asumirlo críticamente desde las perspectivas y desafíos del presente»[42].

Esto supone evitar dos posturas extremas: una *triunfalista y espiritualista*, que considera totalmente acertada la primera evangelización de América, salvo algunos errores debidos simplemente a la mentalidad de la época.

> «Esta postura –escribe J. A. Vela– pregona una evangelización de conceptos catequéticos claros y de actitudes de vida intimistas, que resalten los valores de la trascendencia y del Espíritu, a través de movimientos de tipo espiritualista y carismático. Se predica una oración vertical que una a la persona con Dios sin compromisos sociales concretos»[43].

También se da otra actitud *derrotista y negativa*, que sólo ve desastres en la primera evangelización de América Latina. Los defensores de esta postura –dice asimismo J. A. Vela– «consideran invasor y alienante el mensaje evangélico predicado»[44].

d) ¿Qué implica la referencia al tercer milenio?

La «nueva evangelización» tiene, además, por referencia el advenimiento del tercer milenio.

> «Al fin del segundo milenio y en el dintel del terce-

---

[40] F. Sebastián, *Nueva evangelización, o. c.*, 19.

[41] F. Martínez Díez, *La nueva evangelización, o. c.*, 85.

[42] *Signos proféticos del reino*. Documento de la CLAR y las Conferencias de Religiosos de España y Portugal, abril de 1988, Introducción.

[43] J. A. Vela, *Nueva evangelización y educación en valores*: «Theologica Xaveriana» 40 (1990) 427.

[44] *Ibíd.*, 427.

ro –dijo Juan Pablo II en 1983 en Haití–, es preciso y urgente emprender en la Iglesia una nueva evangelización».

La cercanía del tercer milenio recuerda inevitablemente la transición que se operó hacia el año 1000, al pasar del siglo de hierro a la reforma gregoriana (año 1073) y a la plasmación del occidente cristiano, con la vigorización del denominado «sistema romano», centralizador, clerical, uniformista, jurídico y eclesiocéntrico [45]. El peligro reside hoy en considerar la unidad cristiana del primer milenio como el fundamento necesario de la unidad europea del tercero [46]. Por otro lado, al añorar la Europa cristiana anterior al cisma de la ortodoxia en oriente (año 1054) y a la ruptura protestante en occidente (año 1530), y analizadas las consecuencias de la Revolución francesa y posterior desarrollo cultural, social, industrial y técnico, algunos pretenden restaurar –con un manifiesto involucionismo– aquella época. Ante una sociedad secularizada, en la que la Iglesia ha perdido las influencias de antaño, algunos defensores de la nueva evangelización pretenden rescatar su peso moral tradicional en la sociedad. Se juzga negativo el influjo de la modernidad por la quiebra de valores religiosos que ha acarreado a causa de la soberanía total de la razón. Es necesario un retorno a las estructuras socio-religiosas de antaño, es decir, premodernas, para crear las condiciones más idóneas a la evangelización. De ahí que la nueva evangelización sea vista con un cierto recelo por los sectores liberadores y progresistas en la medida que suena a retorno al régimen de cristiandad. El peligro reside en identificar nueva evangelización con «re-catolización», a saber, cristianización de estructuras, instituciones y normas típicas de la cristiandad, antigua o nueva. Dicho de otra manera, la «nueva evangelización» puede encubrir la recuperación de una mentalidad eclesial preconciliar distanciada del mundo moderno (al que se le ve más como ateo que como injusto) y alejada de la Iglesia de la liberación (a la que se ve más como antijerárquica que como ministerial).

e) ¿En qué modelo de Iglesia se basa la «nueva evangelización»?

Como toda acción pastoral, la «nueva evangelización» se comprende, a veces, a partir de un determinado modelo de Iglesia.

«Ya sabemos –escribe desenfadadamente J. Delumeau– qué modelo eclesial prevalece actualmente en el cuerpo jerárquico de la Iglesia católica: poder absoluto del papa; cuerpo episcopal totalmente dócil a Roma; negativa a imaginar ministerios nuevos y a facilitar el acceso al presbiterado a personas hasta ahora excluidas (hombres casados, mujeres); sospecha global respecto a la civilización laicizada que nos rodea; retorno al espíritu y a los métodos de la Iglesia tridentina» [47].

De hecho, la nueva evangelización ha calado prioritariamente en los movimientos neoconservadores, a saber, los que afirman tener un carisma propio (de tipo conservador o integrista), poseen una organización internacional (con una eclesiología universalista centralizadora) y vinculados al papado para solucionar sus conflictos con las Iglesias locales (sus directrices no son diocesanas, sino del fundador). Para estos movimientos –escribe D. Menozzi–,

«la afirmación de la verdad de Cristo debe traducirse en obras sociales católicas que, sin mediaciones culturales, son capaces de transformar la historia cristianizando la sociedad» [48].

Así se logra de nuevo la cultura cristiana, sin la cual –piensan algunos– no es posible la fe. F. Sebastián propone que la nueva evangelización se apoye

«en asociaciones especializadas, formadas por cristianos selectos, sin sujeciones territoriales ni casi dioce-

[45] Cf. A. González Dorado, *La nueva evangelización y la mentalidad eclesial*: «Pastoral Misionera» 177 (1991) 55. Ver también A. Fliche, *Reforma gregoriana y reconquista*, Edicep, Valencia 1976; Y. Congar, *Eclesiología desde san Agustín hasta nuestros días*, Ed. Católica, Madrid 1976.

[46] P. Ladrière, *La vision européenne de Jean-Paul II*, en R. Luneau y P. Ladrière (eds.), *Le rêve de Compostelle. Vers la restauration d'une Europe chrétienne?*, Centurion, París 1989, 170.

[47] J. Delumeau, *Les conditions actuelles d'une nouvelle «évangélisation»*, en *Le rêve de Compostelle*, o. c., 298.

[48] D. Menozzi, *Le Synode sur les laïcs et les «nouveaux mouvements»: «l'affaire Lazzati»*, en *Le rêve de Compostelle*, o. c., 125.

sanas. Los modernos Movimientos, las Comunidades Neocatecumenales, la Prelatura personal del Opus Dei, y otras asociaciones semejantes podrían ser ahora los instrumentos privilegiados de la nueva evangelización» [49].

En cambio, los movimientos apostólicos y las comunidades de base entienden de otro modo la «nueva evangelización», porque interpretan con otra eclesiología el diálogo entre el evangelio y la cultura, en fidelidad al dinamismo de la encarnación [50]. Al calificar de nueva la evangelización, se desestima de algún modo la primera o anterior, considerada vieja; deben ser descartados sus aspectos envejecidos. Evidentemente, el nuevo programa evangelizador –totalmente necesario– no se reduce a una re-evangelización en el sentido de ignorar la misión hecha siglos atrás, ni consiste en la evangelización de la cristiandad mejorada, sino en renovar la vida cristiana profundamente, con objeto de que evangelizar sea precisamente anunciar a los pobres la buena nueva de la llegada del reino como liberación y salvación, a través del instrumento imprescindible de la Iglesia, entendida como comunión de comunidades, no como institución de instituciones.

4. Exigencias del nuevo cometido evangelizador

a) La Iglesia tiene necesidad de ser evangelizada

De acuerdo al pensamiento inolvidable de Pablo VI, «la Iglesia tiene siempre necesidad de ser evangelizada», a saber, «ella comienza por evangelizarse a sí misma» (EN 15). La Iglesia es evangelizada –afirma L. Boff–

«por los propios cristianos al ejercer su profecía dentro del espacio eclesial y al asumir la creatividad permitida por el evangelio, volviendo más participativa y fraterna a la comunidad» [51].

También puede ser evangelizada por la misma sociedad civil adulta y responsable para que la Iglesia sea tolerante, democrática, participativa y plenamente comunitaria. Por supuesto debe ser evangelizada por los pobres, tal como lo dijo Puebla (n. 1147), en la medida que el evangelio se encarna en ellos, son signo de la presencia de Dios y apelación para que la Iglesia esté más encarnada en el mundo de la justicia. Evangelizar no es simplemente llevar un mensaje, sino descubrir la presencia y revelación de Dios en las encrucijadas de la historia. Recordemos con P. Richard que

«los que ponen obstáculo a la evangelización no son los ateos que luchan por la humanización y la justicia, sino los creyentes opresores que pervierten el sentido de Dios» [52].

b) La «nueva evangelización» debe ser liberadora

Determinados defensores de la «nueva evangelización» dan la impresión de desestimar una pastoral de las mediaciones, a saber, presencia de cristianos en instituciones laicas, con la pretensión de fomentar exclusivamente la creación de instituciones eclesiales directa o indirectamente propias, en las que trabajen los militantes cristianos. Dicho de otro modo, hay quienes entienden esta «nueva evangelización» como distinta y aun contrapuesta a la evangelización propia de los movimientos apostólicos y de las comunidades de base en una línea liberadora.

Aplicando correctamente el esquema *ver-juzgar-actuar* de los movimientos apostólicos, el Concilio nos enseñó a comprender positivamente el mundo a la luz del evangelio, valorando los signos de los tiempos (GS 4, 1), es decir, los síntomas profundos que se advierten en la humanidad más humillada, a saber, los deseos de justicia, igualdad, solidaridad, paz, etc., junto a los rechazos del capitalismo, totalitarismo, dogmatismo, fanatismo, armamentismo, etc.

«Es propio del pueblo de Dios, pero principalmen-

[49] F. Sebastián, *Nueva evangelización. Fe, cultura y política en la España de hoy*, Encuentro, Madrid 1991, 113.

[50] J. Delumeau, *Les conditions de la nouvelle évangélisation*, en *Le rêve de Compostelle*, o. c., 304.

[51] L. Boff, *La nueva evangelización en América Latina*, Indo-American Press Service, Bogotá 1990, 80.

[52] P. Richard, *La nueva evangelización desde América Latina*: «Pastoral Misionera» 177 (1991) 67.

te de los pastores y teólogos –afirmó el Concilio–, auscultar, discernir e interpretar, con la ayuda del Espíritu Santo, las múltiples voces de nuestro tiempo y valorarlas a la luz de la palabra divina» (GS 44, 2).

Medellín lo expresó de este modo:

«Estamos en una nueva época histórica. Exige claridad para ver, lucidez para diagnosticar y solidaridad para actuar» (n. 53).

Precisamente por estas exigencias es preciso auscultar la coyuntura histórica que vivimos. La nueva evangelización debe tener en cuenta, dentro de un contexto de dominación, el clamor por la justicia de los pobres y la iniquidad de las estructuras sociales injustas. Los pobres –en cuanto primeras víctimas de la sociedad– y los marginados –heridos en su propia dignidad personal– señalan las lacras de la humanidad y el pecado existente en el mundo. Al ser capaces de descubrir la presencia de Dios en ellos mismos, se convierten en sujetos fundamentales de evangelización. De ahí que la nueva evangelización de cuño liberador, como respuesta eclesial de fe a la interpelación de Dios en los pobres, es aceptada positivamente por muchos sectores de los países del Tercer Mundo, en la medida que responde a un compromiso de la Iglesia entera solidaria de las Iglesias jóvenes, por la construcción de un mundo más humano y más justo. Se trata de la conversión de la humanidad al reino de Dios, a cuyo servicio está la Iglesia. Esta perspectiva evangelizadora, propia de la teología de la liberación, se apoya en la *Gaudium et spes* y sigue las directrices de *Octogesima adveniens*, Medellín, *Evangelii nuntiandi* y Puebla[53]. La Iglesia evangelizadora –afirma Puebla–

«quiere servir, en el ámbito específico de la realización de la propia misión, al mejor futuro de los pueblos latinoamericanos, a su liberación y a su crecimiento, según todas las dimensiones de la vida» (n. 4).

En definitiva, sin compromiso con la justicia y la solidaridad no tiene ninguna novedad la evangelización.

c) La «nueva evangelización» debe suscitar fe y conversión

Los bautizados alejados de la vida cristiana son en muchas ocasiones «descreídos»[54]. Conservan una mala imagen de la Iglesia, junto a una valoración positiva del evangelio y de la persona de Jesús. El cristianismo no tiene para ellos ninguna novedad. Se muestran indiferentes a la proclamación verbal del kerigma o de la palabra. Juzgan con severidad –y a veces con injusticia– las intenciones de los agentes pastorales de la Iglesia en cuanto forman parte del sistema eclesiástico, pero muestran un gran respeto hacia los creyentes genuinos e incluso hacia la fe cristiana, secretamente añorada por no pocos. Algunos sienten la necesidad de abandonar de una vez el escaso y falso cristianismo en el que se mueven o de tomarlo en serio del todo.

La conversión de los nuevos paganos es difícil. De ordinario es conversión religiosa más que moral; no es salida del pecado, sino búsqueda de un sentido nuevo de la vida, al caer en la cuenta de que se necesita algo profundo en ella. Evidentemente esto lleva consigo un cambio de conciencia y de conducta. En algunos casos hay nostalgia de una cierta experiencia religiosa anterior. Parece fundamental la correspondencia entre esperanza cristiana y deseos humanos profundos, realidades a menudo separadas, puestas en oposición o tenidas ingenuamente como análogas o casi idénticas. La experiencia dice que la conversión llega con la ayuda o influencia de otra persona de talante comunitario.

En cualquier caso, la nueva evangelización ha de tener en cuenta ciertas situaciones álgidas, como los momentos de crisis o de cambio de valores, la euforia que producen algunas celebraciones, el encuentro profundo con otras personas, el compromiso gratuito a favor de los pobres, la experiencia de

---

[53] J. C. Scannone, *La teología de la liberación en la nueva evangelización*, en *Nueva evangelización. Génesis y líneas de un proyecto misionero*, CELAM, Bogotá 1990, 187-196.

---

[54] Cf. mi libro *Para comprender el catecumenado*, Verbo Divino, Estella 1989, 31.

la fragilidad de la vida, etc. Debemos tener presentes las «semillas de la Palabra» (AG 11) o «preparaciones evangélicas» (LG 16) actuales, como el ansia de justicia en el reparto de bienes, el crecimiento del pacifismo, el ascenso del feminismo, la defensa de la cultura popular, el temor a la manipulación, la valoración de la coherencia, el hastío del consumismo, etc. En definitiva,

«la acción evangelizadora, derivada de la aceptación del reino de Dios –afirman los obispos españoles–, incluye también la realización de este reino en el mundo, aunque sea de manera fragmentaria y deficiente» [55].

d) La «nueva evangelización» debe ser catecumenal

La renovación contemporánea de la catequesis de adultos en el interior de un proceso catecumenal se produjo después de la segunda guerra mundial, cuando aparecieron nuevos ambientes descristianizados y se despertó una ola misionera de testimonio, diálogo y conversión gracias a los movimientos apostólicos especializados, a los curas obreros y a las religiosas en barrios marginales. El catecumenado ya existente en algunos países africanos de misión y la necesidad de preparar al bautismo a candidatos adultos convertidos gracias al nuevo movimiento misionero en las décadas de los cuarenta y cincuenta exigió una revisión de la catequesis antigua, reducida al catecismo de niños, a la religión escolar de adolescentes y jóvenes y al adoctrinamiento de adultos mediante los sermones. En la recuperación de esta nueva catequesis de jóvenes y adultos contribuyeron los movimientos especializados de Acción Católica, necesitados de una síntesis viva y actual de fe para sus militantes [56]. Sin una renovada catequesis de adultos liberadora y de inspiración catecumenal, la «nueva evangelización» puede resultar estéril.

Las Proposiciones del IV Sínodo sobre la Catequesis (1977) sostienen la conveniencia de que

«surjan diversos métodos de iniciación en la vida cristiana para no bautizados y, sobre todo, para un gran número de bautizados que no han recibido una adecuada educación cristiana en la fe» [57].

Poco a poco se toma conciencia de la «necesidad de que hoy el proceso de catequización tenga inspiración catecumenal». Se trata de un «catecumenado para bautizados» o «re-iniciación» que complementa la tarea de la «segunda evangelización» [58].

e) La «nueva evangelización» debe ser creadora de comunidad cristiana en estado de servicio

La perspectiva eclesial de la nueva evangelización exige creación de nuevas comunidades, ya que el acto evangelizador suscita adhesión comunitaria y dinamismo social. El proceso evangelizador genera una nueva manera de ser Iglesia, y el nuevo modelo de Iglesia permite el desarrrollo de la evangelización.

«La evangelización – afirma L. Boff– no atiende a la persona tomada individualmente, sino a la persona en relación social y comunitaria. En caso de no surgir comunidad a partir de la evangelización, no se logra el objetivo presente en la evangelización misma» [59].

En la exhortación apostólica *Christifideles laici* se afirma que la nueva evangelización «está destinada a la formación de comunidades eclesiales maduras» (ChL 34). El problema se plantea a la hora de entender qué es una comunidad eclesial madura. Evidentemente el espíritu comunitario suscitado por la nueva evangelización ha de caracterizarse por unas relaciones interpersonales adultas, unas interpretaciones cristianas enriquecedoras, unas celebraciones vivas de la fe y una comunión de problemas personales y sociales en aras de un servicio hacia los pobres y marginados.

---

[55] Conferencia Episcopal Española, *Testigos del Dios vivo*, Edice, Madrid 1985, n. 53.

[56] Cf. mi artículo *El proceso catecumenal en la «Catechesi tradendae»*: «Sinite» 92 (1989) 511-517.

[57] Cf. M. Matos, *Sinopsis para un estudio comparativo de la «Catechesi tradendae» con sus fuentes*: «Actualidad Catequética» 96 (1980), proposición 30.

[58] Cf. *La catequesis de nuestro tiempo*. Documento del Sínodo de los Obispos, PPC, Madrid 1978.

[59] L. Boff, *La nueva evangelización en América Latina, o. c.*, 80.

«Cada comunidad eclesial –dice Puebla– debería esforzarse por construir para el continente un ejemplo de modo de convivencia donde logren aunarse la libertad y la solidaridad. Donde la autoridad se ejerza con el espíritu del Buen Pastor. Donde se viva una actitud crítica frente a la riqueza. Donde se ensayen formas de organización y estructuras de participación capaces de abrir camino hacia un tipo más humano de sociedad» (Puebla 273).

5. Conclusión

La importancia pastoral de la «nueva evangelización» radica en que es –según A. González Dorado– «el primer plan de pastoral orgánica de toda la Iglesia» [60], o «el primer plan de evangelización de conjunto con horizontes planetarios» [61]. El hecho de que se haya llamado «auto-evangelización», aplicable a la totalidad de la Iglesia, muestra las pretensiones de globalidad pastoral que tiene este proyecto.

La «nueva evangelización» puede entenderse sucintamente como acción misionera dirigida a los bautizados que no viven hoy su fe, bien porque no practican la justicia, bien porque viven secularizados en medio de una cultura de increencia [62]. No obstante, hay divergencias en la concepción de la «nueva evangelización», ya que no todos los teólogos y pastoralistas entienden del mismo modo el adjetivo «nuevo» aplicado al sustantivo «evangelización». Pueden distinguirse –según expresa A. González Dorado– dos corrientes: «una más dominada por el entusiasmo y otra más crítica y cuestionadora» [63]. Se dan, pues, dos interpretaciones: una evangelización restauradora, nostálgica del pasado, y otra liberadora, con apertura creativa hacia el futuro [64]. De hecho, no se entiende la «nueva evangelización» del mismo modo en los movimientos neoconservadores que en las comunidades de base. Las diferencias residen, fundamentalmente, en comprender la «nueva evangelización», bien como simple restauración de la misión de la Iglesia a la luz de la cristiandad, en función de una transformación moderna cultural (cambio operado en el mundo), bien como renovación profunda de la misión cristiana a la luz de la liberación, en función de la inculturación de la fe en el mundo de los pobres (cambio que debe operarse en la Iglesia). Al plantearse la evangelización de la cultura, se comprende la nueva evangelización según se entienda la cultura. Unos entienden, pues, la evangelización de un modo triunfalista y espiritualista: son los conservadores. Otros la conciben en una línea liberadora, tal como se expresó en medellín y Puebla: son los renovadores.

Evidentemente, los teólogos, pastoralistas y obispos de una tendencia u otra están de acuerdo en la urgencia e importancia que tiene hoy la evangelización. Recordemos que, según *Evangelii nuntiandi*,

«evangelizar constituye, en efecto, la dicha y la vocación propia de la Iglesia, su identidad más profunda. Ella existe para evangelizar» (EN 14).

El proyecto pastoral de la «nueva evangelización» –afirma la encíclica *Redemptoris missio*– intenta dar un «nuevo impulso a la actividad misionera de la Iglesia» [65]. La «nueva evangelización» ha sido secundada por muchos episcopados merced a la influencia del papa. La ocasión más propicia de su desarrollo viene dada por la conmemoración del V Centenario de la evangelización de América. Precisamente la IV Conferencia del CELAM celebrada en octubre de 1992 en Santo Domingo (República Dominicana) se centró en el tema de la nueva evangelización en relación a dos componentes principales: la promoción humana y la cultura cristiana [66].

---

[60] A. González Dorado, *La nueva evangelización, promotora de civilización:* CONFER 108 (1989) 587.

[61] A. González Dorado, *Cuatro motivos para una nueva evangelización de cara al año 2.000*, en Instituto Teológico de Vida Religiosa, *La vida religiosa y la nueva evangelización*, Publicaciones Claretianas, Madrid 1990, 57.

[62] Conferencia de Religiosos de Colombia, *Formación en la nueva evangelización*, México 1991, 15.

[63] Así se expresa A. González Dorado, *La nueva evangelización y la mentalidad eclesial:* «Pastoral Misionera» 177 (1991) 47.

[64] Cf. J. Espeja (ed.), *Cómo evangelizar hoy. ¿Promoción o destrucción de los pueblos?*, Ed. San Esteban, Salamanca 1991, 87-89.

[65] *Redemptoris missio*, 30.

[66] La primera redacción del documento de consulta o «instrumento preparatorio» de Santo Domingo es del 31.8.1989. La

Bibliografía

L. Boff, *La nueva evangelización. Perspectivas de los oprimidos*, Sal Terrae, Santander 1990; R. Cantalamessa, *La vie dans la seigneurie du Christ. Une nouvelle évangélisation*, Cerf, París 1990; CELAM, *Nueva evangelización. Génesis y líneas de un proyecto misionero*, Bogotá 1990; J. Espeja (ed.), *Cómo evangelizar hoy. ¿Promoción o destrucción de los pueblos?*, Ed. San Esteban, Salamanca 1991; A. González Dorado, *La nueva evangelización, promotora de la civilización del amor:* CONFER 108 (1989) 585-666; id., *Una nueva Iglesia para una nueva evangelización:* «Proyección» 37 (1990) 87-108; id., *Juan Pablo II y la nueva evangelización:* «Misión Abierta» (1990/5) 37-50; id., *La nueva evangelización y la mentalidad eclesial:* «Pastoral Misionera» 177 (1991) 47-63; J. Grand'Maison, *La seconde évangélisation. Outils majeurs*, Fides, Montreal 1973; Instituto Teológico de Vida Religiosa, *La vida religiosa y la nueva evangelización*, Publicaciones Claretianas, Madrid 1990; Juan Pablo II, *La nueva evangelización*, BAC Documentos, Madrid 1988; F. Martínez Díez, *La nueva evangelización, ¿restauración o alternativa?*, Paulinas, Madrid 1992; J. A. Pagola, *Acción pastoral para una nueva evangelización*, Sal Terrae, Santander 1991; F. Sebastián, *Nueva evangelización. Fe, cultura y política en la España de hoy*, Encuentro, Madrid 1991.

Revistas: *La nueva evangelización:* «Teología y catequesis», n. 33-34 (1990); *Nueva evangelización:* «Ciencia Tomista» 117 (1990/3); *La «nueva evangelización»:* «Misión Abierta» (1990/5); *La nueva evangelización:* «Iter» 1 (1990/1); *Un documento controvertido: Santo Domingo:* «Christus» 56 (1991) n. 642; *Nueva evangelización:* «Pastoral Misionera» 177 (1991); *Para que sea «evangelización». Para que sea «nueva»:* «Sal Terrae» (1991/12).

---

segunda redacción, titulada *Elementos para una reflexión pastoral en preparación de la IV Conferencia General del Episcopado Latinoamericano*, con el tema central de *Una nueva evangelización en una nueva cultura*, es del 6.2.1990. La tercera redacción es propiamente el «documento de consulta», titulado *Nueva evangelización. Promoción humana. Cultura cristiana*, editado en mayo de 1991. Este objetivo fue fijado por Juan Pablo II el 12 de diciembre de 1990.

6

Modelos
de evangelización

La evangelización no es igual en todos los lugares y en todos los momentos. Desde los comienzos de la Iglesia hubo modelos de misión correspondientes a diferentes situaciones culturales y religiosas. Evidentemente, el evangelio o la buena noticia del reino que proclama la evangelización es siempre el mismo. Sin esta buena nueva no hay evangelización. Pero los oyentes de la buena nueva exigen diferentes exposiciones, actitudes, métodos y formas de comunicación evangélica. Normalmente, los modelos de evangelización propician unos modelos correspondientes de Iglesia.

1. Pluralismo de modelos evangelizadores

Dada la apremiante necesidad que los pobres y marginados de todos los tiempos tienen siempre de liberación, nunca faltan intentos de ofrecer mensajes y ofertas de salvación. En todos los tiempos se han dado, como se dan hoy, evangelizaciones seculares y religiosas o mensajes y doctrinas salvadoras o liberadoras en el dominio religioso y en el político. Recordemos que el término evangelio tiene un origen profano: quiere decir buena noticia. Ningún programa político, cultural o religioso se muestra opresor, especialmente si tiene propósitos universa-

les. De ordinario promete importantes logros o el máximo bienestar al pueblo. Las palabras democracia, justicia, libertad y liberación, por ejemplo, han sido incorporadas por las doctrinas y praxis salvadoras o soteriológicas actuales. En consecuencia, si la evangelización cristiana se realiza a través de alguna evangelización secular, urge seleccionar las ofertas que se hacen a los desheredados, especialmente las que discurren por el mundo social y político, para inscribir la evangelización cristiana en la mejor línea de liberación presente, sin olvidar la crítica constante a cualquier mediación elegida.

a) Pluralismo primitivo

El fenómeno de la multiplicidad salvadora era ya ostensible en tiempos de Jesús.

«Proclamar el evangelio de Jesús –escribe J. M. González Ruiz– equivalía a lanzar un reto al evangelio del César. Jesús había venido a traer la verdadera salvación, aunque con métodos inversos a los que usaban los emperadores» [1].

En primer lugar, los romanos se presentaban co-

---

[1] J. M. González Ruiz, *Evangelio*, en C. Floristán y J. J. Tamayo, *Conceptos Fundamentales de Pastoral*, Cristiandad, Madrid 1983, 338.

mo liberadores en la Palestina ocupada; así se han mostrado siempre los dominadores, conquistadores o colonizadores. Pero la concepción romana imperial, con su justificación religiosa, era religadora en su sistema, es decir, opresiva. El César estaba divinizado, y los esclavos debían morir por él. En segundo lugar, proliferaban las religiones helenistas de tipo mistérico-sacramental o místico-espiritual, con manifiestas influencias orientales, que intentaban dar una salida salvadora en forma de huida espiritual, adelgazando los cuerpos por el ayuno y fortaleciendo los espíritus con la plegaria. Finalmente, el judaísmo oficial de la sinagoga y del templo, en manos de escribas y fariseos, se pronunciaba por una salvación religiosa cimentada en leyes, prescripciones y cultos, carentes para el pueblo de sentido liberador.

Jesús descartó las evangelizaciones del imperio romano y del nacionalismo judío, se distanció del ascetismo de los proyectos religiosos orientales y se situó en la más genuina tradición profética, transmitida por la escuela de Isaías y representada por el movimiento de Juan Bautista. La evangelización de Jesús se centra en el reino de santidad, justicia, reconciliación y liberación, y se funda en la fuerza del Espíritu de Dios y en la colaboración humana, sin que se identifique con el poder político, la magia cultual o la meditación trascendental. El evangelio que anuncia y realiza Jesús es salvación de toda la persona y de toda la humanidad a partir de la opción de los pobres y marginados para que se lleve a cabo la justicia del reino. Evangelizar –dice J. M. González Ruiz– es «salir por los fueros de Dios y ponerlo donde debe estar: en la base»[2].

b) Pluralismo actual

También se dan hoy en nuestro mundo diversas evangelizaciones o mensajes liberadores a causa de la crisis o del resquebrajamiento de la sociedad capitalista o de consumo. De otro lado, el fracaso del sistema comunista implantado por la Unión Soviética ha sido manifiesto, a pesar de su admirable propósito de crear una sociedad igualitaria, más

humana y más justa. No faltan tampoco las corrientes orientales de tipo netamente espiritualista, dirigidas al mundo de la persona para encaminarla hacia metas trascendentales.

El cristianismo posconciliar vuelve a identificarse, después del Vaticano II, con la evangelización promovida por Jesús. La experiencia misionera plantea a los cristianos con toda radicalidad su identidad. Pero son varias las corrientes de interpretación que se han dado recientemente, y se dan hoy, sobre la evangelización. Examinaremos ahora tres: la evangelización doctrinal, la pastoral misionera y la evangelización liberadora.

2. La evangelización doctrinal

a) Rasgos característicos

La evangelización doctrinal es propia de la cristiandad, situación en la cual la sociedad depende en gran medida del influjo eclesial. Corresponde a un modelo de Iglesia sacerdotal[3]. De acuerdo a la teoría de las dos espadas –reflejada en la bula *Unam Sanctam* de Bonifacio VIII–, la espada espiritual es propia de la Iglesia, mientras que la temporal está sostenida por el emperador, pero a favor de la Iglesia[4]. Según esta concepción, la Iglesia se hace presente en el orden temporal sosteniendo un tipo sacral de sociedad para bautizados, más que comunicando el evangelio a no creyentes o alejados. En esta situación –según J. M. Rovira i Belloso–,

«la Iglesia dispone, para su servicio, de una política cristiana capaz de crear un universo cultural homogéneo, favorable al cristianismo»[5].

Esta visión se ha hecho realidad recientemente, tanto en el denominado nacionalcatolicismo (con dictadura confesionalmente católica de por medio), cuanto en la concepción de la nueva cristiandad (con instituciones potestativas de inspiración cristiana). Naturalmente, este tipo de evangelización

---

[2] *Ibíd.*, 338.

[3] Cf. F. Martínez Díez, *La nueva evangelización, ¿restauración o alternativa?*, Paulinas, Madrid 1992, 123-132.

[4] Cf. J. M. Rovira i Belloso, *Fe y cultura en nuestro tiempo*, Sal Terrae, Santander 1988, especialmente 91-104.

[5] *Ibíd.*, 95.

necesita en una situación democrática la unidad de los católicos en un frente político unitario y la creación de instituciones temporales cristianas o de inspiración cristiana que favorezcan la presencia de la Iglesia en la sociedad, para alentar los «valores cristianos» y facilitar el cometido evangelizador.

En resumen, la evangelización doctrinal se apoya en una concepción de la Iglesia como lugar único de salvación por su identidad con el reino, y en un entendimiento del mundo como universo cristiano por exigencias de la cristiandad. De ahí la unión del trono y el altar o de la Iglesia y el Estado. De hecho, la Iglesia se identificó con ciertas formas culturales romanas, latinas y europeas. La salvación iba unida, por consiguiente, con la aceptación cultural, política e ideológica de la denominada civilización cristiana occidental. Con la moderna separación de la Iglesia y el Estado, se empezaron a comprender la Iglesia y el mundo como dos órdenes o realidades yuxtapuestas que se deben respetar y ayudar. La Iglesia actúa en lo religioso, en lo espiritual y en lo moral. Lo temporal es patrimonio del Estado. Pero al ser la historia exterior a esta salvación, la fe se entendía de un modo exclusivamente espiritual.

La evangelización doctrinal equivale a un adoctrinamiento catequético, según puede verse en las *misiones extranjeras* que surgen a partir del s. XVI y en las misiones populares o parroquiales que se desarrollan a partir de los s. XVII y XVIII. También se impregnaron de este tipo de evangelización los Ejercicios espirituales de san Ignacio y los Cursillos de cristiandad. Según M. van Deleft, este tipo de misión pretende

«la renovación radical y total de la vida religiosa y moral del pueblo católico por la conversión de los pecadores, la excitación del celo de los tibios y negligentes y la afirmación de los buenos cristianos»[6].

Su objetivo está puesto en la conversión de cara al sacramento. Indudablemente, las misiones populares renovaron periódicamente la vida religiosa de las parroquias durante cuatro siglos, pero apenas cambiaron, en el s. XIX o en la primera mitad del s. XX, ni en contenidos ni en métodos. Después de la

primera guerra mundial, las misiones populares sólo vigorizaban las parroquias de cristiandad, al paso que se mostraban incapaces de llegar a zonas y regiones descristianizadas.

La evangelización doctrinal ha tenido, pues, como objetivo la conversión individual, dada la tibieza religiosa de algunos o el alejamiento de la Iglesia de otros. Algunos misioneros ponían el acento en la conversión de las almas o en la pastoral de las personas individualmente consideradas; otros situaban el objetivo en el desarrollo de las obras parroquiales o en la pastoral de los ambientes con un sentido protector. En todo caso se recurría a suaves presiones sobre la familia, los amigos o las autoridades. Daba resultado con los niños, enfermos y mujeres, es decir, con los más sensibles – entonces– a la presión. Más que misión era reproducción, con un modelo uniforme u homogéneo. Su influencia llegaba, en realidad, a los que estaban dentro de la Iglesia con una mala conciencia moral y sin práctica religiosa habitual.

La misión se justificaba por la necesidad de aportar la salvación a los pueblos sumidos en el error o a las almas que se perdían. Se tomaba al pie de la letra el adagio latino «extra Ecclesiam nulla salus» (fuera de la Iglesia no hay salvación). De ahí que con la destrucción de los ídolos se arrasasen culturas antiguas, con el adoctrinamiento exclusivamente religioso se marginasen formas de sabiduría popular, y con la uniformidad litúrgica, moral y doctrinal se impidiese la creatividad personal y colectiva. El espíritu conservador e incluso reaccionario de una gran parte de la Iglesia frente al mundo moderno era manifiesto. Autoritario y monolítico, aquel catolicismo no era diverso ni original, sino de mera repetición. Aunque su lenguaje fuese en ocasiones gramaticalmente bíblico, en realidad era escolástico, deductivo, esencialista y doctrinal.

b) *Teología subyacente*

La evangelización por medio del adoctrinamiento catequético, típica de la cristiandad e incluso de la nueva cristiandad, es transmisión doctrinal a ignorantes e invitación moral a la conversión sacramental a alejados de la Iglesia, con la intención de que recuperen o acepten las reglas éticas de con-

---

[6] M. van Deleft, *La mission paroissiale*, París 1964, 94.

ducta cristiana, las prácticas religiosas cultuales y el régimen de obediencia a la normatividad institucional. Va dirigida a los infieles de los países de misión y a los pecadores de los países de cristiandad que, por estar fuera de la gracia, se podían condenar. Se basa en el binomio salvación-condenación. De ahí que los temas de este tipo de misión sean el pecado, el infierno y la muerte desde las perspectivas del individuo y del alma, de cara al más allá o a la eternidad, bajo la amenaza del juicio último de Dios.

La Iglesia de la evangelización doctrinal, desarrollada en tiempos de la Ilustración, de la racionalidad y de la crítica científica, se hizo necesariamente apologética. Combatió a sus adversarios con sus mismas armas: se apoyaba en la razón y en postulados absolutos y universales. Las misiones y la misión se movían en un contexto defensivo. Así se pretendía conservar en toda su pureza doctrinal el llamado depósito de la fe, a base de catecismos con preguntas y respuestas precisas, de teologías escolásticas con ideas claras y distintas, y de un magisterio infalible.

En el fondo, este tipo de evangelización se centra en una Iglesia institucional jerárquica y sacerdotal a partir de la sacralidad. Se relaciona con el Estado de poder a poder, ya que se entiende la Iglesia como «sociedad perfecta». Para poder convivir, hace concordatos. Como consecuencia, no se comunica bien con una sociedad emancipada y adulta. Precisamente el proceso de secularización de desidentificación de lo religioso con lo cultural ha hecho que entrase en crisis este tipo de evangelización. El mundo moderno secular es un mundo dessacralizado. Es un mundo que pretende liberarse progresivamente de todas sus servidumbres y esclavitudes y edificarse mediante una reforma de sus estructuras y una regeneración de las personas. Intenta descubrir su vocación temporal y su propia historia profana. El proceso de secularización y de emancipación ha hecho que se desarrollase una incompatibilidad entre promoción integral humana y salvación cristiana, tal como esta última era entendida en este tipo de evangelización.

3. La pastoral misionera

a) De la pastoral de cristiandad a la pastoral misionera

El paso de la Iglesia de cristiandad a la Iglesia misionera fue dado antes del Vaticano II por algunos teólogos y pastoralistas de la misión, vivido personalmente por los sacerdotes obreros, las religiosas encarnadas en barrios marginales y los movimientos apostólicos seglares preocupados por «leer el evangelio en los signos de los tiempos». Recordemos el despertar eclesial y apostólico que surgió entre 1935 y 1955 en todo el orbe católico, especialmente en la Iglesia de Francia. En este tiempo se despliega un vocabulario rico y profundo, reflejado en los términos «evangelización», «comunidad», «testimonio», «compromiso», etc., dentro de la dialéctica escatología / encarnación, deudora de las corrientes teológicas anteriores al Concilio [7].

Frente a una Iglesia entendida como sociedad de desiguales, patrimonio sacerdotal, centrada en el tema de la autoridad, replegada en lo sacramental, con alianzas de poder, rígidamente moral, ortodoxa en su pensamiento, uniformista en sus modos de actuación y apologética en su discurso, surge a partir de los años veinte otro tipo de Iglesia que enriquecerá paulatinamente su acción pastoral con la aportación de los movimientos de renovación, caracterizados en general por una espiritualidad cristocéntrica, una pretensión comunitaria y un compromiso temporal. Los escritos que reflejan las posturas pastorales de la cristiandad y de la misión son innumerables. Puede decirse que la transición de una pastoral a otra fue acompañada de tensiones y polémicas entre teología escolástica y teología kerigmática, masas y minorías, catolicismo convencional y de convicciones, institución y carisma, sacramento y profecía, bautismo de infantes y bautismo de adultos, etc. [8].

---

[7] Cf. B. Besret, *Incarnation ou eschatologie? Contribution à l'histoire du vocabulaire religieux contemporain (1935-1955)*, Cerf, París 1964; L. Malevez, *Deux théologies catholiques de l'histoire*: «Bijdragen» 10 (1949) 225-240.

[8] Cf. T. Ubeda, *Paso de una pastoral de cristiandad a una pastoral de evangelización*: «Butlleti Oficial de Bisbat de Mallorca», 16 de noviembre de 1980.

b) De la sacramentalización a la evangelización

La tensión entre lo evangélico y lo sacramental surge constantemente en la historia de la acción pastoral, a consecuencia, asimismo, de distintas visiones de Iglesia [9]. La dialéctica entre la palabra y el sacramento se formula al acabar la segunda guerra mundial mediante el binomio evangelización / sacramentos, puesto de relieve en los conflictos entre «evangelizadores» y «sacramentalistas».

La pastoral misionera se desarrolla en una nueva situación del mundo de la posguerra mundial, en conexión con una teología kerigmática basada en la historia de salvación y dentro de una referencia filosófica existencialista, humanista y personalista, junto a una visión política democrática. Más que el codo a codo con el pueblo, lo que aquí importa es el tú a tú personal. Por eso la fe es entendida en clave personalista, como relación del hombre con Dios.

Pero se advierte en esta pastoral una cierta apertura a los ambientes sociales y una clara sensibilidad por la vida concreta, la revisión de vida, los métodos inductivos, los condicionamientos políticos y el examen de la realidad. La pastoral misionera se centra en la evangelización con una pedagogía activa. Adquiere personalidad propia en los movimientos apostólicos y produce desconcierto e irritación en determinados sectores del episcopado y de algunos grupos católicos conservadores, nostálgicos de la cristiandad. Descubierto el evangelio como base cristiana de la vida militante, la espiritualidad de la pastoral misionera no se funda en las prácticas devocionales, sino en la misión, la encarnación concreta, el compromiso temporal, el testimonio evangélico, la revisión en equipo, la pobreza de medios, la libertad personal y la educación adulta de la fe.

El sacerdote es en esta pastoral consiliario o asesor, no jefe; evangelizador, no administrador sacramental; educador de la fe, no profesor de religión; compañero de trabajo y de ministerio, no segregado para la burocracia parroquial. Formado en los ambientes cerrados de los seminarios de cristiandad e imbuido de mística ajena a los valores reales, el sacerdote ha de franquear una difícil barrera hasta llegar a esta pastoral. No todos dan el salto. Muchos quedan atrincherados en la pastoral de cristiandad por razones inmovilistas, pura pereza o justificaciones ideológicas conservadoras, ya se razone desde la formación de élites, como desde el pretendido servicio a las masas cristianas practicantes del pueblo.

El seglar adquiere en la pastoral misionera un nuevo sentido cristiano por su pertenencia al movimiento apostólico y al equipo militante. Además, situado por su trabajo en los ámbitos laborales, descubre las perspectivas políticas de las realidades sociales con unas opciones temporales concretas, dentro de unas perspectivas seculares. Advierte poco a poco una cierta ideologización introducida en la teología y en la práctica de la Iglesia, y se enfrenta con interpretaciones filosóficas y militancias políticas diferentes a las tradicionales. Este choque produce en seglares y sacerdotes una crisis de fe, que conduce en muchos casos al abandono de la religión introyectada, y en otros a la aceptación exclusiva de la acción política. Algunos logran madurar la fe en una toma de conciencia del quehacer político, al pasar de una dinámica de posesión a un cometido de liberación. El salto de la fe-caridad al compromiso político hace estallar frecuentemente el motor primero de las opciones temporales, cuando no se parte de la realidad o no se incluye un análisis de la situación, al descubrir la explotación que el hombre hace del hombre.

c) La evangelización misionera

El objetivo de la pastoral misionera es hacer crecer a la Iglesia. En este sentido, la misión parte de la Iglesia; no es expansión cultural o desarrollo económico. Es además para la Iglesia; tiende a implantar la Iglesia en un determinado mundo cultural. Finalmente se produce a través de la Iglesia; la misión es esencial a cualquier comunidad. Pero la misión no se reduce al ofrecimiento de la gracia. Es respuesta a los deseos más profundos de la persona humana, a todo el esfuerzo que la gracia provoca

---

[9] Cf. mis trabajos *Tendencias pastorales en la Iglesia española*, en A. Vargas-Machuca (ed.), *Teología y mundo contemporáneo* (*Homenaje a K. Rahner en su 70 cumpleaños*), Cristiandad, Madrid 1975, 491-512; *Sacramentos y liberación*, Fundación Santa María, Madrid 1986, 25-36.

en los senos más recónditos de la humanidad. De ahí que la misión adopte la forma básica del diálogo, dentro del marco fundamental de la libertad.

La pastoral misionera comienza por exigir una solidaridad humana con el pueblo y un compromiso de transformación de determinados ambientes. Encarnar el mensaje evangélico no equivale a edificar un orden cristiano o potenciar estructuras de Iglesia, sino que significa inculturarse en las zonas más deterioradas y miserables de la sociedad, al modo como lo hizo Jesús, con testimonio de vida. Recordemos la experiencia de los curas obreros nacida en los campos de concentración nazis, cuando los sacerdotes evangelizaban en condiciones de vida semejantes a las de todos los prisioneros, desarrollada posteriormente en las zonas pobres de las grandes ciudades. El descubrimiento de la descristianización obligó a concebir la acción pastoral como actividad misionera. La palabra misión, en singular, ocupa un lugar preferente en toda la renovación pastoral anterior al Concilio.

Las consecuencias son claras: los nuevos misioneros se distancian de las estructuras oficiales de la Iglesia, al mismo tiempo que ciertas instituciones eclesiásticas manifiestan reticencias y oposiciones a esta nueva corriente, que hace peligrar, según determinadas curias, la unidad de la Iglesia y su ortodoxia. Pronto aparecen las tensiones entre dos modos de concebir la tarea cristiana básica: el parroquial o sacramental y el testimonial o misionero. Las parroquias se revelan inadaptadas a la nueva misión. Es necesario que surjan nuevos estilos de comunidades cristianas con apropiados servicios catecumenales y celebraciones litúrgicas vitales, en las que se hallen incorporados los nuevos convertidos, que asumen, por otra parte, una variada gama de opciones políticas. En definitiva, se trata de comprender de otra manera el evangelio y de considerar por otras vías la urgencia de la evangelización.

4. La evangelización liberadora

a) De la pastoral misionera a la evangelización liberadora

El método inductivo introducido en la pastoral misionera acentuó la importancia de la realidad social del pueblo como lugar de misión. Al dar primacía al testimonio y al compromiso, se revisó el objetivo misionero de «implantar la Iglesia», debido a las implicaciones institucionales o colonialistas que llevaba consigo. Incluso se criticó la pretensión de «convertir almas», objetivo ajeno muchas veces a las aspiraciones humanas e históricas. Se comenzó a destacar el reino y su justicia, no el crecimiento de las instituciones de la Iglesia. La misión exigía pasión por la verdad y libertad, combate por la justicia a favor de los desheredados, anuncio manifiesto del evangelio de Jesús. El objetivo de la evangelización no se sitúa en la adhesión a las verdades trascendentales, sino en el compromiso que exige el servicio del reino. La evangelización no es proselitismo ni argumentación apologética para convencer por imposición. La grandeza y la libertad del ser humano y el respeto total a la persona son signos de libertad y de respeto con Dios. Evangelizar no es, pues, sólo transmitir una doctrina o narrar un mensaje, sino interpretar y cambiar una historia a la luz de la fe. El mensaje evangélico, desde la praxis de Jesús y la fuerza de su Espíritu, ha de ser reinterpretado en relación a la existencia histórica del hombre.

Ahora bien, todo mensaje salvador presupone una necesidad de liberación. Solamente puede ser salvado quien se considera insatisfecho, desgraciado, perdido. Esta preocupación se manifiesta hoy a través de las ansias de liberación social y realización personal mediante afirmaciones utópicas: plenitud de justicia, libertad total, genuina igualdad, solidaridad sin límites, amor saciado, etc. La persona humana posee inquietud de salvación, apertura de esperanza. Lo contrario es cerrazón, hartura, conservación y miedo a perder lo que se posee. Por eso, difícilmente se dejan evangelizar los ricos y poderosos. Y escandalizadora es la afirmación de que la salvación viene de los pobres de Yahvé.

b) Rasgos específicos de la evangelización liberadora

En primer lugar, el pensamiento misional desplegado al ritmo de la expansión colonial se había impregnado de imperialismo occidental. De hecho, el misionero del mundo rico y capitalista mezclaba con frecuencia el mensaje de Cristo con el sistema de valores y costumbres propias de los occidentales. Pronto, algunos cristianos más lúcidos del Tercer Mundo comenzaron a criticar la evangelización de la Iglesia nordatlántica por no haber respetado los rasgos culturales propios y haber impuesto una cultura extraña a las etnias indígenas. Tampoco se respetó suficientemente la libertad personal en la conversión de los infieles, sobre todo cuando se desplegó un proselitismo, propio de las sectas, que abusaba de la ignorancia o de la indigencia. Finalmente, no se fomentó debidamente el desarrollo humano y social, por ser la Iglesia cómplice de los poderes dominantes en el Tercer Mundo. De ahí la importancia de clarificar las relaciones entre fe e ideología, promoción humana y evangelización, praxis política y acción cristiana, sistemas institucionales y comunidades nuevas, salvación y liberación.

En segundo lugar, la praxis de Jesús, desde sus primeras manifestaciones hasta sus últimas apariciones, puede ser entendida como evangelización liberadora, es decir, acción empeñativa para que todos los hombres y mujeres, considerados hermanos entre sí, sean personas creyentes delante de Dios en la medida que lo reconocen como Padre y como Dios del reino. Dicho de otra manera: Jesús evangeliza como pionero del reino de Dios, y en cuanto tal libera al hombre, radical y totalmente, de toda tentación mesiánica (el reino se identifica con una determinada sociedad política) o espiritual (el reino es puramente interior o sobrenatural). La evangelización de Jesús no distrae al ser humano de su empeño en el mundo, pero tampoco le provee de un proyecto para edificar o construir la sociedad. Dios evangeliza por medio de Jesús suscitando una promesa de libertad absoluta que se verifica en la historia concreta a través de una lucha continua a favor de los pobres y marginados, hasta recabar, parcial pero continuamente, un progreso creciente de liberación total. Evangelizar es hacer hombres y mujeres libres de cualquier dependencia, a partir de la llamada de Dios, para vivir con fe las exigencias del reino proclamadas por Jesús.

La evangelización liberadora exige abrirse a los hombres y mujeres, especialmente a los pobres, compartir con ellos la existencia, su lenguaje y su cultura. Nuestra época, de transición y de crisis, se manifiesta sobre todo en los deseos de libertad y de liberación de toda servidumbre, en las aspiraciones a una maduración personal y en las necesidades de una transformación profunda de unas estructuras injustas. La evangelización liberadora se desprende de una confrontación entre el evangelio y la liberación. De ahí que se presente a la conciencia del teólogo y del misionero un hecho nuevo y mayor: el contexto político de la misión.

Para comprender la liberación con sentido cristiano importa el hacer más que el decir. En este sentido se interpretan las virtudes teologales: el amor es práctica de caridad con dimensiones sociales y políticas; la fe se verifica en la praxis de liberación, y la esperanza es acicate para la transformación del mundo. Como consecuencia de esta interpretación práxica del cristianismo, la evangelización va unida a la liberación, y en la liberación cobran primacía lo económico, lo social, lo cultural y lo político. La evangelización liberadora exige que se formule el mensaje cristiano en conexión con las aspiraciones de libertad y de igualdad, no del ser humano en general y abstracto, sino a partir de los pobres y oprimidos. De este modo se responde a la capa más primitiva de la predicación de Jesús referente al reino, en la que se incluyen su proximidad (llega con la igualdad y la libertad), su urgencia (apela a la conversión fáctica) y sus consecuencias (la salud, el perdón y la alegría).

Bibliografía

A. J. de Almeida, *Modelos eclesiológicos e ministérios ecclesiais*: «Revista Eclesiastica Brasileira» 48 (1988) 310-352; J. M. Castillo, *Diversos modelos de pastoral y el problema de la pastoral de la Iglesia*: «Sal Terrae» 66 (1978) 667-677: V. Codina, *Tres modelos de eclesiología*: «Estudios Eclesiásticos» 58 (1983) 55-82; C. Floristán, *Modelos de Iglesia subyacentes a la acción pastoral*: «Iglesia Viva» 112 (1984) 293-302; J. López-Gay, *Evolución histórica de la evangelización*: «Documenta missionalia» 9 (1975) 161-196; id., *Corrientes actuales sobre la evangelización*, en *La evangelización en el mundo actual*, Burgos 1975, 291-310; J. Marins y equipo, *Modelos de Iglesia. CEB en América Latina. Hacia un modelo liberador*, Paulinas, Bogotá 1976; L. Spruit, *Conceptions ecclésiales et modèles pastoraux*: «Social Compass» 30 (1983) 441-456.

7

Evangelización y liberación integral

El salto de una Iglesia de cristiandad con misiones a una Iglesia en estado de misión, como consecuencia de los movimientos de renovación previos al Vaticano II y fruto de la reforma conciliar, ha hecho posible descubrir la evangelización como razón de ser de la Iglesia. Dado que la evangelización se entiende a partir del evangelio como revelación de Dios y fermento de la sociedad y de la historia, es conveniente aclarar las relaciones entre evangelización y promoción humana o entre evangelización y liberación.

1. Evangelización y promoción humana

La relación entre evangelización (o fe cristiana) y promoción humana (o liberación de la persona humana y de la sociedad) ha sido entendida, fuera y dentro de la Iglesia, de distinta manera. Consideraré tres posiciones principales.

a) La fe es incompatible con la promoción humana

En primer lugar, los críticos radicales de la religión han señalado modernamente que la fe es incompatible con la promoción humana. La crítica moderna ha puesto en tela de juicio a la religión en su conjunto y a las Iglesias y comunidades cristianas con sus expresiones de fe, acciones cultuales y formas de vida. La conciencia religiosa y el ejercicio del acto de fe son considerados pertenecientes al pasado [1]. Recordemos que después de la Revolución francesa de 1789 la Iglesia se opuso a la emancipación de la tutela religiosa que se dio a sí misma la sociedad contemporánea. En realidad, la Iglesia rechazaba la libertad religiosa y negaba las ansias de libertad del mundo moderno. Como contrapartida surgieron las críticas radicales a la religión, a las Iglesias e incluso a la fe cristiana. Como consecuencia, en muchos ambientes se tenía la convicción de que la fe cristiana era alienadora o paralizante de la promoción humana colectiva [2].

Entre quienes afirman que la fe cristiana es incompatible con la emancipación humana destaca L. Feuerbach (1804-1872), quien reduce el ámbito de lo religioso a concepciones puramente humanas [3]. La religión es una proyección del ser humano en un

---

[1] Cf. K. H. Weger (dir.), *La crítica religiosa en los tres últimos siglos. Diccionario de autores y escuelas*, Herder, Barcelona 1985.

[2] Cf. E. Jiménez Hernández, *¿Dios? ¿Para qué? Interrogantes del ateísmo de cara a la nueva evangelización*, Desclée, Bilbao 1991.

[3] Cf. H. Zirker, *Crítica de la religión*, Herder, Barcelona 1985, 78-107; L. Feuerbach, *La esencia del cristianismo* (Introducción de M. Xhaufflaire), Sígueme, Salamanca 1975.

mundo diferente al real, consecuencia de un intento por superar las desgracias que nos atañen. Según él, hay oposición entre religión y razón. La fe frente a la razón es conciencia extraña imposible de llevar a la práctica; pertenece «al foro de lo cómico o de la sátira». «La conciencia de Dios es la autoconciencia del hombre; el conocimiento de Dios es el autoconocimiento del hombre». En la religión se muestra «la conciencia infantil de la sociedad»; Dios es el «yo enajenado» del hombre, una mera proyección. Con todo, es partidario de mantener la religión como indagación del ser humano mismo, no de Dios, ya que surge del mismo hombre, al que debe servir.

Pero quizá la impugnación más violenta del cristianismo procede de K. Marx (1818-1883), para quien «la religión es la autoconciencia y autosentimiento del hombre que todavía no se ha conquistado o que ya se ha perdido»; es «conciencia trastocada del mundo» [4]. El hombre mismo es creador de la religión. De una parte, es «expresión» de la pobreza real o de la miseria del mundo; en este sentido es impotente o ineficaz. De otra, es protesta contra la pobreza; es «gemido de criatura oprimida» o «espíritu de una situación sin espíritu». Finalmente, es «opio del pueblo», a saber, narcótico o sedante que sirve para «consolar» o hacer soportable este mundo malvado. En definitiva, la religión es rechazable porque justifica a Dios como «amo de todos los amos». En suma, la religión es una super-estructura social derivada de la estructura económica, viciada por la clase burguesa explotadora y a su servicio, que se convierte en coartada para salvaguardar los intereses de la clase dominante.

Por otras vías llegó S. Freud (1856-1939) a parecidos resultados [5]. Según el fundador del psicoanálisis, la religión es «ilusión» que debe ser desplazada por la ciencia. Por pertenecer a la categoría del deseo y del temor, es consuelo; y por la prohibición que hace del incesto, canibalismo y crimen, la religión se queda en mera negación. Es, en definitiva, proyección de símbolos y configuraciones psíquicas internas sobre el mundo exterior o «neurosis obsesiva universal». La religión justifica a Dios como «padre amplificado». Tanto Freud como Marx intentan rescatar el poder del hombre, enajenado y perdido por la trascendencia, a la que denominan «extranjera» .

También puede ser incluida aquí la opinión extremadamente conservadora o integrista, según la cual la promoción humana es impedimento de evangelización. Los que así piensan creen que todo avance técnico, económico o cultural es un obstáculo para el desarrollo del cristianismo, ya que la promoción humana es «materialista». La última proposición del *Syllabus* de Pío IX de 1864 dice textualmente:

«El romano pontífice ni puede ni debe reconciliarse con el progreso, el liberalismo y la civilización moderna».

En definitiva, se identifica la fe con religión de ignorantes y atrasados. Esta actitud, entre el miedo a la novedad y el desprecio por las cosas, no procede de la Biblia, sino de la gnosis o del maniqueísmo [6].

«Eremitismo, estoicismo y platonismo –escribe E. Vilanova– introdujeron el desprecio y el miedo hacia las cosas en la espiritualidad cristiana: las cosas sin alma (entre las que alguien se atrevió a incluir a las mujeres) son sólo ocasiones de pecado o, a lo más, pruebas para la virtud» [7].

b) La promoción humana precede a la evangelización

En segundo lugar, algunos «progresistas» anteriores al Vaticano II admitieron que la promoción humana precede rigurosamente a la evangelización. Así, después de la segunda guerra mundial apareció en Francia el denominado progresismo, representado por el movimiento *Jeunesse de l'Église*, cuyas figuras más destacadas fueron M. J. Montuclard y A.

[4] Cf. H. Zirker, *Crítica de la religión, o. c.,* 108-137; K. Marx - F. Engels, *Sobre la religión* (Edición preparada por H. Assmann y R. Mate), Sígueme, Salamanca 1974.

[5] Cf. H. Zirker, *Crítica de la religión, o. c.,* 169-205.

[6] Cf. V. Fumagalli, *Solitudo carnis. El cuerpo en la Edad Media,* Nerea, Madrid 1990.

[7] E. Vilanova, *La fe cristiana entre la sospecha y la inocencia,* Verbo Divino, Estella 1990, 272.

Mandouze [8]. Según esta corriente, la raíz exclusiva de todo el desorden social reside en el sistema socio-económico capitalista o en la explotación del hombre por el hombre. Por el contrario, el marxismo posee la interpretación correcta de la historia. Una vez que se haya llevado a cabo la revolución social e instaurado la sociedad comunista, podrá la Iglesia anunciar la plenitud de la salvación humana, ya que la promoción humana precede a la evangelización. La conversión radical es, pues, secular: consiste en rechazar de plano la moral burguesa y aceptar la ética proletaria. Según esta corriente, la Iglesia dejó de ser católica al aceptar el capitalismo y la burguesía; se convirtió en escoria de un cristianismo corrompido. Por consiguiente, la evangelización de los oprimidos es imposible sin que antes sean liberados por la revolución socialista. Sólo entonces se sentirá la necesidad de Dios. Será la hora de la evangelización.

Otros han ido posteriormente más lejos al afirmar que la evangelización se reduce a promoción humana [9]. Es lo que R. Belda llama «neomesianismo temporal», en el que se identifican evangelización y promoción humana. Surge por dos influencias: la desestima de una salvación intemporal o del más allá, y la influencia cultural de tipo secular sobre los creyentes poscristianos. Todo se basa en la afirmación de que el encuentro del hombre con Cristo se hace «exclusivamente» a través del hermano oprimido. La fe en Cristo se diluye en el amor al desvalido. Con otras palabras: la evangelización es exclusivamente liberación social y política [10].

c) El progreso humano y la evangelización son independientes

Por último, no faltan los que juzgan que el progreso humano y la evangelización son independien-

tes. Así, frente a quienes a finales del s. XIX y comienzos del s. XX reducían el cristianismo a progreso humano, liberalismo cultural o ética burguesa, basados en la figura humanística de Jesús, surgió la reacción de K. Barth de corte trascendentalista con su «regressus ad verbum divinum» [11]. La fe cristiana es don divino que adviene por la palabra de Dios, absolutamente original respecto de toda cultura, religión o tradición [12]. La relación de la palabra de Dios con la transformación del mundo es, pues, mínima. Según K. Barth –escribe S. Dianich–,

«la misión no es de ningún modo la construcción de un nuevo orden mundano, ni es un afianzamiento de los valores étnicos de un pueblo. La Iglesia desempeña en ella un papel fundamental, pero sólo en cuanto que representa el acontecimiento de la unión de los hombres en torno a la audición de la palabra que resuena como anuncio de un mundo nuevo, frente al que cada uno está llamado a una decisión definitiva» [13].

De este modo se llega a la privatización de la fe, en el sentido de que la presencia de la Iglesia en la vida económica y social es ajena al cristianismo predicado por Jesús. La fe se ejerce en el encuentro personal con Cristo mediante la oración y la celebración, sin otro deseo que el aumento de la gracia y de la caridad para practicarla personalmente, no socialmente, con los hermanos. Importa la confesión de fe ante la espera escatológica del Señor.

«Esta forma de privatización – escribe R. Belda– es cultivada por católicos que son visceralmente antidemócratas, y abarca desde quienes profesan actitudes claramente autoritarias o neofascistas, hasta quienes se adhieren a actitudes que podemos calificar de fuertemente autoritarias» [14].

Entre los años 1930 y 1960, algunos movimientos cristianos intentaron encarnar socialmente la fe cristiana. Surgió una controversia entre encarnacionistas y escatologistas, descrita en 1949 con esos términos por L. Malevez. Representaron al cristia-

---

[8] Cf. M. Montuclard, *Les événements et la foi*. Seuil, París 1946.

[9] R. Belda, *Promoción humana y evangelización*, en Instituto Fe y Secularidad, *Fe y nueva sensibilidad histórica* (XVIII Semana de Misionología de Bérriz), Sígueme, Salamanca 1972, 323-325.

[10] Cf. R. Belda, *Los cristianos en la vida pública*, Desclée, Bilbao 1987, especialmente cap. 1.

[11] R. Belda, *Promoción humana...*, o. c., 328-332.

[12] S. Dianich, *Iglesia en misión. Hacia una eclesiología dinámica*, Sígueme, Salamanca 1988, 26.

[13] *Ibíd.*, 26.

[14] R. Belda, *Los cristianos...*, o. c., 13.

nismo encarnacionista, entre otros, H. M. Feret, D. Dubarle, G. Thils y B. de Solages; el cristianismo de trascendencia fue defendido por J. Huby, J. Daniélou y L. Bouyer. Una posición intermedia y de síntesis mantuvo Y. Congar [15]. La tarea evangelizadora –decían los escatologistas– es religiosa: anuncia el reino de Dios como realidad trascendente. Se orienta hacia las personas, sin implicaciones con las estructuras o civilizaciones, ya que el proceso histórico y social es irrelevante respecto de la llegada del reino. Se argumentaba en el sentido de que, al ser absorbido el cristiano por lo temporal, la fe se identifica con el compromiso social, la teología con la sociología y la evangelización con la liberación. Para no caer en estas identificaciones, deberá el creyente vivir despegado de todo lo creado.

El dualismo o la independencia entre evangelización y promoción humana es defendido hoy por los movimientos espiritualistas que, consciente o inconscientemente, llegan de un modo paradójico a defender un cristianismo con implicaciones ideológicas capitalistas o burguesas. Se defiende la inculturación de la fe sólo en un sistema socio-político propio de la cristiandad. Entonces cabe defender rotundamente la libertad privada, la sumisión a la autoridad civil y el mantenimiento del orden público. Lo que verdaderamente importa al cristiano es el aprecio de la palabra de Dios (entendida de un modo fundamentalista) y las celebraciones sacramentales (sin referencias sociales y políticas). Pero cuando el sistema político no es de cristiandad, se le tacha de cercano al socialismo colectivista, al secularismo anticristiano o al ateísmo. Representantes de una evangelización carente de promoción humana son los denominados movimientos neoconservadores de corte espiritualista. Consideran clerical toda forma de presencia de la Iglesia en el campo social. Por otra parte, se justifican diciendo que el compromiso político corrompe siempre por su cercanía con el poder. Se olvidan que la liberación cristiana es justamente integral.

También cabe situar aquí la tendencia de quienes defienden la «privatización de la fe», opción que relega la fe a la intimidad de la conciencia, sobre todo por dos razones: irrelevancia social de la misma fe o necesidad de purificarla de gangas peligrosas históricas [16]. Naturalmente, caben muchos matices en esta posición, desde los que pretenden la autoliquidación institucional de la Iglesia a la de quienes proponen un tiempo de espera para elaborar mejores modelos de presencia pública cristiana.

2. Evangelización y liberación

a) El desafío de la liberación

En la conferencia de San Francisco celebrada después de la segunda guerra mundial, en la que se creó la ONU, se acuñó el término desarrollo con la preocupación de nivelar las condiciones socio-económicas de los países del hemisferio sur con los países nordatlánticos. El tema del desarrollo atrajo la atención de las Iglesias, como puede advertirse en *Mater et magistra* de 1961, *Gaudium et spes* de 1965 y *Populorum progressio* de 1967. Fue estudiado asimismo por la Conferencia Iglesia y sociedad de Ginebra en 1966 y la Asamblea general del Consejo Ecuménico de las Iglesias de Upsala en 1968.

El término liberación surge, poco después, en la década de los sesenta, con la pretensión de captar y explicar la realidad social del Tercer Mundo a partir de la dependencia, no del mero desarrollo. Lo podemos expresar así: el subdesarrollo, entendido como retraso económico, social y político de los países del sur en relación al progreso de los países nordatlánticos, es un problema global que afecta a toda la humanidad, ya que es consecuencia del desarrollo de las naciones opulentas [17]. Dicho con otras palabras: el proceso capitalista produce necesariamente el «desarrollo del subdesarrollo» (A. Gunder Frank) o el «desarrollo de la dependencia» (Th. Dos Santos) en los países satélites [18]. Por consiguiente,

---

[15] G. Angelini, *Progreso*, en G. Barbaglio y S. Dianich (eds.), *Nuevo Diccionario de Teología*, Cristiandad, Madrid 1982, II, 1413-1414.

[16] Cf. J. M. Rovira i Belloso, *Fe y cultura en nuestro tiempo*, Sal Terrae, Santander 1988, 99-104.

[17] Cf. G. Arroyo, *Pensamiento latinoamericano sobre subdesarrollo y dependencia externa*, en Instituto Fe y Secularidad, *Fe cristiana y cambio social en América Latina* (Encuentro de El Escorial, 1972), Sígueme, Salamanca 1973, 305-321.

[18] A. Gunder Frank, *Sociología del subdesarrollo y subdesa-*

la miseria de los países y zonas subdesarrolladas no se corrige meramente con la ayuda de los países capitalistas, sino con la creación de nuevas formas de producción y convivencia en el mundo desarrollado que acaben con la dependencia y generen la liberación.

La dependencia es cultural, social, económica y política a base de mecanismos de dominación y de explotación. Esta dependencia no se rompe con reformismos y desarrollismos; se necesita una liberación. De hecho, vivimos en una sociedad que no es igualitaria ni solidaria. Un grupo social reducido y poderoso es dueño de los medios de producción, del poder político, de la comunicación social, de los instrumentos disuasorios y, en definitiva, de la libertad. Existen clases sociales y pueblos enteros desprovistos de estos medios. Como consecuencia, se dan tensiones entre las clases sociales y entre los pueblos del hemisferio sur con los del norte. La liberación es el proceso histórico de emancipación frente a estructuras opresivas.

«Liberación –escribe L. Boff– es la palabra de quienes han tomado conciencia de su opresión histórica, que la rechazan y que quieren rescatar la libertad cautiva mediante un proyecto alternativo de sociedad de cuño democrático, popular y social. Liberación es la acción que crea la libertad o que recupera la libertad perdida» [19].

b) Sentido cristiano de la liberación

Al tomar conciencia los cristianos del Tercer Mundo respecto del subdesarrollo y de la dependencia en la que se encuentran sus pueblos y países, y al participar en la lucha a favor de los más débiles y explotados, se descubre la liberación desde una perspectiva cristiana [20]. Se parte de la lectura de la realidad histórica, no de principios abstractos; la realidad histórica nos lleva a escuchar el clamor de los pobres, y este clamor lleva a los creyen-

tes a releer la Escritura y a proponer pistas de acción para transformar la realidad [21]. Ahora bien, el sujeto de la liberación integral es el mismo pueblo oprimido, alienado, reprimido o marginado, que en América Latina es pueblo de bautizados.

«Un sordo clamor brota de millones de hombres – afirma Medellín–, pidiendo a sus pastores una liberación que no les llega de ninguna parte» [22].

Este deseo de liberación total o integral abarca –según G. Gutiérrez– tres niveles: 1) el de la opresión económica; 2) el de la libertad real del individuo en la sociedad y 3) el del pecado, que se traduce en la comunión con Dios en Cristo [23]. Según I. Ellacuría, hay asimismo tres niveles: 1) liberación del pecado, que incluye el original, el personal y el histórico o social; 2) liberación de la ley, que con frecuencia se convierte en atadura, represión y opresión; 3) liberación de la muerte, en un doble sentido, biológico y teológico, ya que Dios es Dios de vida, y el pecado es agente de muerte. Estos tres tipos de liberación –personal, social y teológica– están unidos entre sí, pero las pretensiones de la liberación llegan hasta el nivel más profundo, a saber, la abolición del pecado.

Medellín afirmó con gravedad que la sociedad latinoamericana «está en pecado», dada la esclavitud manifiesta que se advierte en grandes masas del pueblo. La liberación histórica de esclavitudes es, pues, liberación de injusticias, sin olvidar que la raíz de la injusticia es el pecado. Precisamente se entiende como pecado toda actitud o hecho que se opone a la realización del reino de Dios.

Por otra parte, para analizar las situaciones de esclavitud, cautividad o pecado, se necesita auscultar la realidad social y reflexionar con una teología apropiada a partir del binomio opresión-liberación. Por estas razones surgió la teología de la liberación, a saber, la reflexión teológica hecha al asumir desde el evangelio la transformación de un mundo en

rrollo de la sociología, Bogotá 1969; Th. Dos Santos, Imperialismo y dependencia externa, Santiago de Chile 1968.

[19] L. Boff, La nueva evangelización en América Latina, Indo-American Press Service, Bogotá 1990, 24.

[20] Cf. H. Assmann, Opresión-liberación: desafío a los cristianos, Montevideo 1971.

[21] Cf. J. Ramos Regidor, Jesús y el despertar de los oprimidos, Sígueme, Salamanca 1984, especialmente el cap. 1.

[22] Medellín, 14, 2.

[23] G. Gutiérrez, Teología de la liberación, Sígueme, Salamanca [14]1990, 90-92.

situación de dependencia [24]. Con palabras de G. Gutiérrez, es «reflexión crítica de la praxis histórica a la luz de la palabra» [25]. No es un capítulo de la teología, sino un nuevo planteamiento global del quehacer teológico. Precisamente después de descubrir todas las implicaciones que posee la teología de la liberación, ha sido posible hablar de una «evangelización liberadora» [26] y de relacionar correctamente la evangelización con la liberación integral. La liberación, cristianamente entendida, es proceso continuo de conversión personal y de transformación social. Es el tránsito de la sumisión personal y social en el pecado a la libertad, en comunión y en solidaridad, de los hijos de Dios. Es asimismo evangelización o buena nueva anunciada a los pobres, que se convierten en anunciadores de toda la humanidad, dado que la fuerza de Dios se hace patente en los más débiles a través del Espíritu Santo.

c) La evangelización y la liberación son interdependientes

La fe no tiene un mero carácter privado, ya que es aceptación de Cristo y de su evangelio, fuente de liberación humana integral.

«El evangelio de Jesucristo –afirma la instrucción *Libertatis nuntius*– es un mensaje de libertad y una fuerza de liberación» [27].

Sin dimensión social de la fe no podrá hablarse de una nueva tierra ni de unos nuevos cielos. No olvidemos que el sujeto fundamental de la fe es la persona humana, abierta a los demás, que vive en comunidad y está enraizada en el universo y en la historia.

La liberación es esencial a la misión de la Iglesia. Esta afirmación no contradice al Vaticano II cuando suscribe que la misión de la Iglesia «es de orden religioso» (GS 42). Específicamente lo es, pero no exclusivamente. La misión de la Iglesia –afirma la exhortación *Evangelii nuntiandi*– no se restringe «al solo terreno religioso» (n. 34). A partir del Vaticano II, y de acuerdo con la teología de la liberación, puede afirmarse que la evangelización –distinta de la liberación humana, a la que no se reduce– es inseparable de la liberación. Dicho de otro modo: la evangelización incluye y lleva a su cima integralmente la liberación humana [28].

«Aunque hay que distinguir cuidadosamente progreso temporal y crecimiento del reino de Cristo – dice la *Gaudium et spes*–, sin embargo, el primero, en cuanto puede contribuir a ordenar mejor la sociedad humana, interesa en gran medida al reino de Dios» (GS 39).

Antes de la proclamación de estos textos conciliares, había afirmado Y. Congar que

«la misión de la Iglesia respecto al mundo es doble en cuanto a su contenido. Tal misión tiene por finalidad primera y principal convertir a los hombres al evangelio para hacerlos miembros del pueblo de Dios. Como consecuencia de esta finalidad, aspira a influir sobre la sociedad temporal para ordenarla según la voluntad de Dios y orientarla y llevarla hacia el reino, en la medida de lo posible, antes de su consumación escatológica» [29].

Un paso importante en este terreno dio el tercer Sínodo de Obispos sobre *La justicia en el mundo*, al afirmar que

«la acción en favor de la justicia y la participación en la transformación del mundo se nos presenta claramente como una dimensión constitutiva ("tamquam

---

[24] Cf. J. J. Tamayo, *Para comprender la teología de la liberación*, Verbo Divino, Estella ²1990; J. B. Libânio, *Teología de la liberación. Guía didáctica para su estudio*, Sal Terrae, Santander 1989.

[25] G. Gutiérrez, *Teología de la liberación. Perspectivas*, Sígueme, Salamanca 1973, 38.

[26] Cf. R. Avila, *Elementos para una evangelización liberadora*, Madrid 1971; id., *Teología, evangelización y liberación*, Bogotá 1973.

[27] Introducción a la *Instrucción sobre algunos aspectos de la «Teología de la liberación»* de 1984.

[28] R. Belda, *Promoción humana... o. c.*, 333-337; cf. L. González-Carvajal, *Con los pobres contra la pobreza*, Paulinas, Madrid 1991, 181-182; L. Saravito, *Quale rapporto tra evangelizzazione e promozione umana*: «Credere Oggi» 30 (1985) 75-85; Ch. M. Murphy, *Action for Justice as Constitutive of the Preaching of the Gospel: What Did the 1971 Synod Meand?*: «Theological Studies» 44 (1983) 298-311.

[29] Y. Congar, *Seglar*, en H. Fries (ed.), *Conceptos Fundamentales de la Teología*, II, Cristiandad, Madrid 1979, 674.

ratio constitutiva") de la predicación del evangelio, es decir, la misión de la Iglesia para la redención del género humano y la liberación de toda situación opresiva» [30].

Por medio de la misión de la Iglesia, Dios llama a la conversión cristiana y a la fraternidad humana. En otro momento dice el tercer Sínodo que

«la misión de predicar el evangelio en el tiempo presente requiere que nos empeñemos en la liberación integral del hombre ya desde ahora, en su existencia terrena. En efecto, si el mensaje cristiano sobre el amor y la justicia no manifiesta su eficacia en la acción por la justicia en el mundo, muy difícilmente obtendrá credibilidad entre los hombres de nuestro tiempo» [31].

Recordemos que la afirmación sinodal de que la lucha por la justicia es «dimensión constitutiva» de la evangelización causó estupor por su novedad y produjo algunas discusiones. R. Torrella, secretario para el tema de la justicia en el Sínodo de 1971, aclaró en el Sínodo de Obispos de 1974 que dicha «dimensión constitutiva» es «parte integrante», pero no «parte esencial». En la Declaración final del Sínodo de 1974 se afirma «la conexión íntima que existe entre la obra de la evangelización y la mencionada liberación». En otra parte de esta declaración se dice

«que la Iglesia, cumpliendo con mayor fidelidad su tarea evangelizadora, anuncie la salvación integral del hombre, o sea, su plena liberación, y ya desde ahora comience a realizarla».

Por último, reconoce este texto que,

«fiel a su misión evangelizadora, la Iglesia, como unidad realmente pobre, orante y fraterna, puede hacer mucho en favor de la salvación integral o plena liberación de los hombres» [32].

La exhortación apostólica *Evangelii nuntiandi* de 1975 afirmó que

«entre evangelización y promoción humana –desarrollo, liberación– existen efectivamente lazos muy fuertes. Vínculos de orden antropológico, porque el hombre que hay que evangelizar no es un ser abstracto, sino un ser sujeto a los problemas sociales y económicos. Lazos de orden teológico, ya que no se puede disociar el plan de la creación del plan de la redención que llega hasta situaciones muy concretas de injusticia, a la que hay que combatir, y de justicia que hay que restaurar» (EN 31).

«La evangelización –dice en otro texto la *Evangelii nuntiandi*– lleva consigo un mensaje explícito, adaptado a las diversas situaciones y constantemente actualizado, sobre los derechos y deberes de toda persona humana, sobre la vida familiar, sin la cual apenas es posible el progreso personal, sobre la vida comunitaria de la sociedad, sobre la vida internacional, la paz, la justicia, el desarrollo; un mensaje, especialmente vigoroso en nuestros días, sobre la liberación» (EN 29).

EVANGELIZACION Y PROMOCION HUMANA

«Entre *evangelización y promoción humana* –desarrollo, liberación– existen efectivamente *lazos muy fuertes*. Vínculos de orden antropológico, porque el hombre que hay que evangelizar no es un ser abstracto, sino un *ser sujeto a los problemas sociales y económicos*. Lazos de orden teológico, ya que no se puede disociar el plan de la creación del plan de la redención que llega hasta situaciones muy concretas de injusticia a la que hay que combatir y de justicia que hay que restaurar. Vínculos de orden eminentemente evangélico como es el de la *caridad*: en efecto, ¿cómo proclamar el mandamiento nuevo sin promover, mediante la justicia y la paz, el verdadero, el auténtico crecimiento del hombre? Nos mismo lo indicamos al recordar que no es posible aceptar que la obra de evangelización pueda o deba olvidar las cuestiones extremadamente graves, tan agitadas hoy día, que atañen a la *justicia*, a la *liberación*, al *desarrollo* y a la *paz* en el mundo. Si esto ocurriera, sería ignorar la doctrina del evangelio acerca del amor hacia el prójimo que sufre o padece necesidad».

Evangelii nuntiandi, 31.

---

[30] Introducción a *La justicia en el mundo. Los documentos del tercer Sínodo*, PPC, Madrid 1971, 42.

[31] *Ibíd.*, II, 51.

[32] Cf. estos textos en «Ecclesia» 34 (1974) 1463-1465.

En un pasaje posterior afirma el citado documento que la Iglesia

«tiene el deber de anunciar la liberación de millones de seres humanos, entre los cuales hay muchos hijos suyos; el deber de ayudar a que nazca esta liberación, de dar testimonio de la misma, de hacer que sea total. Todo esto no es extraño a la evangelización» (EN 30).

La Comisión Teológica Internacional recordó en 1977 la afirmación de R. Torrella de que la acción por la justicia «es una parte integrante, pero no esencial» de la evangelización [33]. Al inaugurar la Conferencia de Puebla, dijo Juan Pablo II –de acuerdo a la exhortación EN– que la

«misión evangelizadora tiene como *parte indispensable* (el subrayado es mío) la acción por la justicia y las tareas de promoción del hombre, y que entre evangelización y promoción humana hay lazos muy fuertes de orden antropológico, teológico y de caridad».

Precisamente uno de los objetivos centrales de la Conferencia de Puebla –señala– M. A. Keller– fue

«aclarar el nexo existente entre evangelización y liberación / promoción humana, planteando el auténtico sentido y exigencia de una evangelización liberadora» [34].

Recientemente, la encíclica *Redemptoris missio* dice que la lucha por la justicia es «parte integrante» de la evangelización (n. 60).

EVANGELIZACION Y PROMOCION HUMANA

«Si la Iglesia se hace presente en la defensa o en la promoción de la dignidad del hombre, lo hace en la línea de su misión, que, aun siendo de carácter religioso y no social o político, no puede menos de considerar al hombre en la integridad de su ser. El Señor delineó en la parábola del Buen Samaritano el modelo de atención a todas las necesidades humanas y declaró que en último término se identificará con los desheredados –encarcela-

dos, hambrientos, solitarios– a quienes se haya tendido la mano. La Iglesia ha aprendido en éstas y otras páginas del evangelio que su misión evangelizadora tiene como *parte indispensable* la acción por la justicia y las tareas de promoción del hombre, y que entre evangelización y promoción humana hay lazos muy fuertes de orden antropológico, teológico y de caridad; de manera que la evangelización no sería completa si no tuviera en cuenta la interpelación recíproca que en el curso de los tiempos se establece entre el evangelio y la vida concreta, personal y social del hombre».

Juan Pablo II,
Discurso al inaugurar Puebla,
28.1.1979.

La evangelización anunciadora de salvación consta de dos elementos: filiación divina y fraternidad humana. Ahora bien, hay diversas éticas o sentidos de fraternidad humana. La fe elige aquella ética de fraternidad que mejor exprese o refleje la filiación divina. Pero no puede vivirse la fraternidad humana sin liberación, lo que incluye el tránsito de unas condiciones menos humanas a otras más humanas. En resumen, la salvación incluye a la liberación, pero la trasciende. Dicho de otro modo, la lucha por la liberación es «parte integrante», «parte indispensable» o «dimensión constitutiva» de la evangelización. Evidentemente, la evangelización puede realizarse siempre, incluso con escasa promoción humana, pero en este caso la fe corre el riesgo de ser mágica o de no madurar satisfactoriamente. Sin embargo, aunque en la evangelización tiene prioridad la liberación –y en concreto la liberación social–, no debemos olvidar que la evangelización no se reduce a liberación social, que la liberación social se da dentro de la evangelización (no es exterior), y que la evangelización empuja y critica a la misma liberación. La evangelización es, pues, liberación total y real del ser humano en todas sus dimensiones, incluida la política. Por consiguiente, la misión de la Iglesia, evangélicamente entendida, abarca conversión y justicia, revelación de Dios y liberación de oprimidos, vida cristiana y vida de la humanidad entera. La meta de la evangelización es, pues, la liberación integral o la salvación total.

---

[33] Comisión Teológica Internacional, *Promoción humana y salvación cristiana*, Ed. Católica, Madrid 1978, 202.
[34] M. A. Keller, *Evangelización y liberación. El desafío de Puebla*, Ed. Biblia y Fe, Madrid 1987, 277.

Bibliografía

S. Dianich, *Iglesia en misión*, Sígueme, Salamanca 1988; id., *Iglesia extrovertida*, Sígueme, Salamanca 1991; R. Belda, *Promoción humana y evangelización*, en Fe y Secularidad, *Fe y nueva sensibilidad histórica* (XVIII Semana de Misionología de Bérriz), Sígueme, Salamanca 1972, 315-337; J. M. Setién, *Evangelización y promoción humana en la «Evangelii nuntiandi»:* «Iglesia Viva» 61 (1976) 7-28; Varios, *Evangelización y liberación*, Paulinas, Buenos Aires 1986.

8

Proselitismo y evangelización

A causa de la crisis de las Iglesias fuertemente burocratizadas y de las transformaciones ocurridas en la sociedad, especialmente en occidente, han cobrado un gran vigor las sectas, caracterizadas por su actitud proselitista. De hecho, muchas sectas ignoran la evangelización, desprecian a las Iglesias y no admiten ciertos postulados y valores vigentes en la sociedad. A su vez, la sociedad y las Iglesias denominan despectivamente «sectas» a los grupos proselitistas y cismáticos, aunque hoy se los considera «nuevos movimientos religiosos». Curiosamente, vivimos el crecimiento de la indiferencia con la proliferación de nuevas sectas, síntoma de un pluralismo religioso y de una mutación de la percepción y vivencia religiosas. El mundo de las sectas, inmenso y variado, ha sido analizado por los sociólogos desde principios de este siglo. Las Iglesias han prestado atención a las sectas cuando se han visto amenazadas por su proliferación. Algunas actividades sectarias preocupan asimismo a los responsables de la sociedad. De ordinario, las sectas nacen al margen del cristianismo tradicional, a impulsos de un fundador o jefe con inspiración carismática, con un nuevo modelo de religiosidad, como respuesta a una situación de crisis, inseguridad, marginación y ansiedad que viven muchas personas, a consecuencia de los cambios profundos y rápidos dados en la sociedad. Aquí pretendo estudiar el proselitismo de estas sectas a la luz y exigencias de la evangelización.

1. Qué son las sectas

a) El término «secta»

El término «secta» se deriva del verbo latino *sequi* que significa «seguir»; los adeptos de una secta son, pues, seguidores de una doctrina o de un líder. Pero, junto a esta primera anotación positiva –o al menos neutra–, el término secta ha adquirido una connotación negativa; así, una persona sectaria es descalificada porque se la supone fanática o intransigente. De hecho, ningún grupo se autodenomina secta; es calificado en cuanto tal desde fuera. La hostilidad que se advierte en una secta frente a otros grupos religiosos más importantes y frente a la misma sociedad puede deberse, en parte, a la hostilidad que reciben. Sin embargo, los sociólogos entienden la secta como grupo religioso con determinadas características, sin que sean necesariamente negativas. M. Weber y E. Troeltsch fueron los primeros en estudiar y definir las sectas como sociedades contractuales, a diferencia de las Iglesias, que son institucionales [1]. H. R. Niebuhr opina que la Iglesia es una «agrupación social natural»

---

[1] M. Weber, *Die protestantischen Sekten und der Geist der Kapitalismus*, en *Gesammelte Aufsätze zur Religionssoziologie*, I, Tubinga 1920-1921, [4]1947; E. Troeltsch, *Die Soziallehren der christlichen Kirchen und Gruppen*, Stuttgart 1922, reimpresión: Aalen 1961.

porque el individuo nace en ella, mientras que en la secta tiene que entrar [2]. Es decir –con palabras de J. Wach–, «las gentes nacen en una Iglesia y entran en una secta» [3]. Por su carácter de religión «voluntaria», la secta es sociológicamente un grupo religioso –de ordinario fanático– con rasgos comunitarios. No es justo decir que a todas las sectas les caracterice la intolerancia o el proselitismo agresivo, puesto que estas notas se dan también en algunas Iglesias, movimientos eclesiales o comunidades cristianas.

Las sectas surgen, en unos casos, gracias a un fundador o jefe carismático, al que siguen sus adeptos ciegamente. En otros, son consecuencia de un cisma originado por la secesión en una Iglesia de una parte de la misma, que toma un camino independiente, al considerar que esa Iglesia se ha desviado del evangelio o prostituido en la sociedad. Hay quienes derivan el término secta de *secare*, cortar. Son aquellos que se «separan de» o «rompen con». Pero las sectas no nacen con la intención de separarse, sino con la pretensión de fomentar una vida religiosa más intensa, basada en la santidad subjetiva. Claro está, termina la secta por fragmentarse de la Iglesia o grupo religioso mayor. Pero a veces ocurre al revés: una secta se convierte en Iglesia con el transcurso del tiempo. El momento más propicio de las sectas coincide con una era de renovación, de crisis institucional y de cambios profundos en la sociedad.

b) La proliferación de las sectas

Los estudios recientes sobre las sectas coinciden en señalar la rápida proliferación de las nuevas religiones o pseudomovimientos religiosos, entre los cuales se incluyen las sectas. Algunos consideran que el movimiento de las sectas se encuadra dentro del *despertar* religioso, denominado por los ingleses *revival*, que equivale –según G. van der Leeuw–

«a una ola de sensibilidad y de voluntad religiosa, que se desborda sobre una comunidad y lo arrastra todo

en la gran corriente de los sentimientos y las decisiones» [4].

Los «nuevos movimientos religiosos» se han desarrollado especialmente en estos últimos treinta años. En el año 1986 había en todo el mundo algo más de 100 millones de adeptos a las sectas (el 2,2% de la población mundial) y se calcula que para el año 2000 alcanzarán en número a la Iglesia ortodoxa, después de superar al judaísmo [5]. Se calcula que en América Latina hay unos 45 millones de adeptos; en Estados Unidos simpatiza con las sectas el 30 ó 35% de la población entre los 21 y 35 años, y en Japón pertenece a alguna de las 16.000 sectas el 20% de su población [6]. Los movimientos sectarios tienen hoy más éxito que las Iglesias.

Según P. Salarrullana, promotora de la comisión parlamentaria para el estudio de las sectas, hay en España entre 150.000 y 200.000 adeptos a estos grupos religiosos [7]. Un 2% de los jóvenes españoles han tenido o tienen algún contacto con las aproximadamente 300 sectas que se dan entre nosotros. De todos estos grupos, el mayor es el de los «Testigos de Jehová», luego «Los Santos de los Ultimos Días», después los «Adventistas del Séptimo Día», y enseguida una infinidad, entre las que se encuentran las de inspiración oriental. Lo preocupante no es sólo el crecimiento numérico, sino su influencia y penetración en todas las capas de la sociedad. La mayor parte de los enganchados a las sectas padece el llamado «síndrome disociativo atípico». Según P. Salarrullana, se caracteriza por estos rasgos: razonamiento escaso o nulo, inestabilidad emocional, pérdida del libre albedrío y disminución de la capacidad intelectual, del vocabulario y del sentido del humor [8].

Ante este sombrío panorama han sonado voces

---

[2] H. R. Niebuhr, *The Social Sources of Denominationalism*, Holt, Nueva York 1929, reimpresión: Cleveland (Ohio) [6]1962.

[3] J. Wach, *Sociología de la religión*, FCE, México 1946, 294.

[4] G. van der Leeuw, *La religion dans son essence et ses manifestations: phénoménologie de la religion*, Payot, París 1955, 599.

[5] J. Coleman, *Significado de los nuevos movimientos religiosos*: «Concilium» 181 (1983) 28.

[6] A. Alaiz, *Las sectas y los cristianos*, Paulinas, Madrid 1990, 11-12.

[7] P. Salarrullana, *Las sectas. Un testimonio vivo sobre los mesías del terror en España*, Editorial Temas de Hoy, Madrid 1989, 97.

[8] *Ibíd.*, 68.

de alerta. El Consejo Episcopal Latinoamericano se ocupó del fenómeno sectario en 1982 [9]. En 1984 dirigió el Parlamento Europeo una resolución a los gobiernos de la Comunidad para que se tomasen medidas en orden a identificar los grupos sectarios con el fin de proteger a la clientela más propicia e indefensa, como son los niños y jóvenes. A finales de 1985 se pronunció el Secretariado para la Unidad de los Cristianos con un excelente Informe de orientación pastoral [10]. El hecho de las sectas fue considerado en 1986 por el Consejo Ecuménico de las Iglesias y la Federación Luterana Mundial, según puede verse en el documento *Nuevos movimientos religiosos*. En noviembre de 1987 se celebró en Barcelona el I Congreso Internacional sobre Sectas y Sociedad, y en 1988 una comisión parlamentaria española elaboró un dictamen, aprobado por el Congreso de los Diputados, siguiendo las directrices del Parlamento Europeo. Las IV Jornadas Interconfesionales de Teología y Pastoral del Ecumenismo que se celebraron en España en 1988 versaron sobre *El fenómeno de las sectas y los nuevos movimientos religiosos*. Finalmente, la Comisión Episcopal Española de Relaciones Interconfesionales ha dado un comunicado sobre las sectas y los nuevos movimientos religiosos en 1990 [11]. En los documentos de la Iglesia se señalan de ordinario tres aspectos: la naturaleza y peligro de las sectas, sus procedimientos de penetración y los criterios pastorales sobre este campo.

c) Rasgos de las sectas

La primera característica de las sectas es el *apoyo comunitario* que ofrecen, que responde sin duda a una demanda religiosa, dado el aislamiento personal y el anonimato que se vive en las grandes ciudades. Además, hay muchas personas que viven en soledad religiosa porque no encuentran ámbito comunitario de fe. Otras, sencillamente, necesitan atención personal y compañía. Las sectas ofrecen a sus adeptos participación activa. Precisamente por el carácter grupal de las sectas no es fácil distinguir a veces entre comunidad cristiana y secta. Para ser miembro de la secta se requieren algunos méritos. El admitido se convierte en un adepto pleno. De este modo, la secta encierra al individuo dentro del grupo con lazos tan fuertes que no es posible romperlos o que se rompen con mucha dificultad. Incluso los adeptos se cierran sobre sí mismos y no se comunican con su familia, sus amigos y los otros, salvo para hacerlos prosélitos. Son un mundo dentro del mundo.

En segundo lugar, en las sectas se vive una *experiencia religiosa directa* a través de técnicas de meditación, en un clima intimista, con el fin de lograr la salvación. Las sectas inspiran entre sus miembros mística contagiosa, espiritualidad simple y compromiso realizable. Los adeptos de las sectas sienten indiferencia o desprecio de las Iglesias porque consideran que han traicionado o debilitado el cristianismo [12]. Las sectas promueven una vida espiritual «inconformista» respecto de las religiones «establecidas». Buscan, pues, fervor emocional y experiencia espiritual profunda, junto a unos compromisos religiosos radicales.

«La secta– escribe B. Wilson– es una agrupación que exige de sus miembros un sometimiento pleno y consciente que, si no llega a eliminar todos los demás compromisos, debe al menos situarse por encima de ellos, ya se refieran al Estado, a la tribu, a la clase o al grupo familiar» [13].

En cualquier caso, no puede dudarse del intento de vivir en grupo una experiencia genuina espiritual que sigue a una conversión [14]. La secta intenta responder, de un modo directo e intimista, a las aspiraciones religiosas más profundas del ser humano. En suma, la secta acentúa –según G. Men-

[9] Cf. CELAM, *Sectas en América Latina*, Bogotá 1982.

[10] Cf. Secretariado para la Unidad de los Cristianos, *Sectas o nuevos movimientos religiosos. Desafíos pastorales*, PPC, Madrid 1986.

[11] Cf. el texto en «Ecclesia» 2460, 27 de enero de 1990.

[12] L. Dani, *Secta*, en F. Demarchi y A. Ellena (eds.), *Diccionario de sociología*, Paulinas, Madrid 1986, 1485.

[13] B. Wilson, *Sociología de las sectas religiosas*, Guadarrama, Madrid 1970, 27.

[14] Para conocer la conversión a las sectas, cf. H. Carrier, *Psico-sociología de la afiliación religiosa*, Verbo Divino, Estella 1965, 77-93.

sching– las exigencias de interioridad frente a la objetivación de la salvación [15].

En tercer lugar, la adscripción a la secta se genera por *proselitismo*, con presiones más o menos fuertes que debilitan la voluntad del candidato y su capacidad crítica. Usan atinadamente los medios de comunicación, tienen estrategias bien planeadas e inspiran una visión esperanzadora. Según R. Bergeron,

«el lavado de cerebro, la explotación y la voluntad de poder se dan de mano con la conversión auténtica y la genuina experiencia espiritual» [16].

En general, los adeptos de las sectas son fanáticos, con la pretensión de poseer la verdad en exclusiva. Toda cosmovisión religiosa no coincidente con la suya es nociva o peligrosa. Por esta razón, la secta no admite ningún cuestionamiento ni crítica alguna, ya proceda de dentro o de fuera, puesto que se establece como grupo autosatisfecho con actitud psico-afectiva entusiástica. Reacciona violentamente cuando la secta es puesta en cuestión, sobre todo por un miembro disidente. De ahí que incluso llegue a sacrificar algunos de sus primeros fines para mantener la conservación de su carácter de bloque.

En cuarto lugar, los adeptos de las sectas tienen una cosmovisión religiosa ortodoxa de tipo doctrinal, ciegamente verdadera. Además de la Biblia, muchas sectas tienen otros libros «revelados» o «mensajes proféticos» [17]. La secta no admite ninguna novedad en contenidos, interpretaciones o reglas de funcionamiento. Su doctrina suele ser muy sencilla, así como sus métodos de transmitirla. Pero, en definitiva, presenta caracteres de parcialidad en beneficio, es cierto, de una mayor vitalidad respecto de las verdades elegidas. Los adeptos de las sectas se distancian de las costumbres mediocres de las masas. Sus propósitos y afirmaciones son radicales; no se pueden poner en cuestión. Con todo, lo que determina a la secta no es tanto una doctrina teológica o filosófica cuanto unas determinadas actitudes religiosas y morales.

Por último, la secta vive una cierta *separación* o *aislamiento del mundo*, consciente o inconscientemente. Este aislamiento trata de proteger algunos valores de la secta cuando no se tiene más remedio que sus adeptos se relacionen con el mundo. Generalmente se trata de normas morales o de prescripciones minuciosas (por ejemplo transfusiones de sangre). Se dice que la secta vive en permanente tensión con el mundo al rechazar algunos ordenamientos sociales (por ejemplo sistema de educación, voto político) u obligaciones estatales (por ejemplo servicio militar, juramentos). Por estas actitudes se produce una tensión entre la separación del mundo y la adaptación inevitable a los valores dominantes en la sociedad. O la secta se acomoda, o queda marginada. P. Berger define la secta como un grupo religioso numéricamente restringido

«que vive un estado de tensión constante de cara a la sociedad, cerrada a su influencia y exigiendo de sus miembros total lealtad y solidaridad» [18].

Con el tiempo disminuye la tensión de la secta con el mundo en la medida que aumentan sus miembros pasivos o inactivos.

Según E. Troeltsch, los rasgos más característicos de las sectas vienen dados por

«el cristianismo laico, la prestación personal ético-religiosa, la comunidad radical de amor, la igualdad y fraternidad religiosas, la indiferencia frente a los poderes estatales y los estratos sociales dominantes, la aversión al derecho técnico y a la prestación de juramento, la separación de la vida religiosa respecto de las preocupaciones de la lucha económica en un ideal de pobreza y sobriedad o en una actividad caritativa, la inmediatez de las relaciones religiosas personales, la crítica a los directores oficiales de almas y a los teólogos oficiales, la apelación al Nuevo Testamento y a la Iglesia primitiva» [19].

[15] G. Mensching, *Soziologie der Religion*, Röhrscheid, Bonn 1947, 193-197.

[16] R. Bergeron, *Interpretación teológica de las nuevas religiones*: «Concilium» 181 (1983) 133.

[17] Secretariado para la Unidad de los Cristianos, *Sectas...*, o. c., 10.

[18] Cf. la cita en J. F. Mayer, *Las sectas*, Desclée, Bilbao 1990, 8.

[19] Cf. E. Troeltsch, *Iglesia y secta*, en F. Fürstenberg (ed.), *Sociología de la religión*, Sígueme, Salamanca 1976, 251.

d) Tipos de sectas

No es fácil trazar un tipología de las sectas porque son innumerables y se dan notables diferencias entre sí. E. Troeltsch señaló dos tipos de actividad sectaria: una emotiva, activamente revolucionaria y radical, y otra moderada, pasiva y silenciosamente sufrida [20]. Algunos distinguen dos grandes corrientes: 1) Las sectas *neo-ortodoxas o neo-fundamentalistas* procedentes del ámbito cristiano, seccionadas de las Iglesias o surgidas en contra, que se nutren de bautizados adscritos superficialmente a una confesión cristiana. La fuente de referencia es la Biblia, interpretada de forma concordista y reaccionaria. Intentan empalmar con la Iglesia primitiva: hablan de conversión (a su comunidad) y de compromisos (con el propio grupo). Están en contra de la permisividad moral de la actual sociedad. Son maniqueístas en la medida que hacen una división radical entre el mundo de pecado y el mundo de la gracia. 2) Las sectas *orientales*, ligadas a religiones asiáticas (hinduismo, budismo, sufismo) o a las ciencias para-psicológicas, que se extienden entre personas con una tendencia al *misticismo*. Al tomar diversos elementos de tradiciones filosóficas y religiosas, son sincretistas. Podrán incluirse en este grupo a las sectas *humanistas* o grupos terapéuticos casi religiosos, que pretenden simplemente potenciar el ser humano, seguidos por gentes que no están adscritas a ninguna religión. Algunos opinan que estos movimientos son meramente psicológicos, no religiosos.

Otros, como B. Wilson, señalan cuatro tipos:

– Las *sectas conversionistas*, como el movimiento evangélico pentecostal, así llamadas por el acento puesto en la conversión a Cristo por la «experiencia del corazón», mediante técnicas *revivalistas* de los movimientos del *despertar* religioso. Su actividad y enseñanza se basan en el retorno puro al evangelio por medio de la aceptación de la salvación de Jesucristo. Tienen un carácter emocional y dan importancia a la «fe sentida» frente a los ritualismos sacramentales. Leen asiduamente la Biblia, pero lo hacen literalmente, de modo fundamentalista.

– Las *sectas adventistas* (B. Wilson las llama «revolucionistas»), como los Testigos de Jehová, centradas en el próximo hundimiento del mundo, interpretado apocalípticamente. Piensan que la historia se mueve por voluntad de Dios inexorablemente hacia la catástrofe. Son, pues, milenaristas. Las señales del fin del mundo están en las profecías bíblicas. Interpretan las Escrituras alegóricamente y, por supuesto, de forma muy conservadora. Para lograr la salvación es necesario conocer la palabra de Dios y obedecer sus mandatos. Admiten a quienes han hecho suya la doctrina moral de Jesucristo. No son sentimentalistas. Rechazan el ministerio profesional y son hostiles a las Iglesias y a la sociedad. Dios es juez y rector del destino.

– Las *pietistas* (B. Wilson las llama «introversionistas»), como los cuáqueros, basadas en una iluminación interior, con especial atención al Espíritu para superar la letra de la Biblia. Tratan de retirarse a una vida de santidad interna. La comunidad es el único ámbito de salvación por ser un lugar de preservación. Al poseer una concepción esotérica del mundo, se automarginan del mismo, al paso que se muestran alejadas de cualquier movimiento religioso distinto del suyo. Hay quienes se han hecho «introversionistas» al ver que la segunda venida de Cristo no llega.

– Las *gnósticas* (B. Wilson las denomina «manipulacionistas»), para las cuales el camino de salvación pasa por un conocimiento especial. Si es preciso, manipulan la Escritura. La doctrina es algo oculto o secreto y Cristo es un ejemplo, pero no un redentor. Sus adeptos adquieren conocimientos iluministas, contrarios a menudo a las enseñanzas científicas. Carecen de emotividad, y su culto es marginal. Rechazan la sacramentalidad histórica y sólo admiten una sacramentalidad cósmica. En el fondo intentan trascender a la historia. Sus jefes son carismáticos [21].

---

[20] E. Troeltsch, *Die Soziallehren der christlichen Kirchen und Gruppen*, Mohr, Tubinga 1912.

[21] B. Wilson, *Sociología de las sectas religiosas, o. c.,* 41-47.

Los protestantes distinguen entre *Freikirchen* (Iglesias libres) y *Sondergruppen* (grupos particulares) o sectas. Las Iglesias libres no tienen ataduras o concordatos con los Estados, rechazan ser multitudinarias y exigen en sus miembros una cierta decisión personal: es el caso de los baptistas, menonitas, metodistas, cuáqueros y «discípulos de Cristo». Al menos estos grupos están dentro del Consejo Ecuménico de las Iglesias.

2. Iglesia, «denominación» y secta

A partir de la tipología basada en los estudios de M. Weber y de E. Troeltsch, reelaborada por L. von Wiese y H. Becker, los sociólogos distinguen cuatro grupos: la *ecclesia*, la *secta*, la *denominación* y el *culto,* subrayando el carácter obligatorio de la primera, el principio electivo de la segunda, entendiendo la *denominación* como etapa avanzada de la secta cuando el fervor original tiende a desaparecer, y definiendo el *culto* como religión privada, personal, de tipo místico [22]. Para examinar los diferentes grupos religiosos, recomienda H. M. Johnson plantearse estas cuestiones: *pertenencia* al grupo (compulsiva o voluntaria), *requisitos* exigidos (en el caso de ser voluntaria), *actitud* del grupo hacia los otros grupos religiosos, eventual proselitismo del grupo, su organización, sus responsables (clero o meros seglares) y la actitud del grupo hacia la sociedad.

El primer estudio moderno importante sobre las sectas corresponde al sociólogo E. Troeltsch. Hizo un retrato ideal de las sectas entendiéndolas como antítesis de las Iglesias, según estas observaciones: 1) Al paso que las Iglesias tienen un carácter jerárquico y conservador, las sectas son grupos proporcionalmente pequeños que propugnan una igualdad radical con relaciones interpersonales. La Iglesia establece un orden desde arriba, y la secta lo impulsa desde abajo. 2) En tanto que la Iglesia es la institución que administra la gracia, la secta da relieve y realiza la santidad subjetiva. El estatuto de pertenencia a la Iglesia es por adscripción institucional o por compulsión, y el de las sectas por logro personal o voluntario. 3) Las Iglesias se hallan integradas en el mundo por sus buenas relaciones con los estratos sociales dominantes; las sectas están en tensión por sus contactos con los estratos inferiores. Como consecuencia, las sectas juzgan negativamente el sistema del mundo, con el que guardan una cierta hostilidad. 4) En la Iglesia cabe una diferenciación de tareas y compromisos; en la secta todos son iguales. Las Iglesias han introducido el carisma en los ministerios; las sectas propugnan el carisma individual. De ahí la severa exigencia ética en los adeptos de las sectas.

Este «tipo ideal» lo dedujo Troeltsch de las sectas que conoció: las adventistas y las milenaristas. En su viaje a Norteamérica conoció de cerca el fenómeno sectario, independiente de las Iglesias, con el acento inconfundible de elitismo y ascetismo. En todo caso, las diferencias entre Iglesia y secta no están del todo claras, ya que hay sectas con comportamiento de Iglesia e Iglesias sectarias. Piénsese en las órdenes religiosas y en el fenómeno comunitario cristiano dentro del catolicismo, suscitado por la misma Iglesia para responder a una necesidad pastoral y evitar la tentación de las sectas [23]. Y téngase en cuenta ciertos comportamientos de algunas Iglesias o de movimientos eclesiales con implantación universal que manifiestan rasgos sectarios. La prueba de la existencia de movimientos grupales diversos está en las tensiones que se producen entre Iglesias locales, movimientos antiguos o nuevos y comunidades, entre las que caben diversos colectivos, algunos cercanos a las sectas. Las masas de creyentes y practicantes están en las Iglesias.

No obstante, los rasgos de las sectas no son incompatibles con los que se dan en algunas Iglesias o sectores de Iglesia, con esta diferencia: en las Iglesias, esos rasgos se amortiguan por la confrontación de unos grupos con otros, dentro de la comunión, mientras que en las sectas aparecen con toda nitidez e incluso con agresividad. Para minimizar las tensiones entre Iglesia y sectas, se han dado orientaciones ecuménicas en las principales Iglesias.

---

[22] J. Wach, *Sociología de la religión, o. c.,* 294.

[23] Cf. L. Lepage, *Las comunidades, ¿sectas o fermentos?,* Mensajero, Bilbao 1972.

La contraposición que hizo Troeltsch entre Iglesia y secta era apropiada para los países europeos [24]. En Inglaterra y Estados Unidos no era suficiente esta distinción, ya que había grupos confesionales intermedios llamados *denominaciones*.

«La *denominación* –escribe L. Dani, resumiendo a B. Wilson– sigue siendo formalmente una asociación voluntaria que acepta como miembros a individuos de cualquier origen social sin recurrir a requisitos especiales. Insiste en la libertad y en la tolerancia... Acepta las normas y valores de la cultura dominante y de la moral convencional. Posee un ministerio sacerdotal (pastores), que exige una preparación. La participación de los laicos suele limitarse a sectores especiales de actividad. Le interesa más la educación de los jóvenes que el proselitismo. El compromiso individual no es muy intenso. Los miembros provienen de cualquier sector de la comunidad, pero en el ámbito de una Iglesia o de una región se tiende a limitar la admisión a individuos socialmente homogéneos» [25].

En todo caso, la secta –como el mismo nombre lo indica, según algunos– es una división y ofrece una gran diversidad. Frente a las Iglesias, en las que cabe sin muchas exigencias todo el mundo, la secta tiene un carácter elitista y exclusivista. Sus miembros se creen poseedores de la verdad, el rito y el comportamiento. De ahí nace el orgullo de su propia santidad. Al profesar unas enseñanzas, conductas y prácticas rituales distintas de las Iglesias, justifican el principio de autoridad a partir de un líder indiscutible que interpreta las Escrituras carismáticamente, con una revelación especial. A veces la secta dura lo que dura el fundador.

3. El proselitismo

«Se entiende por proselitismo –afirma J. J. Díaz Vilar– el esfuerzo por ganar adeptos para una institución, utilizando la presión psicológica, la imposición,

el seguimiento incondicional. Falta el respeto a la otra persona y a sus ideas, falta el diálogo enriquecedor. Se procede con espíritu mesiánico, de conquista, con agresividad y utilizando, muchas veces, el lavado de cerebro» [26].

Las Iglesias animadas por el ecumenismo han condenado el proselitismo, tanto el religioso en general como el interconfesional [27]. Naturalmente, no es fácil a veces precisar el límite a partir del cual la evangelización se transforma en proselitismo. En la III Asamblea del Consejo Ecuménico de las Iglesias (Nueva Delhi 1961) fue juzgado el proselitismo como «corrupción del testimonio cristiano» [28]. Un poco más tarde, la IV Conferencia de Pastores de la Iglesia Evangélica Española (Madrid 1963) expresó un criterio claramente antiproselitista, inspirado en una profunda fidelidad al espíritu ecuménico [29]. El Vaticano II destacó el principio tradicional de que nadie puede ser forzado a abrazar la fe contra su voluntad (DH 10) y condenó el proselitismo en estos dos textos:

«En la difusión de la libertad religiosa y en la introducción de costumbres es necesario abstenerse siempre de toda clase de actos que puedan tener sabor a coacción o a persuasión inhonesta o menos recta, sobre todo cuando se trata de personas rudas o necesitadas. Tal modo de obrar debe considerarse como abuso del derecho propio y lesión del derecho ajeno» (DH 4).

«La Iglesia prohíbe severamente que a nadie se le obligue, o se induzca, o se atraiga por medios indiscretos a abrazar la fe, lo mismo que defiende con energía el derecho de que nadie sea apartado de la fe con vejaciones y amenazas» (AG 13).

A partir de su especificación teológica, se pue-

---

[24] B. Wilson, *Sociología de las sectas religiosas, o. c.*, 22-26.

[25] L. Dani, *Secta, o. c.*, 1486-1487.

[26] J. J. Díaz Vilar, *Las sectas. Un desafío a la pastoral*, Northeast Hispanic Catholic Center, Nueva York [3]1991, 21.

[27] Cf. C. Floristán y M. Useros, *Teología de la acción pastoral*, Ed. Católica, Madrid 1968, cap. 36: *El proselitismo, contrasigno cristiano*, 568-583.

[28] Cf. Conseil Oecuménique des Églises, *Rapport sur témoignage chrétien, proselytisme et liberté religieuse*, en Nouvelle-Delhi 1961, Delachaux et Niestlé, Neuchâtel 1962.

[29] J. Desumbila, *El ecumenismo en España*, Barcelona 1964, 233.

den distinguir dos clases de proselitismo: uno *sustantivo*, derivado de la corrupción del contenido y de la finalidad de la evangelización, y otro *modal*, consecuencia del abuso de los métodos y medios de la evangelización. Por consiguiente, la diferencia entre evangelización y proselitismo depende tanto de la intención, motivos y espíritu de la misma evangelización, cuanto de sus modos y medios externos. El proselitismo, sobre todo el sustantivo, afecta más al orden interno de la conciencia cristiana y del pueblo de Dios que al orden público de la sociedad.

a) Es antievangélico

El proselitismo adultera el contenido de la evangelización porque transmite un contenido predominantemente confesional e incluso anticonfesional en vez de cristológico. En la secta no se da genuino testimonio de Cristo: con frecuencia es propaganda anticatólica o antiprotestante. Además, si lo que se pretende es destruir una fe en sí válida y sustituirla por una fe nueva, en lugar de alentar la evangelización se fomenta la descristianización.

La acción evangelizadora entre cristianos se adultera también por no tener en cuenta la situación de los destinatarios. Se trata de una corrupción modal más que sustantiva: se evangeliza en concurrencia con otros evangelizadores a unos mismos destinatarios –fieles bautizados e incluso practicantes– para hacerlos adeptos de la secta. Se tergiversa la evangelización cuando en lugar de hacer discípulos de Cristo se intenta incrementar el número de prosélitos. Lo que en realidad se pretende en este caso –según el Consejo Mundial de las Iglesias– es «hacer prevalecer el éxito de la propia Iglesia sobre el honor de Cristo» [30]. La evangelización se adultera, además, por la corrupción de los medios: por ejemplo al basarse en la fuerza, en la coacción, en la mentira o en el poder público, o cuando no se respetan las exigencias de la libertad religiosa.

b) Es antiecuménico

La evangelización se transforma en proselitismo cuando se configura como actividad agresiva que tiende a destruir la conciencia eclesial de los fieles, suscitando la rivalidad de las Iglesias. La actividad proselitista introduce un factor de discordia y un espíritu de rivalidad antievangélico y antiecuménico. Para no degenerar en proselitismo, la evangelización deberá inspirarse en los criterios de una pastoral ecuménica. Naturalmente, los bautizados descristianizados a quienes no llega la evangelización son campo apropiado para otros evangelizadores cristianos. La nueva evangelización, ecuménicamente entendida, no es proselitismo.

A pesar de todo, no cabe duda de que la superación del proselitismo se presenta como una gran dificultad para la pastoral misionera de los no católicos. Es claro que la evangelización se puede transformar más fácilmente en proselitismo injusto al intentar convertir a un católico o a un protestante que a un no creyente, y más aún al intentar convertir a un católico practicante o a un protestante convencido que a uno descristianizado, a quien hay que anunciarle de nuevo el reino de Dios. Por eso se puede decir que la dificultad para los protestantes y católicos en nuestro país no es tanto dar testimonio de fe, sino de caridad y de espíritu ecuménico en el cumplimiento de la misión cristiana.

c) Es injusto

La evangelización ha de respetar las exigencias del derecho a la libertad religiosa, fundado en la dignidad de la persona humana, que es su destinatario. Desde este punto de vista, la evangelización que viola las condiciones de una libre adhesión de las personas se transforma en proselitismo, en cuanto que la actividad misionera se convierte en acción agresiva por su carácter de «coacción o de persuasión inhonesta o menos recta» (DH 4).

La evangelización es injusta cuando se pretende conseguir adeptos mediante la difamación de las otras confesiones, el ataque destructivo a la conciencia de los demás o de las instituciones y prácticas religiosas y cuando se utilizan recursos seductores o intimidadores de tipo económico. El Consejo Mundial de las Iglesias declara que

---

[30] Conseil Oecuménique des Églises, *Rapport...*, 146.

«el testimonio se corrompe cuando se practican la adulación, los regalos, una presión injustificada o la intimidación –de una manera abierta o velada– para lograr una conversión aparente».

El Vaticano II

«prohíbe severamente que a nadie se le obligue, o se induzca, o se atraiga por medios deshonestos a abrazar la fe» (AG 13).

En todo caso, la evangelización que no respeta estas exigencias violenta el derecho de pacífica fidelidad a las creencias religiosas que los otros libremente profesan. La libertad religiosa, efectivamente, implica una exigencia de respeto al «derecho de los demás». Y a los demás hay que reconocer el derecho a no ser violentados o molestados en la «profesión» de la propia religión, tanto por parte de «personas particulares como de grupos sociales y cualquier potestad humana» (DH 2). Otro problema es la justificación de la represión legal contra el proselitismo. Es posible hacerlo cuando el proselitismo altera el orden público o se presta a calumnias, agresiones físicas y coacciones morales.

DIALOGO PARA LA COMUNION Y PARTICIPACION

«Persiste, con todo, en muchos cristianos la ignorancia o la desconfianza con respecto al ecumenismo. Desconfianza que en nuestras comunidades se origina, en gran parte, en el proselitismo, serio obstáculo para el verdadero ecumenismo. Otro hecho negativo con respecto a éste es la existencia de tendencias alienantes en algunos movimientos religiosos, que apartan al hombre de su compromiso con el prójimo. Pero también se dan, so pretexto de ecumenismo, aprovechamientos o instrumentaciones políticas que desvirtúan el carácter del diálogo.

Los *movimientos religiosos libres* manifiestan frecuentemente deseo de comunidad, de participación, de liturgia vivida que es necesario tener en cuenta. Con todo, no podemos ignorar, en lo tocante a esos grupos, proselitismos muy marcados, funda-

mentalismo bíblico y literalismo estricto respecto de sus propias doctrinas».

Puebla, n. 1108-1109.

4. Actitud pastoral ante las sectas

El primer criterio pastoral consiste en *conocer las sectas*, examinando sus rasgos positivos y negativos [31]. Incluso puede ayudar este estudio al conocimiento de la propia Iglesia. Sin duda, las sectas dan a conocer indirectamente las carencias que hoy tienen las Iglesias. Naturalmente, es necesario analizar la cara negativa de la secta estudiada. Por supuesto, no pertenecen a las sectas los ortodoxos, protestantes y anglicanos, ya que constituyen Iglesias reconocidas. El conocimiento de las sectas conduce a tomar precauciones con sus influencias y sus estrategias proselitistas, dirigidas a la conversión y formación de jóvenes. No es suficiente, pues, despreciar las sectas ni es correcto ser agresivos con ellas. Hay que enfrentarse con el fenómeno sectario evangélica y ecuménicamente. En concreto preocupan de las sectas estos cinco aspectos: los métodos de reclutamiento, la relación entre maestro y discípulo, las consecuencias psicológicas de la adhesión, la dimensión financiera y la perturbación eventual de las relaciones familiares [32].

En segundo lugar, bueno es recordar la *necesidad de la comunidad cristiana* o del grupo relativamente restringido de creyentes –tipo hermandad, fraternidad, equipo apostólico, grupo ministerial– para vivir personalmente el cristianismo. Cada vez es más insostenible una vida cristiana anónima, masiva e impersonal. Las sectas descubren el anquilosamiento de las parroquias, lugares sacramentales por excelencia, escasamente cálidos. Casi todos los jóvenes ven a la Iglesia sólo como una institución. La captación de feligreses por las sectas descubre la debilidad parroquial en orden a la sacramentalización comunitaria. Recordemos que los lugares de reunión de las sectas son pequeños, fomentan la oración y favorecen la experiencia reli-

---

[31] Ver *Bibliografía*.
[32] J. F. Mayer, *Las sectas, o. c.*, 122-127.

giosa. La liturgia católica es en general masiva o de conglomerados, sin alientos de oración y de experiencia de Dios. El mejor antídoto de las sectas es una comunidad cristiana no sectaria. No olvidemos que

> «en el pequeño mundo de la secta –nos recuerdan H. y W. Goddijn–, los miembros se consideran hermanos o hermanas, tienen una misión y se sienten partes de algo que tiene sentido. Es posible hacerse valer, lo cual ciertamente tiene gran importancia para los afiliados masculinos. Además, a menudo la necesidad de amparo, intensidad y cierto radicalismo, se satisface más en la secta, y se presta mayor atención a los miembros en su vida espiritual y en su vivencia de fe» [33].

En tercer lugar, las sectas hacen un *proselitismo* ciertamente descarado en sus visitas a las casas, o públicamente, con una decisión personal admirable a pesar del fanatismo que manifiestan. Utilizan ciertas normas de reclutamiento y técnicas de educación con actitud agresiva. En ocasiones llegan a captar miembros de una familia practicante católica. Este caso supone un problema grave pastoral, ya que no es fácil acercarse a estas personas. Se necesita experiencia y habilidad psicológica. De ordinario, los más afectados son los jóvenes, sobre todo cuando se encuentran inactivos, pertenecen a una familia poco estable o forman parte de grupos étnicos minoritarios. Recordemos que muchas sectas utilizan técnicas de «control de la mente», que conducen a la esclavización de sus adeptos. Precisamente se acusa a los dirigentes de las sectas de «lavar el cerebro» y «romper las familias». Algunos proponen como remedio una «decodificación».

En cuarto lugar, la actividad de las sectas revela ciertas carencias de la sociedad, sobre todo para muchos jóvenes, a causa del consumo desmedido, el desempleo sin solución de futuro, la drogadicción creciente, etc. Según P. Salarrullana, los jóvenes «captables» por las sectas «se quejan de aburrimiento, falta de comunicación, falta de ideales, desorientación» [34].

Finalmente, reconozcamos que las Iglesias han pactado demasiado a lo largo del tiempo con los sistemas de poder en el orden político, económico y cultural. No son signo del evangelio. Por esta razón han perdido credibilidad ante el mundo. De otra parte, los católicos estamos habituados a una evangelización por herencia familiar, ambiente cultural religioso y ayuda exterior. Las sectas descubren indirectamente la necesidad de una *evangelización personalizadora*. Este criterio pastoral debe tener en cuenta, asimismo, la necesidad de una formación permanente del pueblo de Dios. En definitiva –como señala el Secretariado para la Unidad de los Cristianos–,

> «el desafío de los nuevos movimientos religiosos consiste en estimular nuestra renovación para una mayor eficacia pastoral» [35].

Bibliografía

A. Alaiz, *Las sectas y los cristianos*, Paulinas, Madrid 1990; W. Bartz, *Le sette oggi. Dottrina, organizzazione, diffusione*, Queriniana, Brescia 1976; J. A. Beckford, *Cult Controversies. The Societal Response to New Religious Movements*, Tavistock, Londres / N. York 1985; R. Bergeron, *Le cortège des Fous de Dieu*, Montreal 1982; J. Bosch, *Iglesias, sectas y nuevos cultos*, Bruño, Madrid 1981; G. Cereti, *I nuovi movimenti religiosi, le sette e i nuovi culti*, Roma 1983; J. J. Díaz Vilar, *Las sectas. Un desafío a la pastoral*, Northeast Hispanic Catholic Center, Nueva York ³1991; J. García Hernando, *El fenómeno de las sectas*, en id., *Pluralismo religioso*, vol. II. *Sectas y religiones no cristianas*, Atenas, Madrid 1983, 25-83; M. Introvigne, *Le sette cristiane*, Mondadori, Roma 1989; J. F. Mayer, *Las sectas. Inconformismos cristianos y nuevas religiones*, Desclée, Bilbao 1990; J. Rodríguez, *Esclavos de un Mesías*, Elfos, Barcelona 1984; id., *Las sectas, hoy y aquí*, Barcelona 1985; id., *El poder de las sectas*, Zeta, Barcelona 1989; P. Salarrullana, *Las sectas. Un testimonio vivo sobre los mesías del terror en España*, Madrid 1989; Secretariado para la Unidad de los Cristianos, *Sectas o nuevos movimientos religiosos. Desafíos pastorales*, PPC, Madrid 1986; C. Vidal Manzanares, *El infierno de las sectas*, Mensajero,

---

[33] Cf. H. y W. Goddijn, *Sociología de la religión y de la Iglesia*, C. Lohlé, Buenos Aires 1973, 183.

[34] P. Salarrullana, *Las sectas, o. c.*, 95.

---

[35] Secretariado para la Unidad de los Cristianos, *Sectas..., o. c.*, 31.

Bilbao 1989; id., *Psicología de las sectas,* Paulinas, Madrid 1990; B. Wilson, *Sociología de las sectas religiosas,* Guadarrama, Madrid 1970.

Números especiales de revistas: *Nuevos movimientos religiosos:* «Concilium» 181 (1983); *Las sectas en España:* «Cuadernos de Realidades Sociales» 35-36 (1990).

III

PRIORIDADES DE LA EVANGELIZACION

9

«Dar la buena noticia
a los pobres»

La «irrupción de los pobres» en la sociedad y la perspectiva cristiana del pobre como lugar teológico han supuesto una revolución copernicana en el seno de la Iglesia, especialmente al formularse y aceptarse la opción por los pobres, decisión incorporada al magisterio de la Iglesia con la adjetivación de «preferencial» y «no excluyente». Muchos piensan, con razones bíblicas de peso, que esta opción es clave para leer el evangelio, pertenece al núcleo central de la fe cristiana, ocupa un puesto clave en la teología y constituye una nota de la verdadera Iglesia (I. Ellacuría); incluso algunos creen que ha dado lugar a una «Nueva Reforma» (R. Shaull), o que es el acontecimiento eclesial más importante desde la Reforma (L. Boff). No es, pues, extraño que el tema de los pobres se haya convertido en una cuestión disputada de primera magnitud. De hecho, suscitan vivas discusiones estas preguntas: ¿quiénes son los pobres?, ¿por qué se debe optar por ellos?, ¿qué significa evangelizar a los pobres?, ¿por qué los pobres nos evangelizan?

1. Los pobres según el evangelio

a) Los pobres y la pobreza

El mejor documento del Nuevo Testamento sobre los pobres y sobre la pobreza es el evangelio de Lucas, en el que se encuentran todos los pasajes de Marcos sobre dicho tema y casi todos los de Mateo [1]. En cambio, el evangelio de Juan añade poco a esta cuestión. Pablo usa el término pobre muy pocas veces. No así Santiago, que critica duramente a los ricos y asume la causa de los pobres. Tengamos en cuenta, sin embargo, que Lucas –y los escritos del NT en general– hablan más de pobres que de pobreza, entendiendo por pobres a los necesitados que por su indigencia económica requieren ayuda [2]. Según la Biblia – afirma R. Fabris–,

«pobre es el que está privado de bienes esenciales para vivir, para tener dignidad y libertad humana» [3].

«La pobreza es para la Biblia –corrobora G. Gutiérrez– un estado escandaloso atentatorio de la digni-

---

[1] J. Dupont, *La Iglesia y la pobreza,* en G. Baraúna (ed.), *La Iglesia del Vaticano II,* vol. II, Flors, Barcelona 1967, 401-431; id., *Los pobres y la pobreza en los evangelios y en los Hechos,* en *La pobreza evangélica hoy,* CLAR, Bogotá 1971; P. Gauthier, *El evangelio de la justicia y los pobres,* Sígueme, Salamanca 1969.

[2] El término *pobre* se encuentra 34 veces en el NT, de las cuales 24 pertenecen a los evangelios, siendo 10 propias de Lucas. La palabra *pobreza* se halla sólo 3 veces y ser pobre 1 vez (2 Cor 8, 9); cf. H. H. Eser, *Pobre,* en *Diccionario Teológico del NT,* Sígueme, Salamanca 1983, III, 380-385.

[3] R. Fabris, *La opción por los pobres en la Biblia,* Verbo Divino, Estella 1992, 21.

dad humana y, por consiguiente, contrario a la voluntad de Dios» [4].

El término de la Vulgata *pauper* (pobre) equivale a «poco»; representa a quien tiene pocos recursos y, al mismo tiempo, carece de libertad, ya que lo contrario del pobre no sólo es el rico, sino el rico y poderoso. La palabra lucana *ptajoi* (pobre) se traduce literalmente por «encorvado» o «asustado».

Pero el pobre en la Biblia, además de ser categoría social o económica, es categoría espiritual y religiosa: los pobres son en Lucas destinatarios privilegiados de la «buena nueva». A lo largo de toda la Biblia se muestra que Dios exalta a los insignificantes. Recordemos los dos éxodos liberadores del pueblo esclavo y pobre para ser pueblo de Dios: la liberación de Egipto y el rescate de Babilonia [5]. El primer artículo del credo afirma que «Yahvé libera a Israel de Egipto». Dios, que es justo, se ocupa de los oprimidos, pobres y humildes. Por esta razón son elegidos algunos marginados o segundones, como, por ejemplo: Abrahán, «nacido de padres idólatras» (Jos 24, 2); Moisés, «forastero en tierra extraña» (Ex 2, 22); Jeremías, «un muchacho» (Jr 1, 6), y David, «el más pequeño» (1 Sm 16, 11). Otro tanto puede decirse de la elección de algunas mujeres con el oprobio de su esterilidad: Sara, Ana, Isabel, etc.

«Dios escoge personas radicalmente incapacitadas para tan ardua tarea –escribe C. Escudero Freire–, pero salva esta desproporción con su presencia histórica y su actividad salvífica» [6].

El estado de total indigencia conmueve la misericordia de Dios.

«La liberación material de cualquier tipo de opresión, fruto de la injusticia –sigue C. Escudero Freire–, pertenece al mensaje bíblico como valor religioso esencial. Los profetas, dada su sensibilidad ante la in-

justicia reinante en las clases dirigentes, o a causa de la experiencia del destierro, le dan un relieve especial. La razón parece clara: la liberación del oprimido no pertenece al ropaje cultural de la Biblia, sino a su mensaje central y perenne» [7].

Dios ama a los pobres precisamente porque, al ser miserables, su condición injusta revela una ausencia de justicia. Es su abogado. En suma, los pobres son «vicarios de Cristo» porque hay en ellos un misterio y un sacramento. La corriente que reivindica a los «condenados de la tierra» porque entiende a Dios como «vindicador de los pobres» cruza la historia entera del cristianismo. De hecho, siempre se dio en la historia de la Iglesia una manifiesta protesta evangélica contra la injusticia a favor de los pobres, especialmente en movimientos marginales [8].

En resumen, los pobres son los destinatarios de la buena nueva. Lo son porque en cuanto tales no tienen salud o salvación y porque Dios, siendo justo, lo ha querido así. Dicho de otra manera, el evangelio es para los pobres buena noticia porque proclama la liberación, ya que para los creyentes conocer a Dios es practicar la justicia (Jr 22, 16). En realidad, todo el ministerio de Jesús fue buena noticia para los pobres.

«Los pobres son, en el plan de Dios –escribe C. Escudero Freire–, los destinatarios y beneficiarios del reino que Jesús proclama y realiza. Jesús los libera de las garras de los potentados y les restituye su condición de seres libres; los ricos, por el contrario, quedan marginados del reino, aprisionados en su propia riqueza, sin capacidad de valorar los derechos humanos y sin estímulo ante el ofrecimiento y urgencia del reino de Dios. La condición de los ricos es desesperada; queda, no obstante, la posibilidad, aunque muy difícil, de su conversión: Dios puede cambiar su corazón de piedra por un corazón de carne (Ez 36, 26)» [9].

[4] G. Gutiérrez, *Teología de la liberación. Perspectivas*, Sígueme, Salamanca 1972, 369.

[5] Cf. N. Lohfink, «*Option für die Armen*». *Das Leitwort der Befreiungstheologie im Lichte der Bibel*: «Stimmen der Zeit» 203 (1985) 449-464, condensado en «Selecciones de Teología» 26 (1987) 273-283.

[6] C. Escudero Freire, *Devolver el evangelio a los pobres*, Sígueme, Salamanca 1977, 209.

[7] *Ibíd.*, 273.

[8] Cf. J. I. González Faus, *Vicarios de Cristo. Los pobres en la teología y la espiritualidad cristianas. Antología comentada*, Trotta, Madrid 1991; M. Mollat, *Les pauvres au Moyen Age. Étude sociale*, Hachette, París 1978.

[9] C. Escudero Freire, *Devolver el evangelio a los pobres*, o. c., 273.

b) Ambivalencia de la pobreza

En el tema de los pobres podemos extraer del NT algunas afirmaciones aparentemente contradictorias, por paradójicas.

• La pobreza es un mal

Según los Hechos, el ideal de la Iglesia naciente no es la pobreza, sino la caridad fraterna –norma de amor o de caridad–, que se traduce en compartir lo que uno tiene y lo que uno es, de acuerdo a la comunión total basada en Cristo. La pobreza es un mal a combatir. Por eso los Hechos afirman que «los creyentes vivían todos unidos y que lo tenían todo en común» y que «entre ellos ninguno pasaba necesidad». Los primeros cristianos ponían los bienes en común, no para hacerse pobres, sino para que no los hubiera. En resumen, el ideal de Lucas no es la pobreza, sino el desprendimiento o la caridad fraterna, que consiste en compartir. Por consiguiente hay que amar a los pobres más que a la pobreza. Dicho de otro modo, es injusta la desigualdad de los hombres; Dios quiere la igualdad de todos. Por esta razón, la pobreza no es permisión o castigo de Dios, sino condición humana, y casi siempre abuso de ricos. La capacidad del pobre es reducida y sus condiciones sociales mediocres.

• La pobreza es una virtud

Pero, al mismo tiempo, la pobreza es paradójicamente una virtud en cuanto equivale a carencia de bienes como apertura hacia Dios o a desprendimiento de lo que se tiene en función de la fraternidad y signo de opción por los pobres. Espiritualmente, la pobreza es disponibilidad a la voluntad del Señor de cara al reino. Así se entendió en la tradición cristiana primitiva. Pacomio la justifica como solidaridad con los hermanos, no como renuncia ascética. La espiritualidad de la pobreza no debe ser entendida como sustitución de una materialidad, sino como su coronación; significa no guardar para uno mismo lo que puede ser para los demás, estar al servicio de los más necesitados y luchar por la justicia social para que no haya pobres ni pobreza.

«La pobreza cristiana, expresión de amor –escribe G. Gutiérrez–, es solidaria con los pobres y es protesta contra la pobreza»[10].

Bíblicamente, el hombre genuino es el que acepta o elige ser pobre, en el sentido de ser y estar a favor de los pobres, lo que equivale a ser justo. Para que el hombre acepte eficazmente el evangelio, debe tener conciencia de sí mismo, de los otros y del mundo, lo que equivale a ser capaz de opciones, relaciones y compromisos. La espiritualidad cristiana de la pobreza es toma de conciencia de la pobreza material o indigencia de lo que se tiene por injusticia o falta de caridad; exige ponerse a trabajar, organizarse; entraña el anuncio de los valores del reino: justicia y fraternidad. Pero no basta con cambiar las estructuras, es necesario cambiar las personas: hacen falta cristianos que «eligen ser pobres». En definitiva, la espiritualidad cristiana es estar al servicio de los otros, de los más necesitados; compartirlo todo y luchar por la justicia y los cambios necesarios.

• La doble consideración de la pobreza

La «doble y contradictoria acepción» de la pobreza como un mal y una virtud «da lugar –según G. Gutiérrez– a la superposición de los lenguajes y es fuente frecuente de equívoco»[11]. Hay quienes afirman (de ordinario son ricos o burgueses) que la verdadera pobreza no es la material, sino la «espiritual», fruto de una lectura deficiente del evangelio o consecuencia de una defensa personal inconfesada. Otros dicen que también los ricos son pobres, afirmación peligrosamente ambigua, ya que hacemos de la pobreza, que tiene múltiples manifestaciones, un concepto unívoco que termina por ser equívoco. Efectivamente, hay pobrezas económicas, culturales, psíquicas y afectivas, pero el pobre a secas en el evangelio es el oprimido, el denigrado, el último de la escala social. Además, hay pobrezas no evangelizables; quizá una de ellas sea la pobreza de corazón o dureza que tienen los ricos, satisfechos y orgullosos. Para que la pobreza sea evangelizable o para que los pobres reconozcan la buena nueva es nece-

---

[10] G. Gutiérrez, *Teología de la liberación*, o. c., 383.
[11] *Ibíd.*, 365.

carencia de bienes económicos necesarios para la vida humana digna de ese nombre. En este sentido, la pobreza es considerada como algo degradante y es rechazada por la conciencia del hombre contemporáneo» [20].

Pobres son, pues, los que carecen de lo necesario y se encuentran en un estado real de indigencia. No tienen apenas para vivir: son indigentes en el plano económico. El analogado principal es la pobreza a secas.

b) Son los desposeídos por los enriquecidos (Aspecto dialéctico)

Los pobres está privado de aquellos bienes elementales que poseen otros. Hay pobres porque hay ricos, y al revés. Sencillamente, muchos se han enriquecido desposeyendo a los pobres de lo que era suyo: tierras y salario. Con todo, la diferencia entre pobres y ricos no es simple, ya que depende de la valoración de los bienes indispensables. Lo que es bienestar en el Tercer Mundo, puede ser simplemente penuria en la sociedad del bienestar. Algunos distinguen entre mendigos y pobres, y entre ricos, clase media y pobres. Otros diferencian entre acomodados, con bienestar y con abundancia. Pero el hecho diferenciador –terrible en el Tercer Mundo– entre pobres y ricos, opresores y oprimidos, propietarios y desposeídos da lugar a las clases sociales antagónicas, hecho ante el cual no cabe la neutralidad. El evangelio pide amor a todos en solidaridad con los pobres y oprimidos, lo cual plantea continuos conflictos.

«Se ama a los opresores –escribe G. Gutiérrez– liberándolos de su propia e inhumana situación de tales, liberándolos de ellos mismos. Pero a esto no se llega sino optando resueltamente por los oprimidos, es decir, combatiendo contra la clase opresora. Combatir real y eficazmente, no odiar; en eso consiste el reto, nuevo como el evangelio: amar a los enemigos» [21].

c) Son sujetos activos, no pasivos (Aspecto socio-político)

Los pobres son fuerza social, aspiran a la justicia y a la libertad. Esto plantea continuamente en la historia una lucha, a veces violenta, constituida por el movimiento de reivindicación de los proletarios, de los parias.

d) Son sacramento de Dios y vicarios de Cristo (Aspecto religioso)

A la luz de la Biblia, Dios está siempre al lado de los pobres y marginados. Por eso, quien no está con los pobres tiene a Dios en contra. Incluso puede decirse que el comportamiento con el pobre es la medida cristiana por antonomasia. En la decisión de establecer el reino de Dios, Jesús proclama que serán favorecidos los pobres, no porque sean más piadosos o virtuosos, sino porque Dios hace de rey: es un justo que ama la justicia. La idea de Dios y del reino de Dios de Jesús chocó con la de los fariseos, para los cuales Dios es un contable que paga según los méritos de cada uno. Para Jesús y para los profetas, Dios tiene predilección por los más pobres, débiles, desvalidos y pequeños, a los que quiere hacer felices, pero son desgraciados. La primera bienaventuranza («felices los pobres») se relaciona con Mt 25 (juicio final), ya que seremos juzgados según nuestra conducta con los hambrientos, sedientos, desnudos, enfermos y encarcelados.

«La gran parábola del juicio final en el evangelio de Mateo -dice A. Torres Queiruga– muestra de modo

---

[20] G. Gutiérrez, *Teología de la liberación, o. c.,* 365.

[21] G. Gutiérrez, *Teología de la liberación, o. c.,* 357.

irrefutable su sentido de reivindicación del pobre, marginado, oprimido e indefenso frente a los diversos obradores de injusticia (por acción u omisión)» [22].

3. La opción por los pobres

De acuerdo a la tradición evangélica de Jesús, los pobres y marginados son privilegiados, porque son «herederos del reino» (Mt 5, 3) y «hermanos» del Hijo del hombre que juzgará al mundo (Mt 25).

a) *Fundamento evangélico*

La opción de Jesús por los pobres se observa en los pasajes donde el Señor define su misión, de acuerdo a sus palabras y a su práctica. Así, el programa de la actividad de Jesús es resumido por Marcos con una fórmula lapidaria que luego transcriben Mateo y Lucas: «Se ha cumplido el plazo, está cerca el reinado de Dios. Convertíos y creed en esta buena noticia» (Mc 1, 14-15). Sencillamente, la cercanía del reino es la noticia gozosa para los pobres.

También expresa Jesús su misión en la sinagoga de Nazaret, donde traza su programa:

«El Espíritu del Señor descansa sobre mí, porque él me ha ungido. Me ha enviado a dar la buena noticia a los pobres, a proclamar la libertad a los cautivos, y la vista a los ciegos, a poner en libertad a los oprimidos, a proclamar el año favorable del Señor» (Lc 4, 18-19).

Estas palabras que proclama Jesús corresponden al texto griego de Isaías 61, 1-2, típicamente mesiánico. Junto a los pobres están los oprimidos, es decir, los cautivos y los ciegos. La expresión lucana «evangelizar a los pobres» consiste en proclamar la liberación, en llevarla a cabo. La «buena noticia» para un pobre es que se termine de una vez su condición miserable; para un encarcelado salir de la prisión y para un ciego recobrar la vista. Los destinatarios de la buena noticia no fueron los paisanos de Jesús en Nazaret. El mismo texto proclamado en esta sinagoga es utilizado por Lucas en la respuesta que da Jesús a los discípulos de Juan:

«Los ciegos ven, los cojos andan, los leprosos quedan limpios y los sordos oyen, los muertos resucitan y a los pobres se anuncia la buena noticia» (Lc 7, 18-22 y Mt 11, 4-6).

La misión evangelizadora de Jesús se muestra mediante sus obras liberadoras.

También puede verse la opción de Jesús por los pobres en una oración explícita del Señor:

«Bendito seas, Padre, Señor de cielo y tierra, porque, si has escondido estas cosas a los sabios y entendidos, se las has revelado a la gente sencilla; sí, Padre, bendito seas, por haberte parecido eso bien» (Mt 11, 25-26).

Claro está, los «sabios y entendidos» son los escribas y fariseos; la «gente sencilla» son los pobres. Asimismo puede desprenderse el criterio de la opción por los pobres en el cántico de María: «A los hambrientos los colma de bienes y a los ricos los despide de vacío» (Lc 1, 53). El Magníficat tiene una doble portada: expresa el suceso que es relatado (elección de María, anuncio del nacimiento de Jesús) y prefigura la misión de Jesús que será relatada en todo el evangelio. Otros pasajes que describen la opción por los pobres por parte de Jesús son las bienaventuranzas (Lc 6, 20-26; Mt 5, 1-12), la parábola de los invitados al banquete del reino (Lc 14, 15-24; Mt 22, 1-10) y la historia del rico y Lázaro (Lc 16, 19-31).

Coherente con sus palabras, la praxis de Jesús está siempre a favor de enfermos y gente necesitada. Esto se observa en los relatos de la infancia: son privilegiados los pastores (Lc 2, 8-20) por pobres y marginados, al ejercer una profesión infamante según las leyes judías de entonces. En su vida pública, Jesús curó a enfermos, ordinariamente pobres, y reconcilió a marginados, que eran, según Lucas, «todos los recaudadores de impuestos y descreídos».

Jesús evangelizó a los pobres a través de tres acciones. En primer lugar, *comió con los pobres y les anunció el banquete del reino*. La comunidad de me-

---

[22] A. Torres Queiruga, *Opción por los pobres: la justicia del Dios cristiano*, Fundación Santa María, Madrid 1988, 24-25.

sa en el judaísmo era aceptación mutua. «Significa la comunidad bajo la mirada de Dios» (J. Jeremias). Las comidas de Jesús con los pobres tuvieron un fuerte impacto en los medios palestinenses. Eran un gesto liberador y un modo de anunciar la buena nueva. En segundo lugar, *curó enfermos y mostró la salud / salvación*. Según Lucas, las curaciones son actualizaciones del anuncio de la buena nueva a los enfermos. Son gestos de compasión. Jesús responde a necesidades humanas. Pero al mismo tiempo, las curaciones son signos de liberación que invitan a la fe, conversión y acogida de perdón. Finalmente, *perdonó a los pecadores* y los introdujo en Dios. Según Lucas, la misión de Jesús es llamada a conversión y al perdón de Dios. Convertirse es abrirse a la gratuidad de Dios, a su amistad y a su perdón.

b) *Formulación actual*

Aunque el cardenal Lercaro, de acuerdo al pensamiento de Juan XXIII, propuso en los comienzos del Vaticano II como tema central conciliar «la Iglesia de los pobres», y aunque, asimismo, al final del Concilio un grupo de obispos del Tercer Mundo hizo una declaración de compromiso con los pobres, la «opción por los pobres» pertenece al posconcilio. Medellín habla de dar «preferencia efectiva a los sectores más pobres y necesitados y a los segregados por cualquier causa» (Pobreza, 90). Según indica Puebla (1979), la Conferencia de Medellín hizo en 1968 «una clara y profética opción preferencial y solidaria por los pobres» (DP 1134). En realidad, la expresión «opción por los pobres» fue acuñada por los teólogos de la liberación a partir de 1970, se generalizó hacia 1973 y la sancionó Puebla en un importante capítulo, denominado «opción preferencial por los pobres» [23]. Juan Pablo II ha hecho suya esta opción en diversos discursos [24] e incluso es defendida en el documento de la Congregación para la Doctrina de la Fe sobre algunos problemas de la teología de la liberación, bajo la expresión, ya consagrada, de «opción preferencial por los pobres» [25]. Precisamente el adjetivo «preferencial» se introdujo para mostrar que dicha opción no contradice la universalidad de la salvación cristiana.

Por pobres entiende Puebla, en sintonía con Medellín,

«los que carecen de los más elementales bienes materiales en contraste con la acumulación de riquezas en manos de una minoría, frecuentemente a costa de la pobreza de muchos. Los pobres no sólo carecen de bienes materiales, sino también, en el plano de la dignidad humana, carecen de una plena participación social y política» (DP 1134, nota 2).

Opción equivale a decisión libre y comprometida de los cristianos, sin que sea facultativa. Hunde sus raíces en el amor de Dios; es teocéntrica y profética. La opción por los pobres, considerada por L. Boff como «necesaria revolución copernicana en el seno de la Iglesia», tiene una significación política, ética y teológica a partir de la fe y de una correcta interpretación del pobre y de la pobreza. En este sentido, optan los creyentes individual y comunitariamente con un compromiso liberador y salvador que exige identificación con el destino y la causa de los pobres y marginados como realidad colectiva y conflictiva. La opción por los pobres es válida en la Iglesia para todos los creyentes, sea cual sea su condición social y ubicación geográfica. Finalmente, la opción por los pobres incluye un proceso de encarnación y de identificación (*kénosis* o descenso), la aceptación consciente y activa de su causa (ascenso salvador y liberador) y la identificación con su destino (consecuencia de lo anterior) [26]. El añadido de «preferencial» significa que «esa opción no puede ser exclusivamente por los pobres, es decir, cerrada a los no pobres» [27]. La opción preferencial se traduce también en términos de «solidaridad» y, por supuesto, posee una dimensión «profética». Opción preferencial no excluyente

«quiere decir –escribe J. Sobrino– que nadie debe

---

[23] Cf. J. Lois, *Teología de la liberación. Opción por los pobres*, Iepala, Madrid 1986, 194 y 136, nota 112.

[24] Cf. por ejemplo el discurso a los Cardenales y a la Curia Romana, el 2 de diciembre de 1984: «Ecclesia» 2204 (1985) 14.

[25] *Instrucción sobre la Teología de la Liberación*, Ed. Católica, Madrid 1986, 22.

[26] J. Lois, *Opción por el pobre*, en M. Vidal (ed.), *Conceptos fundamentales de ética teológica*, Trotta, Madrid 1992, 636-637.

[27] J. Pixley y Cl. Boff, *Opción por los pobres*, Paulinas, Madrid 1986, 152.

sentirse excluido de una Iglesia con esa opción, pero que nadie puede pretender ser incluido en la Iglesia sin esa opción»[28].

«La *opción por los pobres* –dice P. Richard– no significa un proceso exclusivamente *pastoral*, de extensión de la Iglesia a un nuevo *campo de evangelización*, sino que significa fundamentalmente un proceso interno de cambio radical y de conversión profunda de la Iglesia como totalidad. La opción por los pobres no es para la Iglesia una opción accidental, preferencial o privilegiada, sino una opción constitutiva, estructural y esencial»[29].

Según Juan Pablo II, la opción por los pobres es una «forma especial de primacía en el ejercicio de la caridad cristiana». J. Pixley y Cl. Boff afirman que esta opción «consiste en la dimensión social de la caridad o en el carácter político del amor evangélico»[30]. En definitiva, la Iglesia debe convertirse a los pobres, es decir, privilegiar la evangelización liberadora con objeto de que sea signo creíble y auténtico (DP 1134).

LA IGLESIA DE LOS POBRES

«El misterio de Cristo en la Iglesia es siempre, pero sobre todo hoy, en nuestros días, el *misterio de Cristo en los pobres*, ya que la Iglesia, como dijo el Santo Padre Juan XXIII, es la Iglesia de todos, pero especialmente *la Iglesia de los pobres...*».

«No cumpliremos debidamente nuestra tarea, no tendremos en cuenta con espíritu abierto el designio de Dios y la espera de los hombres, si no ponemos como centro y alma del trabajo doctrinal y legislativo de este Concilio el misterio de Cristo en los pobres y la evangelización de los pobres».

Intervención del cardenal Lercaro en el Vaticano II, 7.12.1962. Cita en P. Gauthier, *Los pobres, Jesús y la Iglesia*, 1964, 160-164.

---

4. Los pobres evangelizan y son evangelizados

Con el Vaticano II y la Conferencia de Medellín comenzó un nueva reflexión teológica al incorporar a la misma la realidad social exterior a la Iglesia y tener en cuenta el contexto económico, político y cultural, de ordinario injusto, que vive el pueblo de los pobres. Desde una práctica pastoral de liberación en el contexto latinoamericano, los *cristianos comprometidos* en ese proceso comenzaron a preguntarse por el sentido de su fe; los *sectores populares* tomaron conciencia de su situación mediante una pedagogía crítica y exigieron una consecuente liberación; los *teólogos críticos* tradujeron la experiencia de la liberación en forma de reflexiones teológicas a través de una hermenéutica adecuada[31]. Todos estos aportes, hechos desde la praxis y sobre la praxis, de cara a una pastoral profética de solidaridad con los pobres, dieron lugar a la denominada *teología de la liberación* o teología de la praxis de liberación de los oprimidos de este mundo. Según G. Gutiérrez,

«los pobres ocupan un lugar central en la reflexión que llamamos teología de la liberación. A este asunto se añaden los del método teológico y de la preocupación evangelizadora, para constituir el núcleo más antiguo y siempre vigente de este esfuerzo de inteligencia de la fe»[32].

De ahí que se hable de la «irrupción del pobre» en la sociedad y en la Iglesia, entendido individual y colectivamente como un «no-persona», a quien no se valora como ser humano con todos sus derechos.

El pueblo latinoamericano, lugar en el que aparece la teología de la liberación, se encuentra –afirma Medellín– «en una situación de injusticia que puede llamarse de violencia institucionalizada» (Paz, 16). Puebla reconoce que dicho pueblo está marcado terrible y dolorosamente por la pobreza, a la que califica de «inhumana» (n. 29) y «antievangélica» (n. 1159), ya que significa muerte como oposi-

---

[28] J. Sobrino, *Puebla: serena afirmación de Medellín. Cristología*, Bogotá 1979, 38.

[29] P. Richard, *La Iglesia Latino-americana entre el temor y la esperanza. Apuntes teológicos para la década de los años 80*, DEI, San José de Costa Rica 1980, 100.

[30] J. Pixley y Cl. Boff, *Opción por los pobres*, o. c., 137.

[31] Fue importante el influjo de P. Freire a través de sus obras: *Pedagogía del oprimido*, Montevideo 1970, y *La educación como práctica de libertad*, Santiago de Chile 1972.

[32] G. Gutiérrez, *Pobres y opción fundamental*, o. c., 303.

ción al reino de justicia y de vida anunciado por Jesús. Precisamente la experiencia de muerte que tienen los pobres ayuda a comprender la muerte de Jesús. Al rechazar la muerte injusta por la acogida del don del reino de la vida, la razón fundamental de la *opción de los pobres* está puesta en el Dios de la vida. De ahí nace para la teología una doble exigencia: encontrar un lenguaje sobre Dios que nazca desde la situación injusta de pobreza de las grandes mayorías, y dar razones de esperanza al pueblo de los pobres en su lucha por la liberación. Es, pues, un lenguaje doble: místico y profético, de contemplación y de acción.

Es evidente que los pobres son el objetivo privilegiado de la evangelización; para esa misión fue enviado Jesús [33]. Pero no sólo son evangelizados, sino que evangelizan. 1) *Evangelizan*, en primer lugar, a partir de su misma situación de miseria y opresión y, en definitiva, de injusticia, que puede producir en los demás compasión e indignación y deseos de transformar esa situación. 2) En segundo lugar, evangelizan por la receptividad que tienen de la buena noticia, al mostrar una enorme confianza en Dios y esperar con alegría la transformación de la realidad. 3) Finalmente evangelizan –afirma S. Mier– por

«un testimonio de vida con grandes valores evangélicos: sencillez, desprendimiento, disponibilidad para compartir, hospitalidad, solidaridad, confianza en Dios, religiosidad profunda, enorme paciencia, etc.» [34].

Especialmente evangelizan a través de la familia, de las comunidades de base y de la religiosidad popular.

Las comunidades de base latinoamericanas con opción por los pobres «han ayudado a la Iglesia –dice Puebla– a descubrir el potencial evangelizador de los pobres» (n. 1147). En definitiva, los pobres evangelizan porque ayudan a comprender mejor el mensaje cristiano, a mostrar vivencialmente el seguimiento de Jesús, a crear comunidades genuinas de base y a valorar la diversidad de los nuevos ministerios. Medellín abogó por

«una Iglesia auténticamente pobre, misionera y pascual, desligada de todo poder temporal y audazmente comprometida en la liberación de todo hombre y de todos los hombres» (Juventud, 15).

Por otra parte –escribe J. B. Libânio–,

«el pueblo latinoamericano vive inmerso en un universo religioso impregnado de la presencia de Dios. La teología de la liberación pretende responder a la pregunta primera de cómo se revela Dios ante el pobre. La dimensión de liberación nace, en segundo lugar, de la experiencia primera de Dios en los pobres» [35].

«Según la ley del evangelio y también según los profetas del AT –afirma M.-D. Chenu–, los pobres son los oyentes eficaces de la gran noticia de la liberación y por ello mismo los testigos cualificados del mensaje mesiánico» [36].

Como consecuencia, los pobres son testigos y destinatarios del evangelio, interlocutores privilegiados de la Iglesia y de la teología, protagonistas en la transformación de la sociedad y evangelizadores [37]. En definitiva, los pobres evangelizan a los mismos pobres, a los ricos y a la misma Iglesia, a la que «interpelan constantemente, llamándola a la conversión» (DP 1147).

---

[33] Cf. Asociación Bíblica Italiana, *Evangelizare pauperibus. Atti della XIV Settimana Biblica*, Brescia 1978.

[34] Cf. S. Mier, *Los pobres nos evangelizan. Una evangelización nueva en su sujeto*: «Christus» LVI (1991/8) 35.

[35] J. B. Libânio, *Teología de la liberación. Guía didáctica para su estudio*, Sal Terrae, Santander 1989, 88.

[36] M. D. Chenu, *Una realidad nueva: teólogos en el Tercer Mundo*: «Concilium» 164 (1981) 45.

[37] Recordemos tres títulos significativos: *La fe en la periferia del mundo. El caminar de la Iglesia con los oprimidos*, de L. Boff (original de 1978); *La fuerza histórica de los pobres*, de G. Gutiérrez (original de 1979), y *Resurrección de la verdadera Iglesia. Los pobres, lugar teológico de la eclesiología*, de J. Sobrino (original de 1980).

OPCION PREFERENCIAL POR LOS POBRES

«Afirmamos la necesidad de conversión de toda la Iglesia para una opción preferencial por los pobres, con miras a su liberación integral...».

Puebla, 1134.

«El compromiso evangélico de la Iglesia, como ha dicho el papa, debe ser como el de Cristo: un compromiso con los más necesitados (cf. Lc 4, 18-21; Discurso inaugural, III, 3). La Iglesia debe mirar, por consiguiente, a Cristo cuando se pregunta cuál ha de ser su acción evangelizadora. El Hijo de Dios demostró la grandeza de ese compromiso al hacerse hombre, pues se identificó con los hombres haciéndose uno de ellos, solidario con ellos, y asumiendo la situación en que se encuentre, en su nacimiento, en su vida y, sobre todo, en su pasión y muerte, donde llegó a la máxima expresión de la pobreza...».

Puebla, 1141.

«Por esta sola razón, los pobres merecen una atención preferencial, cualquiera que sea la situación moral o personal en que se encuentren. Hechos a imagen y semejanza de Dios para ser sus hijos, esta imagen está ensombrecida y aun escarnecida. Por eso Dios toma su defensa y los ama. Es así como los pobres son los primeros destinatarios de la misión, y su evangelización es por excelencia señal y prueba de la misión de Jesús».

Puebla, 1142.

*

«Después del Concilio Vaticano II, la Iglesia se ha hecho más consciente de su misión para el servicio de los pobres, los oprimidos y los marginados. En esta opción preferencial, que no debe entenderse como exclusiva, brilla el verdadero espíritu del evangelio. Jesucristo declaró bienaventurados a los pobres (cf. Mt 5, 3; Lc 6, 20), y él mismo quiso ser pobre por nosotros (cf. 2 Cor 8, 9).

Además de la pobreza en las cosas materiales, se da la falta de libertad y de bienes espirituales que, de alguna manera, puede llamarse una forma de pobreza, y es especialmente grave cuando se suprime la libertad religiosa por la fuerza.

La Iglesia debe denunciar, de manera profética, toda forma de pobreza y de opresión, y defender y fomentar en todas partes los derechos fundamentales e inalienables de la persona humana».

Documento final de la
II Asamblea General Extraordinaria
del Sínodo de Obispos de 1985.

Bibliografía

V. Araya, *El Dios de los pobres*, Sebila, San José de Costa Rica 1983; I. Ellacuría, *Pobres*, en C. Floristán y J. J. Tamayo, *Conceptos Fundamentales de Pastoral*, Cristiandad, Madrid 1983, 786-802; G. Gutiérrez, *La fuerza histórica de los pobres*, Sígueme, Salamanca 1982; id., *Pobres y opción fundamental*, en I. Ellacuría y J. Sobrino, *Mysterium Liberationis*, vol. I, Trotta, Madrid 1990, 303-321; J. Lois, *Teología de la liberación: opción por los pobres*, Iepala, Madrid 1968; F. Moreno Rejón, *Teología moral desde los pobres*, PS, Madrid 1986; id., *Salvar la vida a los pobres. Aportes a la teología moral*, Lima 1987; J. Pixley-Cl. Boff, *Opción por los pobres*, Paulinas, Madrid 1986; J. de Santa Ana, *El desafío de los pobres a la Iglesia*, San José de Costa Rica 1977; J. Sobrino, *Opción por los pobres*, en C. Floristán y J. J., Tamayo, *Conceptos Fundamentales del Cristianismo*, Trotta, Madrid 1992; A. Torres Queiruga, *Opción por los pobres: la justicia del Dios cristiano*, Fundación Santa María, Madrid 1988; Varios, *Teología y pobreza* (I Congreso de Teología de Madrid, 1981): «Misión Abierta» 74 (1981/4-5); José M.ª Vigil (ed.), *La opción por los pobres*, Sal Terrae, Santander 1991.

10

Evangelizar a creyentes no practicantes

Creyentes no practicantes son los bautizados mínimamente creyentes o con sentimientos religiosos que, después de haber tenido alguna práctica religiosa regular, la han abandonado. En definitiva, son creyentes sin práctica dominical y pascual, cuya pertenencia a la Iglesia o al cristianismo se pone de relieve casi exclusivamente por los cuatro sacramentos básicos que acompañan al cristiano a lo largo de la vida, a modo de cuatro estaciones, plenamente aceptadas en el catolicismo popular: bautismo, primera comunión, matrimonio canónico y rito funerario. Se encuentran alejados de la Iglesia por su distanciamiento respecto de la doctrina de la fe, las normas morales, la participación litúrgica regular (eucarística y penitencial) y la obediencia a la jerarquía.

1. La práctica religiosa

La práctica religiosa ha sido entendida hasta hoy como práctica sacramental o cumplimiento regular de las obligaciones canónicas que tiene todo bautizado después de recibir la primera comunión, a saber, la asistencia a la misa del domingo y fiestas de guardar, además de la confesión y comunión pascuales, todo ello urgido apremiantemente hasta el Concilio bajo pena de pecado grave. El nuevo código señala que «los fieles tienen obligación de participar en la misa del domingo y las demás fiestas de precepto» (c. 1247), y de «comulgar por lo menos una vez al año» (c. 920) [1].

Evidentemente, la práctica religiosa abarca otros actos de carácter ritual, en torno al ámbito del culto oficial o de la piedad popular, sin que posean carácter de obligatoriedad. Tal es el caso de la misa diaria, la visita al santísimo, el rosario, el viacrucis, la abstinencia, el ayuno, las visitas al cementerio, etc. También cabría entender por práctica religiosa el conjunto de los compromisos relativos a la caridad y a la justicia.

«Las creencias, motivaciones, actitudes, comportamientos morales, comportamientos rituales y comportamientos grupales o institucionales –afirma F. Azcona– son aspectos integrantes de la vida religiosa. Todos ellos forman parte de la práctica religiosa» [2].

---

[1] Sobre la obligatoriedad del precepto dominical, cf. G. Fransen, *L'obligation à la messe dominicale en Occident:* «La Maison-Dieu» 83 (1965) 55-70; A. G. Galindo, *Día del Señor y celebración del misterio eucarístico. Investigación histórico-teológica de la misa dominical y su obligatoriedad desde los orígenes del cristianismo a Cesáreo de Arlés*, Eset, Vitoria 1974. Sobre la práctica de la misa dominical, cf. L. Voyé, *Sociologie du geste religieux*, Ed. Vie Ouvrière, Bruselas 1973.

[2] F. Azcona, *La práctica religiosa ayer y hoy*, en AA. VV., *Catolicismo en España. Análisis sociológico*, ISPA, Madrid 1985, 37.

Con todo, la expresión práctica religiosa equivale a práctica dominical y pascual, que refleja, consciente o inconscientemente, unas determinadas creencias, actitudes y comportamientos.

Por su importancia, la práctica religiosa mejor estudiada es la dominical. Con todo, después de un tiempo en el que se aplicó la sociología religiosa a la pastoral en forma de sociografía o de recuento estadístico, a base de estudiar cuantitativamente la práctica dominical, hoy se atiende más a los análisis de las creencias y opiniones o de los sentimientos y actitudes. Recordemos, con todo, que la religiosidad no es fácil de medir, por abarcar dos dimensiones: la interna de los sentimientos y la externa de los comportamientos, teniendo en cuenta que

«normalmente –como afirma J. J. Toharia–, las vivencias o sentimientos religiosos suelen expresarse mediante una serie de comportamientos formalizados, oficialmente destinados a servirles de cauce» [3].

Ahora bien, añade el sociólogo citado,

«puede haber comportamientos religiosos sin sentimiento religioso, y sentimiento religioso que no se exprese por los cauces del comportamiento religioso establecido».

No olvidemos, sin embargo, que la práctica religiosa, entendida después del Concilio como participación reiterativa en las celebraciones de la eucaristía y de la penitencia (los otros cinco sacramentos son *puntuales)*, es traducción de la fe cristiana mediante unos gestos o acciones, y que la crisis de la práctica es en cierta medida crisis de fe [4]. La experiencia posconciliar muestra con claridad que la comunidad cristiana que abandona la celebración de la eucaristía (junto a toda práctica sacramental) deja paulatinamente de ser cristiana. Por otra parte, una práctica rutinaria y superficial protege escasamente la vida adulta en la fe. Sin olvidar, asimismo, que la práctica cristiana, bajo la forma de celebración genuina, no es fácil, ya que entraña exigencias relacionadas con la cruz de Cristo y su resurrección, misterio presente en el acto de celebración pascual.

2. Tipos de alejados o no practicantes

Muchos de los alejados o no practicantes son «cristianos sin Iglesia», a saber, cristianos que, habiendo pertenecido a la militancia cristiana en movimientos apostólicos o comunidades de creyentes, se sienten lejos de la Iglesia oficial porque se han marginado o porque han sido marginados, pero que no han perdido la fe que les vincula a Cristo y al evangelio. Podemos distinguir con H. Denis dos tipos de «cristianos sin Iglesia» [5].

– Los que han sufrido una ruptura violenta con la Iglesia a causa de una presión inaceptable, una discriminación, un escándalo, una persecución o cualquier otro motivo grave. Poseen a veces un trauma religioso. Hay católicos que se han hecho miembros de sectas más o menos religiosas por una decepción con la Iglesia. Un caso particular es el de ciertos sacerdotes secularizados, religiosas que dejaron su congregación y seminaristas que abandonaron su vocación ministerial, que se hallan irritados con la Iglesia y lejos de todo contacto religioso, pero que guardan un poso, más o menos profundo, de fe.

– Los que se han alejado poco a poco, por diferentes causas. Algunos no frecuentan ya los grupos cristianos, no practican ni en las grandes fiestas ni se relacionan habitualmente con el hecho cristiano, pero no han abandonado la fe. Muchos alejados son simplemente bautizados que nunca fueron evangelizados o no recibieron una catequesis adecuada y que viven al margen de la Iglesia, aunque a veces la frecuentan por razones familiares o sociales, esca-

---

[3] J. J. Toharia, *Los jóvenes y la religión*, en AA.VV., *Informe sociológico sobre la Juventud Española 1960-1980*, Ed. SM, Madrid 1984, 117.

[4] Cf. F. L. Charpin, *Pratique religieuse et formation d'une grande ville*, París 1964.

[5] Cf. H. Denis, *Chrétiens sans Eglise*, Desclée de Br., París 1979; L. Kolakowski, *Cristianos sin Iglesia*, Taurus, Madrid 1983; cf. asimismo el dossier de «Témoignage Chrétien», 16.12.1976: *Les militants d'origine chrétienne*, 4-5, abril-mayo, 1977.

samente personales. Otros alejados son los que se refugian en una especie de religión interior e individualista, no admiten leyes que les obliguen a practicar y están en desacuerdo con cualquier manifestación externa religiosa.

3. Causas de la desafección religiosa

a) La secularización de la sociedad

El proceso de secularización, entendido como emancipación por parte de la sociedad de toda tutela religiosa al fundamentarse en sus propios elementos constitutivos, ha supuesto y supone una alteración de la práctica religiosa y de la fe de los creyentes. Con la moderna secularización, no solamente queda la naturaleza desencantada, sino que la vida social aparece vaciada de misterio a causa del progreso científico. Incluso en ciertos medios críticos se considera la religiosidad neurosis colectiva, opio del pueblo o residuo de un pensamiento primitivo.

Aunque puede ser la secularización filtro purificador positivo del sentimiento religioso de muchos cristianos, tiene la contrapartida de dificultarles su espontaneidad en la manifestación de su fe o en la participación cultual. Por otra parte, un cristiano no puede oponerse al avance del progreso científico. Por consiguiente, el efecto de la secularización es doble: favorece indirectamente la opción personal de fe (sin apoyos ambiguos sociales), pero perjudica el desarrollo o la manifestación pública del sentimiento religioso, reducido casi exclusivamente al ámbito de la conciencia personal e individual o al dominio misterioso de la muerte. En principio, la secularización no favorece la práctica religiosa, aunque puede favorecer la convicción de la fe y la urgencia de la evangelización.

En un mundo con mínimos cambios apenas varían los índices de práctica religiosa, aunque esta última, merced a su repetición ritual y a los mecanismos de herencia familiar, sin educación cristiana suficiente, es signo remoto y oscuro de Jesucristo y de su evangelio. Con una escolarización secularizada y sin las presiones familiares y sociales de antaño, la juventud practica hoy menos que antes, al no encontrar fácil justificación los gestos sagrados. De todas formas, aunque la secularización no

es fatal para el cristianismo, según puede apreciarse en reflexiones documentadas, es demoledora para un cierto tipo de religiosidad cristiana tradicional [6].

NUEVA SITUACION RELIGIOSA

«Hoy nos encontramos ante una situación religiosa bastante diversificada y cambiante; los pueblos están en movimiento; realidades sociales y religiosas, que tiempo atrás eran claras y definidas, hoy día se transforman en situaciones complejas. Baste pensar en algunos fenómenos, como el urbanismo, las migraciones masivas, el movimiento de prófugos, la descristianización de países de antigua cristiandad, el influjo pujante del evangelio y de sus valores en naciones de grandísima mayoría no cristiana, el pulular de mesianismos y sectas religiosas. Es un trastocamiento tal de situaciones religiosas y sociales, que resulta difícil aplicar concretamente determinadas distinciones y categorías eclesiales a las que ya estábamos acostumbrados. Antes del Concilio ya se decía de algunas metrópolis o tierras cristianas que se habían convertido en *países de misión;* ciertamente la situación no ha mejorado en los años sucesivos».

Redemptoris missio, 32.

---

b) La crisis de pertenencia a la Iglesia

Hasta el presente hemos dado por supuesto que la fe es hereditaria y que, por consiguiente, todos los bautizados tenían fe. Nuestra preocupación pastoral se ha centrado en la conservación de la fe mediante su celebración y en la instrucción de la fe mediante la catequesis. Ahora nos damos cuenta del fenómeno creciente de la secularización o de la no cristianización.

«El declive de la religiosidad institucional, junto con el proceso de secularización y la contestación a la

---

[6] Cf. S. Acquaviva, *L'éclipse du sacré dans la civilisation industrielle,* París 1967; AA.VV., *La désacralisation,* Montreal 1970; Instituto «Fe y Secularidad», *Secularización* (Boletín, 1), Madrid 1970; AA. VV., *Herméneutique de la secularisation,* Roma 1976. Para estudiar la secularización en España, cf. *Catolicismo en España. Análisis sociológico,* Instituto de Sociología Aplicada, Madrid 1985, cuarta parte, 399-480.

zados no practicantes, con una vida de fe más o menos deficiente, se debe, sin duda, a la precipitación bautismal. Evidentemente hay cristianos que se alejan de la práctica, pero también hay muchos bautizados que apenas practicaron personalmente nunca.

– Frente al hecho de creyentes sin Iglesia, no practicantes o alejados, es necesario que nos aproximemos con cautelas. Muchos alejados se consideran creyentes, con una concepción de fe meramente interior, en relación personal con Dios, sin necesidad de exteriorizaciones. Piensan que lo que cuenta es el sentimiento del alma, no el gesto corporal. Recordemos que, durante mucho tiempo, ciertos maestros espirituales han entendido la existencia cristiana de este modo.

Por influencia de un dualismo griego, el hombre era entendido como un compuesto de cuerpo y alma. Al despreciar la importancia del cuerpo, todo iba dirigido al alma. Sin embargo, según la concepción bíblica del hombre, más cercana a la antropología actual, el cuerpo y el soplo de vida proceden de Dios, y no es posible aislarlos. De otra parte, es necesario recalcar la importancia que hoy tiene no sólo el cuerpo, sino el gesto en la comunicación y en toda maduración personal. Todo esto exige una consideración renovada de la liturgia como acción simbólica, a saber, gesto extraído de la vida humana, que, con la palabra de Dios, en clima de plegaria comunitaria, nos comunicamos con Dios.

– La práctica cristiana dominical se relaciona y se complementa con la acción caritativa de la semana. No siempre ha sido fácil unir el culto con la ética, la liturgia con el compromiso. Precisamente los profetas denuncian la disociación entre la moral y el culto. Dentro de la tradición de Jesús, los cristianos comprenden que no debe separarse la caridad con el hermano de la adoración de Dios; son dos amores indisolubles. Incluso se desprende del Nue-

vo Testamento que toda la existencia cristiana está inserta en el culto, que la vida entera debe ser cultual.

– Hay creyentes que rechazan la Iglesia por su rostro institucional, demasiado humano. Prefieren contar exclusivamente con Dios, sin asociarse con los demás cristianos. Estiman que lo religioso es un hecho solitario. Aquí es necesario recordar los peligros del individualismo y la necesidad de los otros para su misma subsistencia y maduración. Es cierto que Jesús propuso la oración a solas con Dios, en la recámara (Mt 6, 6), pero esto lo dijo en el contexto del desenmascaramiento de los «hipócritas», que ayunan, rezan y dan limosnas para que los vean y reciban elogios de admiración. Lo que constantemente hizo Jesús fue convocar a reunión de unidad y de caridad. Su obra tiene como objetivo «reunir en uno a los hijos de Dios dispersos» (Jn 11, 52).

Evidentemente la existencia de cristianos sin Iglesia o de creyentes no practicantes es, según H. Denis, «una paradoja teológica y pastoral», puesto que en teoría no hay fe sin Iglesia, pero en la práctica no siempre la Iglesia es sacramento de la fe. En definitiva, la pastoral con los creyentes no practicantes deberá basarse en descubrir las exigencias prácticas que tiene la fe y las dimensiones teologales y sociales que tiene la liturgia.

Bibliografía

G. Bourgeault y otros, *Quand les Églises se vident. Vers une théologie de la pratique*, Desclée-Bellarmin, París-Montreal 1974; *Catolicismo en España. Análisis sociológico*, Instituto de Sociología Aplicada, Madrid 1985; H. Denis, *Chrétiens sans Église*, Desclée de Br., París 1979; L. Kolakowski, *Cristianos sin Iglesia*, Taurus, Madrid 1983.

11

Evangelizar en un mundo de increencia

La increencia es un fenómeno nuevo, creciente y típico del mundo occidental o, si se prefiere, del mundo contemporáneo [1]. Se caracteriza porque prescinde o niega el mundo de lo religioso o de las creencias y, en definitiva, niega a Dios. Entre las principales increencias actuales cabe señalar el *ateísmo* (niega lo que se entiende por Dios), el *agnosticismo* (niega la posibilidad de conocer la existencia de Dios) y la *indiferencia* (prescinde de Dios sin aceptarlo ni rechazarlo). Junto a estas formas de increencia está la *idolatría*, que contradice de hecho la realidad y la voluntad de Dios [2]. Ateísmo e idolatría no son hoy sólo problemas que los creyentes vemos en los demás, sino amenazas que anidan «en el propio corazón» [3]. Afectan, claro está, a la fe cristiana y a la teología, obligadas ambas a ser hoy más teologales y más críticas.

1. El fenómeno de la increencia contemporánea

a) Fenómeno ascendente

Hasta hace pocos años, la increencia era un fenómeno excepcional en el marco de una sociedad católica, cuyos miembros creían mayoritariamente en Jesucristo o en Dios. Desde hace unos pocos años, creer parece algo extraño. Se hace patente hoy la irreligión o la indiferencia.

> «Todos percibimos, aunque sea de manera confusa –afirman los obispos vascos–, que algo ha cambiado profundamente en el clima religioso de la sociedad actual. Ya no es tan natural y obvio ser creyente. Un tono de increencia y desinterés religioso parece envolverlo todo» [4].

Más que oposición a la fe, parece manifestarse cierto desafecto. En cualquier caso, la indiferencia es una muestra muy extendida frente a lo religioso.

> «La sociedad española –escribe I. Camacho– está dejando de ser religiosa, lo cual significa dos cosas: que la Iglesia (y lo religioso en general) está perdiendo peso institucional en la vida social, y que el pueblo

---

[1] Sobre el significado de la increencia y la variedad o grados de la misma, cf. E. Marty, *Varieties of Unbelief,* Nueva York 1964. Para el análisis de la increencia en España, cf. A. Blanch, *Crónicas de la increencia en España,* Fe y Secularidad / Sal Terrae, Madrid / Santander 1988.

[2] Cf. J. Sobrino, *Reflexiones sobre el significado del ateísmo y la idolatría para la teología:* «Revista Latinoamericana de Teología» 3 (1986) 45-81.

[3] W. Kasper, *El Dios de Jesucristo,* Sígueme, Salamanca 1985, 17.

[4] Cf. Carta Pastoral de los Obispos de Pamplona y Tudela, Bilbao, San Sebastián y Vitoria, *Creer en tiempos de increencia,* Cuaresma-Pascua de Resurrección, 1988, 4.

(y las personas en particular) es cada vez más indiferente ante lo religioso o, al menos, vive este mundo en medio de mayores dudas e incertidumbres»[5].

Según recientes encuestas[6], puede concluirse que una mayoría de españoles se considera católico o cree en Dios (alrededor del 80 %), aunque con unas creencias mayoritariamente basadas en la herencia cultural y en la transmisión de hábitos y costumbres religiosas. Creyentes no practicantes hay en España un 50% y exclusivamente practicantes un 30%. El 20 % restante se considera no creyente. Según J. Martínez Cortés,

«la evolución de la increencia en España, concebida como un proceso de alejamiento de la institución encargada de la proclamación de la fe, parece estar condicionada por dos tipos de factores. Uno, la instauración progresiva de una imagen sectarizada de la Iglesia. Otro, la constitución de una zona de sincretismo en las creencias, ambigua por su mismo carácter; no se puede situar en la zona del ateísmo militante, ni siquiera del agnosticismo, puesto que hay creencias. Pero tampoco afiliarla sin problemas a la creencia católica, ya que a veces son negados, o puestos en cuestión, elementos centrales del dogma»[7].

b) *Fenómeno masivo*

La constitución *Gaudium et spes* afirma que

«la negación de Dios o de la religión no constituyen, como en épocas pasadas, un hecho insólito e individual; hoy día, en efecto, se presentan no rara vez como exigencia del progreso científico y de un cierto humanismo nuevo» (GS 7).

«El ateísmo –afirma H. Mynarek– representa hoy el desafío más radical y más grave al cristianismo»[8].

Según K. Rahner,

«el problema más grave y de mayor actualidad que tiene planteado hoy día la Iglesia –escribía en 1967– es el diálogo, en el plano intelectual y en el pastoral, con el ateísmo»[9].

En realidad, la incredulidad se ha dado siempre, pero hoy se advierte un crecimiento masivo de la increencia, en la que cabe distinguir –como vimos al principio– entre ateísmo, agnosticismo e indiferencia. Este fenómeno no es propio ya de élites, sino de masas; aparece en todos los estratos sociales. Por otra parte, la increencia no se da únicamente en individuos aislados, sino en ambientes humanistas que presentan una alternativa a la fe religiosa. Al señalar el carácter masivo de la increencia, no quiere decirse que sea hoy entre nosotros mayoritaria, sino que

«el número de los creyentes disminuye a escala mundial en relación con el de los no creyentes»[10].

c) *Fenómeno occidental*

La increencia es asimismo peculiar de occidente y de aquellos países influidos por la civilización y técnica occidentales, de indiscutido prestigio en muchas partes del universo. Tampoco podemos olvidar que la cultura moderna no se genera ya entre creyentes, sino en ámbitos arreligiosos; da la impresión de ser una cultura no creyente. Esto contrasta profundamente con la cultura occidental heredada, que se generó desde presupuestos cristianos, aunque con contradicciones manifiestas. Los sistemas éticos de valoración eran hasta ayer aparentemente

[5] I. Camacho, *La Iglesia española ante el reto de la increencia y la injusticia:* «Sal Terrae» 74 (1986) 213.

[6] Cf. Encuesta del CIS, *Iglesia, religión y política:* «Revista Española de Investigaciones Sociológicas» 27 (1984) 295-328; F. Azcona, *La religiosidad de los españoles:* «Ecclesia» 209 (16.2.1985); AA.VV., *Catolicismo en España. Análisis sociológico*, ISPA, Madrid 1985; *Informe sociológico sobre la juventud española (1960-1982)*, Ed. Santa María, Madrid 1984; *Encuesta de la juventud 1982*, Dirección General de la Juventud, Madrid 1984; *Juventud española 1984*, Ed. Santa María, Madrid 1985; IV Informe FOESSA, vol. II, *El cambio social en España*, Euroamérica, Madrid 1985; Secretariado Nacional de Liturgia, *La asistencia a misa:* «Pastoral Litúrgica» 141-145 (1985) 3-40.

[7] J. Martínez Cortés, *La increencia hoy en España. Aproximación sociológica:* «Sal Terrae» 74 (1986) 169.

[8] H. Mynarek, *Ateísmo*, en J. B. Bauer, *Temas candentes para el cristiano*, Herder, Barcelona 1976, 68.

[9] K. Rahner, *Presentación:* «Concilium» 23 (1967) 373.

[10] J. Martín Velasco, *Increencia y evangelización. Del diálogo al testimonio*, Sal Terrae, Santander 1988, 23.

cristianos. Al desgajarse la cultura de la religión, no tienen ya la impronta de lo cristiano. En relación al catolicismo español, J. L. L. Aranguren señala que

«mientras no se den caminos que lleven a una síntesis fe-cultura no resultará fácil que la Iglesia interese y convenza» [11].

«La religión –dicen los obispos vascos– es considerada por bastantes como residuo de un miedo infantil, de la ignorancia o de una culpabilidad mal asimilada, como factor de alienación o falso consuelo ante las injusticias sociales, como resentimiento de los débiles contra el disfrute de la vida por los poderosos» [12].

No olvidemos, sin embargo, que la mayoría de los pueblos, incluso los occidentales, aceptan la existencia de Dios; entre un 80 % y un 60% por lo que respecta a Europa [13].

d) Fenómeno radical

La increencia más profunda, como el ateísmo, es un fenómeno radical porque radical es la fe en Dios, que se niega o se desestima. Ya no se refuta en ciertos ateísmos al Dios de los filósofos, sino al Dios de los cristianos. De ahí que se sustituya la función del cristianismo con otras consideraciones religiosas o visiones humanistas no trascendentes. Así, ciertos valores considerados por unos hasta hoy en occidente cristianos, como los derechos humanos, la igualdad de la mujer y del varón, la paz, la libertad, la justicia, etc., son interpretados por otros como conquistas recientes frente a las Iglesias. Ciertas increencias pretenden erradicar el fenómeno religioso y cristiano hasta llegar a la indife-

rencia total, a saber, a una situación en la que esté ausente el interés por el campo de lo religioso. La moderna increencia disuelve el contenido de la fe, deteriora la adhesión personal y crea las más de las veces un vacío de conducta.

2. Tipos de increencia

El fenómeno de la increencia es tan complejo como variado [14]. Se describe con infinidad de términos, correspondientes a interpretaciones filosóficas (racionalismo, materialismo, nihilismo) o religiosas (ateísmo, agnosticismo) y a las actitudes personales vividas (indiferencia, incredulidad, irreligión) o las consecuencias sociales del fenómeno religioso (laicismo, anticlericalismo). J. Martínez Cortés señala cuatro tipos de increencia: la derivada de una mentalidad empírica, la correspondiente a un nuevo humanismo, la aneja a una ideología política con rechazo de la trascendencia, y la increencia pragmática y difusa, como producto del cambio social [15]. Examinemos las principales increencias: el ateísmo, el agnosticismo y la indiferencia [16].

a) El ateísmo

Ateo es aquel que no cree en Dios, y ateísmo es la doctrina que niega la existencia de Dios. Dicho con palabras de R. Mate,

«el ateísmo es *absentia Dei*, o sea, la construcción de una sociedad no sacral, autónoma, en la que Dios es ignorado o bien reducido a un postulado teórico, sin presencia sociológica en la vida política» [17].

---

[11] J. L. L. Aranguren, *La crisis del catolicismo*, Alianza, Madrid 1969, 165.

[12] Carta Pastoral de los Obispos de Pamplona y Tudela..., o. c., 5.

[13] Cf. J. Stoetzel, *¿Qué pensamos los europeos?*, Mapfre, Madrid 1983; F. A. Orizo, *España entre la apatía y el cambio social. Una encuesta sobre el sistema europeo de valores. El caso español*, Mapfre, Madrid 1984.

[14] Cf. G. Girardi (ed.), *El ateísmo contemporáneo*, 4 vol., Cristiandad, Madrid 1971-1973; J. Gómez Caffarena, *Ateísmo*, en *Conceptos Fundamentales de la Teología*, I, 139-154; G. Pattaro, *Ateísmo*, en *Nuevo Diccionario de Teología*, I, 53-75; K. Rahner, *Ateísmo*, en *Sacramentum Mundi*, I, 456-469.

[15] J. Martínez Cortés, *Sociología de la increencia en España*: «Pastoral Misionera» 21 (1985) 148.

[16] *Ibíd.*, 146; cf. J. Gómez Caffarena, *La entraña humanista del cristianismo*, Verbo Divino, Estella 1987, 176-177.

[17] R. Mate, *El ateísmo, un problema político. El fenómeno del ateísmo en el contexto teológico y político del Concilio Vaticano I*, Sígueme, Salamanca 1973, 133.

Con todo, el ateísmo depende del concepto que se tiene de Dios o de la religión. Según el Vaticano II,

«la palabra ateísmo designa realidades muy diversas. Unos niegan a Dios expresamente. Otros afirman que nada puede decirse acerca de Dios» (GS 19).

La negación de Dios se puede hacer de dos modos, correspondientes a un ateísmo *teórico* (doctrina que niega la existencia de Dios como ser) o a un ateísmo *práctico* (actitud de quien niega a Dios como valor).

De un modo u otro, en todo ateísmo se niega a Dios, a saber, se juzga que no existe.

«En su acepción más general –afirma G. Girardi–, el ateísmo es una actitud existencial en la cual el valor de Dios no es reconocido. (Dios significa aquí el Trascendente que actúa en el mundo). Así, pues, es ateo en este sentido más general todo aquel que no es creyente; es decir, todo aquel que no imprime a su vida un sentido religioso» [18].

En primer lugar, el ateo critica todo intento de demostrar la existencia de Dios, bien por la presencia evidente del mal (incompatible con Dios), bien por la incapacidad humana de alcanzar un conocimiento de lo que llamamos Dios; niega el asentimiento teórico de la fe, considerada como ineficaz o puro mito. En segundo lugar, el ateo se circunscribe a un humanismo cerrado a cualquier trascendencia. Al aceptar únicamente al hombre como algo absoluto, considera que la libertad humana es incompatible con la existencia de Dios. Dicho de otro modo, el ateo entiende que la fe se opone a la plena autonomía del orden secular porque es una alienación. El ateísmo, escribe J. Sobrino,

«ha llegado a ser y se ha establecido ambientalmente cuando se ha dado un doble paso: 1) el desenmascaramiento de la realidad de Dios como innecesaria y deshumanizante (ateísmo profético-liberador que establece la irrelevancia y negatividad de Dios para el hombre) y 2) la explicación de la génesis de la idea de Dios a partir de la naturaleza humana y sus deseos (ateísmo científico que establece la no-identidad de Dios)» [19].

En definitiva, son ateos quienes rechazan el recurso a Dios y dan respuesta únicamente humana a la pregunta por el destino del hombre, bien porque poseen una absoluta confianza en el mismo hombre, bien porque se identifican con algún aspecto humano (ecología, feminismo, partido, pueblo, patria, etc.). En la esencia profunda del ateísmo pretenden ver algunos su relación con el ser humano frente a las contradicciones que provienen del concepto de Dios. El ateísmo, conocido como concepto desde los s. XVI y XVII, se manifiesta y desarrolla como fenómeno social e histórico a partir de la crítica de la Ilustración contra los dogmas e instituciones religiosas. La razón se emancipa totalmente de la fe en Dios, a quien se niega su existencia. Son exponentes clásicos del ateísmo moderno: L. Feuerbach, para el que Dios es una proyección del hombre; K. Marx, según el cual la religión es opio del pueblo, y F. Nietzsche, quien afirma que Dios es resentimiento de frustrados o ilusión infantil.

b) El agnosticismo

Los agnósticos son en el fondo ateos vitales o prácticos. No niegan la existencia de Dios a partir de un sistema, pero viven de hecho como si Dios no existiera. Su sistema de valores prescinde de Dios, hipótesis imposible de verificar. El agnóstico suspende el juicio, no afirma ni niega. Mejor dicho, afirma que el problema de Dios es insoluble, y niega, como consecuencia, que tengamos un conocimiento de Dios. Sólo se preocupa de la ciencia positiva o del saber práctico.

En su primera manifestación importante moderna, después de Kant, el agnosticismo niega la posibilidad de que la razón teórica afirme la existencia de Dios, cuestión remitida únicamente a la razón práctica. Recientemente se ha revalorizado entre nosotros el agnosticismo por la postura que tomó

---

[18] G. Girardi, *Introducción*, en *El ateísmo contemporáneo, o. c.*, 60.

[19] J. Sobrino, *Reflexiones sobre el significado..., o. c.*, 47.

en vida E. Tierno Galván, expresada en sus propios escritos [20]. Según Tierno, «la problemática del agnóstico no es, en ningún caso, una problemática atea. No niega, sino simplemente no entiende» la existencia de un Dios personal trascendente. El agnóstico es «un hombre instalado en la finitud», a saber, en lo contrario de lo trascendente. Al ser Dios una hipótesis inverificable, «el agnóstico se despreocupa de la existencia de Dios porque no admite la posibilidad de verificarlo».

c) La indiferencia

La indiferencia religiosa es una actitud personal que se caracteriza por prescindir de Dios en la vida práctica [21]. Más que increencia, podría denominarse a-creencia. Aparece en el s. XIX bajo la forma de un *indiferentismo religioso* frente a toda forma de comportamiento derivada de lo trascendente [22]. El indiferente declara que no tiene ningún interés religioso; sólo le preocupa conocer la verdad a partir de la religión de la razón; su vida es in-trascendente. La indiferencia religiosa puede ser respecto de todo fenómeno religioso o de toda práctica cristiana. Hay quienes la equiparan a un ateísmo práctico. Según J. B. Lortz, no es ateísmo por negación, sino por insensibilidad [23]. Es un rasgo de la denominada época pos-religiosa o pos-atea.

«El ateísmo –afirma J. A. Vela– niega a Dios, el agnosticismo suspende el juicio frente a Dios; el humanismo ateo afirma al hombre por encima de Dios, la indiferencia religiosa significa no preocupación y desinterés por la dimensión religiosa de la existencia» [24].

Frente a lo que E. Tierno llamó «la instalación en la finitud», propia del agnosticismo, la indiferencia es, según J. Gómez Caffarena, «instalación simplemente pasiva en la vida, a la vez cómoda y desarraigada, de nuestras sociedades consumistas» [25]. En el fondo, la actitud indiferente es más peligrosa para el cristianismo que el mismo agnosticismo [26].

Los indiferentes carecen de oído para lo religioso o prescinden adrede de lo cristiano; están absorbidos por otros problemas o atenciones. Por ejemplo, suplantan lo cristiano por otras religiones civiles (lucha por el Tercer Mundo, Cruz Roja, Derechos humanos, Amnistía, etc.) o por nuevos ídolos: el placer (hedonismo), el dinero (materialismo), la ciencia (cientifismo) o lo práctico (pragmatismo). En general, la increencia es hoy más vivencial o visceral que doctrinal o racional, más pacífica que virulenta, o más a-creencia que anti-creencia, y casi siempre está mezclada, a modo de sincretismo, con componentes de superstición, magia o para-psicología (horóscopos, amuletos, etc.), fruto del pluralismo que se da en la sociedad.

3. Razones de la aparición de la increencia

a) La secularización de la sociedad

La moderna increencia aparece al descomponerse el mundo ideológico unitario antiguo, en el que se identificaba la Iglesia con la sociedad y la religión con la cultura. Dios no era negado; únicamente se discutía la realización del orden social. Las confrontaciones religiosas eran externas (con el islam) o internas (con el ghetto judío). Aparece la in-

---

[20] Cf. J. Gómez Caffarena, *La lección de un agnóstico: Enrique Tierno Galván:* «Sal Terrae» 74 (1986) 195-204; J. García Roca, *A vueltas con Tierno y su agnosticismo:* «Iglesia Viva» 76 (1987) 375-399; J. Martínez Gordo, *El agnosticismo de E. Tierno Galván, un reto al teólogo cristiano,* Institut de Teologia Fondamental, St. Cugat del Vallès 1987. Ver asimismo de E. Tierno, *¿Qué es ser agnóstico?,* Tecnos, Madrid ²1976 y *Yo no soy ateo:* Folletos «Alandar», n. 1.

[21] Cf. Secretariado para los no creyentes, *L'indiferenza religiosa,* Roma 1978; *El indiferentismo religioso:* «Concilium» 185 (1983); A. Charron, *Les divers types de distants. Essais de clarification:* «Nouveau Dialogue» 11 (1975) 3-9.

[22] R. Lamennais publicó en 1827 su obra *Ensayo sobre la indiferencia en materia religiosa.*

[23] Cf. la cita en R. Gibellini, *Más allá del ateísmo.* Informe del Secretariado para los no creyentes sobre la indiferencia religiosa: «Concilium» 185 (1983) 282.

[24] J. A. Vela, *Reiniciación cristiana,* Verbo Divino, Estella 1986, 59.

[25] J. Gómez Caffarena, *La lección de un agnóstico...,* o. c., 201.

[26] Cf. H. Schlette, *Del indiferentismo religioso al agnosticismo:* «Concilium» 185 (1983) 226-240.

creencia con la relativización de supuestos religiosos, el alza de la incertidumbre, el despliegue del pluralismo, la aceptación de la libertad religiosa, el crecimiento de la secularización de la sociedad y la aparición de las críticas a la religión. A partir de la Dieta de Augsburgo (1555), se resquebraja el occidente cristiano; a las divisiones siguen los abandonos. Desde entonces, el axioma «cuius regio eius religio» hace identificar la religión con la región por motivos meramente institucionales, no personales. Al secularizarse la sociedad, pierde vigencia el hecho religioso que la acompañaba.

Recordemos que, a partir de la independencia de los Estados Unidos (1776), se aceptan la tolerancia religiosa y la libertad de conciencia religiosa, y entran en vigor los derechos humanos. Después de la Revolución francesa (1789), es rechazado el «antiguo régimen» (monarquía absoluta, Iglesia dominante, unión trono-altar), y se acepta un nuevo régimen de «libertad, igualdad y fraternidad», fundamentado en el hombre.

Hasta la edad moderna, la Iglesia intervenía por medio de sus instituciones en tres ámbitos característicos: el *educativo*, con sus escuelas y universidades; el *caritativo*, mediante sus hospitales y ayudas sanitarias, y el *potestativo*, con toda clase de asociaciones de influencia bajo el amparo de lo religioso. Con la llegada del mundo moderno, se desarrollan las ciencias positivas o de la naturaleza, cuyo centro es el hombre. A causa del prestigio de estas ciencias consideradas exactas, cobra primacía el aprecio de lo científico, que se opone superficial pero firmemente a lo religioso. También dejan de pertenecer al dominio de la Iglesia el comercio y la economía, la configuración del Estado, la legislación civil, el cuidado de los enfermos, la seguridad social, el arte y la cultura, la investigación y la enseñanza, etc.

Poco a poco aparece el fenómeno de la secularización de la sociedad, que se manifiesta, por un lado, en la reducción de la religión a la esfera de lo privado y, por otro, en la pérdida de influencias de la Iglesia en la sociedad, al disminuir la función integradora de la religión en el ámbito social. Es decir, la cultura religiosa deja de impregnar poco a poco a las instituciones de la sociedad, y pierden poder e influencia las instituciones de la Iglesia,

eclesiásticas y temporales. Favorece el crecimiento de la increencia la vida social laica autónoma que se desarrolla paulatinamente en occidente, y que en España crece precipitadamente después del franquismo.

No hay que olvidar, además, la estructura profundamente injusta de la sociedad actual, sobre todo la occidental, que contradice la voluntad de Dios de establecer su reino. Este sistema social es, por eso mismo, generador de ateísmo por ser negador de la realidad de Dios, entendido como omnipotente desde el poder de dominación. Difícilmente encuentra el cristiano en la sociedad actual puntos de apoyo para religarse con el Dios revelado en Jesucristo [27]. Dios está siempre ausente de una sociedad en la medida que se adoran otros ídolos.

b) *Las críticas modernas a la religión*

Justamente el Vaticano II, al considerar el ateísmo «en su total integridad», afirma que

«no es un fenómeno originario, sino un fenómeno derivado de varias causas, entre las que se debe contar también la reacción crítica contra las religiones y, ciertamente, en algunas zonas del mundo, sobre todo contra la religión cristiana» (GS 19).

Las críticas a la religión o al cristianismo surgen modernamente como reacción contra determinadas formas de expresión religiosa, como articulación de convicciones propiamente seculares y como estímulo de cambio de conciencia, al considerar insuficiente, inútil o nefasto el hecho religioso [28]. En la crítica radical a la religión se afirma que el hombre fabrica el hecho religioso. Dicho con Unamuno, creer es crear. De ahí que la religión sea considerada como alienación.

Los primeros críticos modernos de la religión proceden de la Ilustración.

«Fueron ellos –afirman H. Assmann y R. Mate–

---

[27] Cf. J. L. Segundo, *Nuestra idea de Dios*, Buenos Aires 1970.

[28] Cf. H. Zirker, *Crítica de la religión*, Herder, Barcelona 1985; K. H. Weger (dir.), *La crítica religiosa en los tres últimos siglos. Diccionario de autores y escuelas*, Herder, Barcelona 1985.

quienes primero formularon la doble sentencia que caracteriza la esencia de la crítica de la religión, a la que se refiere Marx: la religión, como teoría psicológica del conocimiento, es el fruto de prejuicios y del miedo; la religión además es una ido-logía de la sociedad» [29].

La crítica a la religión llega a ser radical con F. Engels y K. Marx, quienes juzgan no sólo el fenómeno religioso o sus manifestaciones, sino sus fundamentos y presupuestos. Marx critica la funcionalidad de las Iglesias, la identificación burguesa de la religión y la construcción supernaturalista del cristianismo en la medida en que el mundo religioso

«es concebido como objetivación y materialización de las aspiraciones irrealizadas del hombre» [30].

4. El fenómeno de la idolatría

Frente al fenómeno de la increencia, típica del mundo occidental, se plantea teológica y pastoralmente en el tercer mundo –sobre todo en el continente latinoamericano– la idolatría. El punto de partida de Medellín, por ejemplo, no es la negación atea de Dios, sino el rechazo de Dios por la negación del pobre, ya que el pueblo sufre injustamente una pobreza que «clama al cielo» (Justicia, 1). Esta situación se reconoce contraria a la voluntad de Dios y constituye un gravísimo pecado. Puebla hace suyos estos diagnósticos y señala las causas, debidas sobre todo a dos grandes ídolos: la riqueza (n. 493) y el poder político (n. 500). Precisamente cuando se absolutizan la propiedad privada y la voluntad de dominio se atenta contra el reinado de Dios y se llega con facilidad a la «violencia institucionalizada». Los ídolos se constituyen entonces en divinidades contrarias a Dios porque dominan, oprimen y producen en el pueblo víctimas. Los ídolos –escribe J. Sobrino– son

«realidades históricas que fungen como verdaderas divinidades, que reclaman para sí las características de toda divinidad: ultimidad, autojustificación, into-

cabilidad. Esos ídolos exigen un culto, una praxis y hasta una ortodoxia. En cuanto falsas divinidades, no otorgan la salvación que prometen, pues deshumanizan a sus adeptos; pero, sobre todo, producen numerosas víctimas por necesidad. Desde el punto de vista de la fe, estos ídolos son contrarios al Dios verdadero» [31].

Uno de los grandes retos de la teología y de la acción pastoral es, pues, la negación de Dios. Pero así como la increencia produce la pérdida del sentido de la vida, la idolatría conduce a la pérdida misma de la vida de millones de seres abandonados a su suerte.

«La humanidad –dice J. Sobrino– está más masivamente bajo el yugo de la idolatría que bajo el ateísmo del primer mundo» [32].

Dios está ausente en el ateísmo, pero está crucificado en la idolatría. El pueblo históricamente crucificado, escribió I. Ellacuría,

«es la continuación histórica del siervo de Yahvé, al que el pecado del mundo sigue quitándole toda figura humana, al que los poderes de este mundo siguen despojando de todo, le siguen arrebatando la vida, sobre todo la vida» [33].

Precisamente la idolatría es siempre pecado, al paso que el ateísmo puede no serlo. Por consiguiente, el binomio teológico y pastoral más importante es *fe-idolatría*, más que *fe-ateísmo*.

«Unas teologías –resume J. Sobrino– intentan enfrentarse al ateísmo en directo y recuperar así a Dios y al hombre. Otras, aparentemente más modestas, intentan ante todo combatir a los ídolos, exigir y animar al hombre a la práctica de la justicia, de la solidaridad con las víctimas, con la esperanza también –fundada en la experiencia– de que en ellos se haga presente Dios, y el Dios de Jesucristo» [34].

---

[29] H. Assmann y R. Mate, *Karl Marx - Friedrich Engels. Sobre la religión*, Sígueme, Salamanca 1974, 12.

[30] *Ibíd.*, 36.

[31] J. Sobrino, *Reflexiones sobre el significado...*, o. c., 51.

[32] *Ibíd.*, 52.

[33] I. Ellacuría, *Discernir el «signo» de los tiempos*: «Diakonía» 17 (1981) 58.

[34] J. Sobrino, *Reflexiones sobre el significado...*, o. c., 76.

5. Actitudes cristianas ante la increencia

a) El diálogo con los increyentes y el análisis de las raíces de la increencia

Una de las primeras confrontaciones teológicas y cristianas con la increencia moderna, y en concreto con el ateísmo, se debe a D. Bonhöffer, al instar a reconocer la mundanidad del mundo y su condición adulta [35]. Entre los católicos han examinado este problema K. Rahner y H. Urs von Balthasar.

> «Quien luche contra el ateísmo como fenómeno social de masas –escribió K. Rahner–, en primer lugar debe tomarlo en serio y conocerlo, ha de valorar sus causas y argumentos, confesando tranquila y abiertamente que con frecuencia se ha abusado del teísmo y se lo ha convertido en opio del pueblo; debe desarrollar además un diálogo auténtico y sincero con los ateos, aceptando todos sus presupuestos y exigencias y, en consecuencia, estando incluso dispuesto a colaborar con los ateos en la configuración del mundo» [36].

De ordinario calificamos el fenómeno de la increencia con términos a los que preceden partículas negativas como no-creencia, in-diferencia, a-gnosticismo, a-teísmo. En realidad, la increencia no entraña hoy necesariamente una actitud negativa. Más que un comportamiento antirreligioso o anticristiano, es un modo de proceder posreligioso o poscristiano. Precisamente los increyentes o los incrédulos acusan a los creyentes de excesiva credulidad o superstición, con los supuestos de que Dios es ineficaz e inútil, la experiencia religiosa es falsa, y peligroso el dualismo entre lo divino y lo humano. A muchos increyentes les importa poco plantearse el sentido último de la vida; en cualquier caso, lo resuelven sin apelación a la trascendencia. Hoy se califican de «ateísmos morales» a los sistemas que prescinden de Dios y todo lo deducen del hombre o de un nuevo humanismo.

b) El rescate de la imagen de Dios, frecuentemente deformada por los mismos cristianos

El diálogo con la increencia exige purificar la imagen de Dios de toda clase de supersticiones y mostrar la autonomía del hombre y de su libertad frente al misterio de Dios, a quien se le conoce mediante la fe y la conversión. El Vaticano II reconoce que

> «en la génesis del ateísmo pueden tener parte (de responsabilidad) no pequeña los propios creyentes, en cuanto que, con el descuido de la educación religiosa, o con la exposición inadecuada de la doctrina, o incluso con los defectos de su vida religiosa, moral y social, han velado más bien que revelado el genuino rostro de Dios y de la religión» (GS 19).

No se olvide que las creencias han sido sostenidas por medio de un apoyo social, que J. Martínez Cortés lo describe como

> «sistema de plausibilidad –cuya pieza fundamental fue el sacerdocio ministerial– ha sido institucionalizada en una estructura organizativa extraordinariamente trabada: la Iglesia jerárquica» [37].

Sin duda alguna, hoy se manifiesta un gran sentido crítico frente a la Iglesia como institución religiosa, al paso que se muestran las deficiencias de la educación cristiana sin un mínimo proceso iniciatorio, dentro de los pluralismos sociales y competencias múltiples religiosas que se ofrecen frente a la cosmovisión católica.

La crisis de Dios en el mundo contemporáneo como crisis de fe no sólo es efecto de múltiples factores ideológicos y simbólicos de las ciencias y de la técnica, de la transformación económica o de la toma de conciencia política, sino que procede también del mismo carácter del cristianismo, ya que Jesús nos hace presente un Dios con dimensión humana. En este sentido, el cristianismo provoca una crisis de nuestra relación con Dios. Por otra parte, hemos heredado la imagen, nada evangélica, de un Dios como ser acabado y objetivo, al margen de la historia, fuera del cual los hombres no tienen parte

---

[35] B. Groth, *Ateísmo* (II. *Moderno*), en R. Latourelle y R. Fisichella (eds.), *Diccionario de teología fundamental*, Paulinas, Madrid 1992, 137.

[36] K. Rahner, *Ateísmo*, en *Sacramentum Mundi*, Herder, Barcelona 1973, I, 468.

[37] J. Martínez Cortés, *Sociología de la increencia en España*, o. c., 146.

real en el desarrollo de la creación ni en la implantación del reino. Y sin embargo, Jesús se inscribe en una historia particular y concreta.

A la hora de defender a Dios, los teólogos cristianos han intentado defender a la persona humana, mostrando que se deshumaniza sin Dios. Dios es, pues, necesidad total para la humanización del hombre. De ahí que K. Rahner rechace la disyuntiva entre autonomía del hombre y autonomía de Dios y defienda la intrínseca relación entre el misterio de Dios y la salvación del hombre. El Dios del futuro no coarta la libertad de la persona humana, ser constituido en la esperanza y en la libertad. No sólo el ateísmo lleva al sinsentido y a la deshumanización del hombre, sino que la muerte de Dios es la muerte del hombre.

c) La referencia fundamental a la exigencia de lo ético

La lucha frente a la increencia –nos recuerda K. Rahner–

«no puede centrarse sólo en el campo de la doctrina; más bien se ha de combatir sobre todo mediante el testimonio vivo de cada cristiano y de la Iglesia entera, mediante una continua autocrítica, purificación y renovación, mediante el argumento de una vida religiosa que esté libre de superstición y de seguridad. A estas armas han de sumarse la práctica de la justicia, de la unidad y del amor verdaderos y, con ello, el testimonio de que un hombre, creyendo y esperando, puede aceptar la penumbra de la existencia como nacimiento de un nuevo sentido infinito para ésta, el cual es precisamente el Dios absoluto, que se comunica a sí mismo» [38].

Recordemos que el criterio último de verificación cristiana reside, según los evangelios, en el comportamiento con el necesitado, en el amor al hermano y en la donación de la propia vida, a saber, en «hacer la verdad» (Jn 3, 1) o las obras en las que encontramos a Dios. Lo último y definitivo no es lo que uno piensa, sino lo que uno hace.

«La relación del hombre con Dios –escribe J. So-

brino– no está adecuadamente descrita por el lenguaje de conocer o no conocer, sino por el de reconocer o desconocer» [39].

En definitiva,

«el remedio del ateísmo –afirma la constitución *Gaudium et spes*– hay que buscarlo en la exposición adecuada de la doctrina y en la integridad de la vida de la Iglesia y de sus miembros».

Esto se logra, dice este documento más adelante, «con el testimonio de una fe viva y adulta» y el compromiso de «la justicia y el amor, sobre todo respecto del necesitado» (GS 21).

d) Un firme propósito evangelizador

El evangelizador en el mundo de la increencia, con fe viva y personal, ha de saber comunicarla a los no creyentes de un modo relacional. De una parte, la presencia del cristiano en la sociedad secular ha de ser semejante a la de Jesús de Nazaret en la sociedad de su tiempo, bajo la forma de una comunicación y de un compromiso desde las exigencias del reino. De otra, el evangelio alude a un límite humano que el cristiano ha de sobrepasar, al recomendar, dentro del nuevo mandato, el amor hasta el final.

Hay muchos que, sin conocer la fe, explicitarla e incluso tenerla, se consideran agnósticos o ateos, verifican con sus vidas las exigencias del reino de Dios porque practican, de hecho, el evangelio. Aunque no tienen fe, son en realidad personas de «buena fe» o, si se quiere, de «fe implícita». Sin embargo, su fe no es identificable, ya que ni siquiera tienen un mínimo de fe. Se realizan humanamente por caminos seculares, a saber, mediante la coherencia entre su conciencia ética y su compromiso personal.

Otras personas –sin duda minoría– poseen una fe explícita, ya que reconocen virtualmente la realidad de Jesucristo en su relación con Dios y con el Espíritu. Esta fe no es ajena o separable de aquella «buena fe» o de una vida en estado de justicia (cf.

---

[38] K. Rahner, *Ateísmo*, o. c., 468.

[39] J. Sobrino, *Reflexiones sobre el significado*, o. c., 58.

LG 16). La fe es, en definitiva, salud en cuanto se traduce en actos de caridad, no exclusivamente credo que se recita mecánicamente. Dicho de otro modo, hay una fe (la «buena fe») antes de la fe explícita, y una conversión (el compromiso con los hermanos) previa a la conversión al evangelio de Jesús.

El objetivo de la evangelización, que es la fe compromisual, abarca dos aspectos relacionados entre sí, ya que «las realidades profanas y las de la fe tienen su origen en el mismo Dios» (GS 36). Un aspecto es la actitud vital de compromiso o de caridad; el otro es el reconocimiento personal del don de Dios a partir de la creencia o «fe embrionaria», que se halla en toda persona de buena fe. Pero la fe cristiana, en la medida que acepta y asume el evangelio de Jesús revelador de Dios, no se identifica sin más con la experiencia humana. Tampoco es apertura vaga o general a la trascendencia, ni es creer en un Dios más o menos difuminado. Es aceptar el evangelio con esta novedad radical: Jesús es el primer resucitado de la nueva creación.

Bibliografía

A. Blanch, *Crónicas de la increencia en España*, Fe y Secularidad / Sal Terrae, Madrid / Santander 1988; Carta Pastoral de los Obispos de Pamplona y Tudela, Bilbao, San Sebastián y Vitoria, *Creer en tiempos de increencia*, Cuaresma-Pascua de Resurrección, 1988; S. del Cura Elena, *Ateísmo e increencia como tema de la teología: el desarrollo en España de 1965 a 1987*: «Salmanticensis» 35 (1988) 201-241; G. Girardi (ed.), *El ateísmo contemporáneo*, 4 vol., Cristiandad, Madrid 1971-1973; J. Gómez Caffarena, *Ateísmo*, en *Conceptos Fundamentales de la Teología*, I, 139-154; id., *Raíces culturales de la increencia*, Fe y Secularidad / Sal Terrae, Madrid / Santander 1988; J. Martín Velasco, *Increencia y evangelización. Del diálogo al testimonio*, Sal Terrae, Santander 1988; R. Mate, *El ateísmo, un problema político. El fenómeno del ateísmo en el contexto teológico y político del Concilio Vaticano I*, Sígueme, Salamanca 1973; G. Pattaro, *Ateísmo*, en *Nuevo Diccionario de Teología*, I, 53-75; K. Rahner, *Ateísmo*, en *Sacramentum Mundi*, I, 456-469; Varios, *Evangelizzazione e ateismo*, Universidad Urbaniana, Roma 1981; Secretariado para los no creyentes, *L'indifférence religieuse* (Le Point Théologique, 4), Beauchesne, París 1983; id., *La foi et l'athéisme* (Cultures et Dialogue, 3), Desclée, París 1988; K. H. Weger (ed.), *La crítica religiosa en los tres últimos siglos. Diccionario de autores y escuelas*, Herder, Barcelona 1988; H. Zirker, *Crítica de la religión*, Herder, Barcelona 1988.

Números especiales de revistas: *La fe cristiana ante el ateísmo contemporáneo*: «Concilium» 16 (1966); *Pastoral del ateísmo*: «Concilium» 23 (1967); *Ateismo e religione*: «Euntes Docete» 35 (1982/1); *El indiferentismo religioso*: «Concilium» 185 (1983); *La increencia en España*: «Pastoral Misionera» 21 (1985/2); V Congreso de Teología, *Dios de vida, ídolos de muerte*: «Misión Abierta» (noviembre, 1985); *La increencia hoy en España*: «Sal Terrae» 74 (1986/3).

12

Inculturación de la fe y evangelización de la cultura

Evangelizar es descubrir la presencia de Dios en la conciencia personal y colectiva con objeto de suscitar la fe, fomentar la comunidad cristiana y hacer presente, desde la opción por los pobres, el reino de Dios. Pero antes de la Biblia, con cuya palabra discernimos esa presencia, está el libro de la vida, escrito también por Dios. La evangelización exige auscultar al Dios del reino y al reino de Dios en la historia, en la vida y en la cultura de los pueblos.

«El reino que anuncia el evangelio –afirmó Pablo VI– es vivido por hombres profundamente vinculados a una cultura, y la construcción del reino no puede por menos de tomar los elementos de la cultura y de las culturas humanas» (EN 20).

Hoy, sin embargo, nos encontramos en un mundo secular, cuya cultura se ha desarrollado al margen del evangelio. Hay una ruptura entre evangelio y cultura. Ciertamente, la cultura moderna ha hecho grandes servicios, pero exige ser clarificada a la luz del mensaje cristiano por parte de los creyentes. Algunas culturas actuales se presentan opacas a la fe, bien porque el cristianismo se identificó excesivamente con una tradición cultural hoy sobrepasada, bien porque ciertas cosmovisiones culturales son indiferentes al mensaje de Jesucristo. De ahí que se plantee la cultura como objeto de evangelización.

1. Qué es cultura

a) El concepto de cultura

El término cultura viene del verbo. *colere*, que significa cultivar el campo. Según esta etimología, los *nómadas* son incultos (*incolae*), ya que no cultivan. Cicerón dio un gran paso al hablar de *cultura animi* o proceso formativo personal, concepto que ha llegado hasta nuestros días. Al distinguirse desde el s. XVIII entre «ciencias de la naturaleza» y «ciencias del espíritu», la *cultura* se relaciona más con el cultivo personal (*colere seipsum*) que con el cultivo del campo. La distinción entre naturaleza y cultura ha dado origen, precisamente, a la antropología cultural y social.

Pero no todos comprenden la cultura de la misma manera. Algunos la entienden restrictivamente como cúmulo de conocimientos. Ponen el acento en las informaciones o en los datos. Según esta opinión, una persona culta sabe mucho y una inculta sabe poco o nada. El saber se entiende desde el conocimiento, no desde lo afectivo, ético o práctico. Así se llegó a pensar que había pueblos cultos (los europeos) y pueblos incultos (los del Tercer Mundo). Se menospreciaban otras formas de vida, de pensamiento y de acción porque se tomaba la cultura en un sentido elitista; a saber, cultura como fruición del arte, literatura, teatro, música, etc. Así, una persona culta es la que ha hecho una síntesis de diversos datos, a ser posible exquisitos. Esta concepción elitista se puso en crisis a comienzos de este siglo, cuando se comprobó que hay culturas importantes no europeas (las asiáticas, por ejemplo) y que subsiste una cultura *popular* distinta de la cultivada (por ejemplo en América Latina).

La cultura es entendida más ajustadamente como aquello que es específicamente humano, o la actividad que contribuye a que la persona alcance una verdadera y plena humanidad. Es cultura –afirma L. Boff–

«todo cuanto hace el ser humano –bien sea como individuo (hombre o mujer), bien sea como colectividad–, incluido aquello que se hace con él y aquello que él, al hacer o al dejarse hacer, pretende significar para sí y comunicar a los demás» [1].

FOMENTO DEL PROGRESO CULTURAL

«Es propio de la persona humana el no llegar a un nivel verdadera y plenamente humano si no es mediante la cultura, es decir, cultivando los bienes y los valores naturales. Siempre, pues, que se trata de la vida humana, naturaleza y cultura se hallan unidas estrechísimamente.

Con la palabra *cultura* se indica, en sentido general, todo aquello con lo que el hombre afina y desarrolla sus innumerables cualidades espirituales y corporales; procura someter el mismo orbe terrestre con su conocimiento y trabajo; hace más humana la vida social, tanto en la familia como en toda la sociedad civil, mediante el progreso de las costumbres e instituciones; finalmente, a través del tiempo, expresa, comunica y conserva en sus obras grandes experiencias espirituales y aspiraciones para que sirvan de provecho a muchos, e incluso a todo el género humano.

De aquí se sigue que la cultura humana presenta necesariamente un aspecto histórico y social y que la palabra *cultura* asume con frecuencia un sentido sociológico y etnológico. En este sentido se habla de la pluralidad de culturas. Estilos de vida común diversos y escalas de valor diferentes encuentran su origen en la distinta manera de servirse de las cosas, de trabajar, de expresarse, de practicar la religión, de comportarse, de establecer leyes e instituciones jurídicas, de desarrollar las ciencias, las artes y de cultivar la belleza. Así, las costumbres recibidas forman el patrimonio propio de cada comunidad humana. Así también es como se constituye un medio histórico determinado, en el cual se inserta el hombre de cada nación o tiempo y del que recibe los valores para promover la civilización humana».

Gaudium et spes, 53.

b) La cultura tiene, en cada pueblo, un sentido de globalidad

Según Juan Pablo II,

«lo que caracteriza a un pueblo es precisamente su cultura, sus formas de expresar el propio ser y sentir, sus valores y desvalores, sus creaciones, sus modos de relacionarse, de trabajar, de celebrar la vida» [2].

La cultura abarca –escribe P. Suess–

«la globalidad de la vida de un determinado grupo étnico o social. No hay cultura de la humanidad. La cultura es un distintivo entre los pueblos, no una suma total» [3].

Por supuesto, la cultura no se refiere sólo a lo racional o a los conocimientos, sino a la producción material, al comportamiento social, a la creación intelectual y a la vida espiritual de un pueblo. El Concilio afirma que la cultura es el cultivo de «los bienes y valores naturales» (GS 53) para lograr una «plena madurez humana», mediante el dominio del mundo y avance de la creación (GS 57), la perfección del hombre y de la mujer (GS 57), la edificación de un mundo en la justicia (GS 55) y la entrega al servicio de los demás (GS 57). En esta línea conciliar, Puebla afirma que

[1] L. Boff, *La nueva evangelización. Perspectivas de los oprimidos,* Sal Terrae, Santander 1991, 24.

[2] Juan Pablo II, Discurso en Montevideo (Uruguay) el 7 de mayo de 1988.

[3] P. Suess, *Inculturación,* en I. Ellacuría y J. Sobrino (eds.), *Mysterium liberationis,* vol. II. Trotta, Madrid 1990, 382.

«con la cultura se indica el modo particular cómo, en un pueblo, los hombres cultivan su relación con la naturaleza, entre sí mismos y con Dios (GS 53b), de modo que puedan llegar a un nivel verdadera y plenamente humano (GS 53a). Es el estilo de vida común (GS 53c) que caracteriza a los diversos pueblos; por ello se habla de pluralidad de culturas (GS 53c)» (DP 386).

La cultura posee, pues, una triple relación: 1) con la naturaleza, es decir, con el orbe y todos los bienes; 2) con los demás, mediante el progreso, las costumbres y las instituciones; 3) con Dios a través de la fe, la práctica religiosa y el comportamiento moral. Es decir,

«la cultura abarca la totalidad de la vida de un pueblo: el conjunto de valores que lo animan y de desvalores que lo debilitan y que, al ser participado en común por sus miembros, los reúne sobre la base de una misma conciencia colectiva» (DP 387).

Es el conjunto de fenómenos sociales de diferente carácter (religioso, moral, estético, técnico o científico) que caracterizan a un grupo humano. Abarca toda la vida práctica: valores morales, vida religiosa, lenguaje, estilo familiar, juegos, política, cocina, oficios, etc. Según J. Lacroix,

«el fin de la cultura es la plena realización de todas las virtualidades humanas» [4].

c) La cultura revela al ser humano

La cultura –dice P. Poupard– es el modo de expresión y de realización de la persona y el factor que marca a un pueblo [5]. Es el estilo de vida de un pueblo, su conciencia colectiva, su personalidad. En el fondo de la cultura popular está la religión. La cultura abarca varios elementos: conocimientos, creencias, valores y normas, símbolos, instituciones y estructuras. Es lo que revela al ser humano. La persona humana hace la cultura, y la cultura hace a la persona humana. Sin cultura no hay humanidad y sin humanidad no hay cultura. Dicho de otro modo, llegar a ser persona es llegar a tener una cultura. El Concilio afirma que

«el hombre no llega a un nivel plenamente humano sino por la cultura, es decir, cultivando los bienes y valores naturales. Siempre, pues, que se trate de la vida humana, naturaleza y cultura se hallan ligadas estrechísimamente» (GS 53).

Para entender qué es la persona humana, se responde con una interpretación de todos los datos culturales, filosóficos y teológicos. Lo cierto es que en estos últimos años se manifiesta un resurgir de las culturas y una toma de conciencia cultural para que el ser humano se identifique de nuevo.

d) La cultura puede ser manipulada

La cultura se forma o deforma continuamente y evoluciona lenta, pero incesantemente. Le afectan muchos factores: clima, geografía, sistema político, dimensión religiosa, historia, etc. Se transmite familiarmente de padres a hijos, en los grupos de amigos, en la escuela, en las fiestas. Todos estamos condicionados por la cultura e influidos por la misma en nuestros comportamientos, creencias, religiosidad, valores morales, etc.

Cuando el poder está en pocas manos –en las dictaduras sobre todo–, la cultura puede convertirse en ideología, instrumento de dominio y de explotación de una minoría sobre una mayoría. Se convierte en pura propaganda. En cambio, cuando el poder es dividido entre muchos y participado, la cultura no tiene tanto peligro de que se manipule. Pero la cultura no es neutra: es un mito la bondad automática de la cultura. Se la puede instrumentalizar. Hay que ser conscientes y críticos en este punto. También se puede destruir brutalmente la cultura de un pueblo por intereses de una cultura dominante.

2. Relación entre las culturas

a) Hay pluralidad de culturas

Hay pluralidad de culturas y estilos de vida (GS 53), ya que hay diferentes escalas de valores, modos de trabajar, prácticas religiosas, artes, instituciones,

---

[4] Cf. la cita en P. Poupard, *Iglesia y culturas. Orientación para una pastoral de la inteligencia*, Edicep, Valencia 1988, 16.
[5] *Ibíd.*, 16-17.

etc. Siempre se han dado varias culturas, tantas como grupos humanos, diacrónica o sincrónicamente. Esto demuestra la plasticidad del ser humano. Al menos hay tantas culturas como lenguas, ya que el lenguaje y el modo de hablar, expresarse o comunicarse identifican a los pueblos. La cultura correspondiente al catolicismo popular, especialmente advertible en los países de América Latina, hace referencias continuas a Dios en circunstancias adversas o favorables, es sensible a la acogida, favorece la solidaridad y apoyo mutuo a la hora de un desastre o de la muerte, comparte espontáneamente la vida y sus dones, y es eminentemente festiva. Al mismo tiempo, valora peculiarmente el tiempo, hace gala de un «machismo» antifeminista, le fascina lo extranjero y tiende a improvisar por falta de constancia.

Con la secularización de la sociedad han aparecido culturas nuevas ajenas a lo religioso. Por ejemplo la cultura laica o laicista que afecta sobre todo a las nuevas generaciones. También se advierten hoy nuevas culturas en el mundo del trabajo, de la mujer, de la ciencia y de la técnica, de los medios de comunicación, de la política, etc. Hay asimismo culturas de países desarrollados y no desarrollados. La cultura de la sociedad del bienestar, por ejemplo, es racional y técnica, promotora del progreso, con un desmedido afán de confort; es consumista y mercantilista, controladora, secular y secularizante. En cambio, la cultura de los países subdesarrollados, en general es de tipo popular, va unida a lo religioso y a ciertos valores humanos; no es mercantilista, aunque rechaza, a veces, la modernidad. Por su apego a la tradición, es poco crítica; de ahí que se concilie mal con la razón.

b) Relación entre dos culturas

En la coexistencia actual de culturas puede verse la permanencia de un fondo cultural arcaico, conservador y fijista, mezclado a veces con horóscopos, amuletos, brujerías, etc. También se advierte la presencia de una nueva cultura popular activa, dinámica y transformadora al servicio del pueblo, aunque al mismo tiempo crece la cultura de masas, consumista y transnacional que no favorece al pueblo.

A veces las culturas están en conflicto por la tendencia o tentación de imponerse una sola cultura. Si una cultura absorbe a otra, hay empobrecimiento; cuando se respetan, hay enriquecimiento. La pretensión de una mono-cultura es inadmisible. Existe la cultura materna, esencial en el crecimiento de la persona. Recordemos que las primeras experiencias religiosas se llevan cabo en familia y en la lengua materna. Pero a veces hay dos culturas, una de las cuales es la oficial o dominante y la otra es la dominada. Los niños, con más facilidad para aprender otro idioma, se introducen más pronto en otra cultura, que suele ser la dominante.

En la relación entre dos culturas caben tres alternativas: 1) La primera está caracterizada por el *aislamiento*, cuando el grupo se mantiene al margen de la cultura dominante, ya que la rechaza. Hay oposición a aprender otro idioma y otras costumbres. Esta postura no es aconsejable. 2) La segunda está representada por la *asimilación*, cuando se renuncia totalmente a la lengua y cultura propias para diluirse en la cultura dominante. No se habla el idioma propio ni se conservan las costumbres y tradiciones. No es tampoco postura aceptable. 3) La tercera viene dada por la *integración*, mediante la cual se trata de hacer dos cosas: participar del todo en el país donde se vive (aprender el idioma, conocer su historia, etc.) y mantener la propia identidad cultural (lengua, tradiciones, costumbres, valores). A la cultura nueva –entre dos culturas– se llama «cultura del guión» *(hyphen culture)*. Esta postura de integración, por ejemplo, es la aceptada por el II Encuentro Nacional de los Hispanos en Estados Unidos (n. 9).

3. La inculturación de la fe

a) El término «inculturación»

Durante algún tiempo se usó el término *adaptación*, que equivale a tener en cuenta la situación cultural de un pueblo a la hora de proponer el evangelio. Fue empleado por el Vaticano II y *Evangelii nuntiandi*, pero se descartó porque entrañaba el peligro de una adulteración del evangelio y mostraba una insuficiente encarnación de la fe; desde el III Sínodo, apenas se emplea. Lo rechazaron los obispos africanos en el Sínodo del 74, quienes sugirieron el vocablo *indigenización*, que no tuvo éxito debido a las connotaciones de la palabra *indígena*. El Consejo Mundial de las Iglesias propuso la palabra *contextualización*, descartada pronto porque no tenía en cuenta todo lo medular de la cultura. Tampoco se ha impuesto el término *acomodación*, utilizado por algunos alemanes; es casi sinónimo de adaptación.

El término *aculturación* fue usado por antropólogos norteamericanos a finales del siglo pasado. Desde hace unas décadas equivale en ciertas áreas de pensamiento a encuentro de dos culturas o a su posible intercambio, bien de absorción de una por otra o de síntesis de ambas. El concepto actual de *inculturación* fue ideado por M. J. Herskovits en 1952 y aplicado por primera vez a la Iglesia por Masson en 1962 [6]. Posteriormente lo elaboraron teológicamente jesuitas japoneses de la Universidad Sofía en la década de los 70 y se aceptó en la Asamblea de Conferencias Episcopales de Asia en 1974; en 1975 lo usó la Congregación General de la Compañía de Jesús. Aunque Puebla no emplea el término *inculturación*, habla de «encarnar la fe en una cultura» (n. 400), que viene a ser lo mismo. El término inculturación fue pronunciado en el IV Sínodo sobre la catequesis de 1977 por el cardenal Sin, de Manila. Oficialmente fue usado por primera vez en la exhortación apostólica *Catechesi tradendae* de 1979, cuando se dice que

«el término aculturación o inculturación, además de ser un hermoso neologismo, expresa muy bien uno de los componentes del gran misterio de la encarnación. De la catequesis, como de la evangelización en general, podemos decir que está llamada a llevar la fuerza del evangelio al corazón de la cultura y de las culturas» (n. 53).

En la alocución al Consejo Pontificio para la Cultura, del 20 de mayo de 1982, Juan Pablo II afirmó que

«la síntesis entre fe y cultura no sólo es una exigencia de la cultura, sino de la fe. Una fe que no llega a con-

vertirse en cultura es una fe no plenamente acogida, no totalmente pensada y no fielmente vivida» [7].

Según Juan Pablo II,

«la inculturación es la encarnación del evangelio en las culturas autóctonas y, a la vez, la introducción de éstas en la vida de la Iglesia» [8].

El vocablo inculturación se usó asimismo en el Sínodo extraordinario de 1985:

«La inculturación es diversa de la mera adaptación externa, porque significa una íntima transformación de los auténticos valores culturales por su integración en el cristianismo y la radicación del cristianismo en todas las culturas» [9].

También lo emplea Juan Pablo II en la encíclica *Slavorum apostoli*:

«como el esfuerzo de la Iglesia para hacer penetrar el mensaje en un ambiente socio-cultural determinado, llamándolo a crecer según todos sus propios valores, una vez que éstos son conciliables con el evangelio» [10].

Entendido como «una profunda evangelización del cristiano africano», aparece con frecuencia en los *Lineamenta*, publicados en 1990 como preparación del sínodo especial para Africa, convocado por Juan Pablo II el 6 de enero de 1989 [11].

Algunos usan los términos *enculturación, interculturación* o incluso *transculturación*. Pero en definitiva se ha impuesto el vocablo *inculturación*.

b) *Significado de la inculturación*

La inculturación equivale a encuentro de la cultura con el evangelio. Es el proceso mediante el

---

[6] Cf. A. Tornos, *La nueva teología de la cultura. Los cambios de lenguaje de los documentos oficiales de la Iglesia, a partir del Vaticano II*: «Estudios Eclesiásticos» 66 (1991) 19-26.

[7] Juan Pablo II, Carta al Secretario de Estado, 20 de mayo de 1982.

[8] Cf. Juan Pablo II, Encíclica *Slavorum apostoli*, en el undécimo centenario de los santos Cirilo y Metodio, 2 de julio de 1985.

[9] Documento final, II, D), 4.

[10] Encíclica *Slavorum apostoli*, n. 21.

[11] *L'Église en Afrique et sa mission évangélisatrice vers l'an 2000. «Vous serez mes témoins»*, Lineamenta, Ciudad del Vaticano 1990.

cual se reconocen y asumen críticamente desde el evangelio los valores de una cultura, de tal modo que se pueda expresar en ella el mensaje cristiano. Según el P. Arrupe,

«inculturación es la encarnación de la vida y del mensaje cristiano en un contexto cultural particular, de tal manera que esta experiencia no solamente encuentre expresión a través de elementos propios de la cultura en cuestión (esto no sería más que una adaptación superficial), sino que se convierta en el principio que anima, dirige y unifica la cultura, transformándola y rehaciéndola para lograr una nueva creación» [12].

De este modo, las personas y pueblos viven y expresan el evangelio con su propia identidad cultural. Por ejemplo, el evangelio se inserta en una cultura humana como el casamiento cristiano se inserta en el casamiento romano o el sentido del bautismo en un baño existente.

«La inculturación –afirma el II Sínodo extraordinario de 1985– es diversa de la mera adaptación externa, porque significa una íntima transformación de los auténticos valores culturales por la integración del cristianismo en todas las culturas humanas».

La inculturación es un elemento constitutivo de la evangelización.

«Normalmente -afirma Cl. Geffré–, el evangelio debe asumir todos los valores positivos de una cultura dada, sobre todo si se presta atención al hecho de que en Africa o en Asia los valores culturales son indisociables de los valores de una gran tradición religiosa» [13].

Aunque evangelio y cultura no se identifican, no es posible su separación. Es más, la evangelización no se realiza del todo si no penetra

«en profundidad y hasta sus mismas raíces la cultura y las culturas del hombre» (EN 20).

c) Experiencias históricas de inculturación

Recordemos que el primer problema pastoral de la Iglesia en su interior surgió por la inculturación del evangelio. En realidad, nunca se da el evangelio abstracto; el mensaje evangélico existe desde sus comienzos inculturado. La Iglesia nació, en el contexto cultural judío, como el «nuevo Israel» –con idioma arameo–, pero pronto se extendió la fe a otro mundo cultural distinto, de lengua griega. Se produjo una división entre «hebreos» (de tradición cultural judía) y «helenistas» (sin apegos a la ley judía, a la circuncisión y al templo), según puede verse en el llamado concilio de los apóstoles (Hch 15, 1-35) y en el incidente de Antioquía (Gál 2, 1-10), hacia los años 48-49, con la resolución de optar libremente por caminos distintos de evangelización según las culturas. El paso al mundo greco-romano exigió al cristianismo una primera e importante inculturación.

«El mundo helenista mediterráneo, junto con la tradición judía –escribe P. Suess–, ofreció la matriz socio-cultural que permitió al cristianismo definir sus normas institucionales, su ética, sus ministerios, su credo y su canon de las Escrituras, experimentando así su primera inculturación» [14].

Lo cierto es que desde el s. IV se impuso en el cristianismo, salvo excepciones, la denominada «época de la mono-inculturación» (Liégé), propia del Mediterráneo, con categorías teológicas grecolatinas, derecho romano, liturgia pontifical palaciega y autoridad de tipo monárquico absolutista. Una notable excepción fue la evangelización inculturada de Cirilo y Metodio en el s. IX, cuando tradujeron y adaptaron la liturgia a la lengua y cultura eslavas. El modelo occidental, basado en una cultura patrón propia de la cristiandad medieval, desconoció en el s. XVI las culturas americanas y africanas; mejor dicho, fueron destruidas por ser soportes de paganismo. A lo sumo se superpusieron dos culturas en un cierto paralelismo religioso. Un caso excepcional de evangelización y promoción cultural fue el de las reducciones de los jesuitas en Paraguay o «Repúbli-

---

[12] Cf. Carta del P. Arrupe a toda la Compañía de Jesús con ocasión de la 32.ª Congregación General de los Jesuitas, Roma 1974-1975.
[13] Cl. Geffré, El cristianismo ante el riesgo de la interpretación, Cristiandad, Madrid 1984, 296.

[14] P. Suess, Inculturación, o. c., 400.

cas Indias de los Guaraníes», autoadministradas durante más de siglo y medio. También cabe recordar los intentos misioneros de Mateo Ricci en el s. XVI en China, inculturando el evangelio en los usos y costumbres del pueblo. Los reformadores del s. XVI cuestionaron la helenización del cristianismo e intentaron inculturar en su época el cristianismo.

En resumen, hasta los comienzos del s. XX, las relaciones entre fe y cultura no constituían aparentemente ningún problema, ya que el cristianismo se encarnaba en la cultura occidental. La fe y la evangelización iban unidas a la cultura de los misioneros blancos y a sus Iglesias de origen, occidentales o nordatlánticas. Prácticamente, la Iglesia católica tenía un carácter netamente romano en todo el universo. Con el argumento de que el cristianismo es universal, no se aceptaban las culturas locales, a las que se apreciaba tan escasamente como a las religiones paganas. Por menosprecio de la «mentalidad primitiva», se consideraban de segundo rango las culturas no occidentales. De ahí que la evangelización se entendiese de una manera unívoca. El problema vino después, con la toma de conciencia de los pueblos no europeos, la descolonización política, la independencia de muchas naciones del Tercer Mundo y el auge de las Iglesias jóvenes en las regiones netamente misioneras. De hecho, las escuelas misionológicas de Lovaina y de Münster hablan de «adaptación» y «acomodación» de la vida cristiana «al modo y a la índole de cualquier cultura» (AG 22).

Cuando se celebró el Vaticano II se tenía conciencia de que había surgido un mundo cultural distinto y diferenciado, a pesar del influjo común tecnológico. El Concilio –nos recuerda P. Suess– «asumió los tópicos más positivos de la tradición patrística frente a las culturas paganas», por ejemplo «semillas del Verbo», «pedagogía hacia el Dios verdadero» y «preparación evangélica»[15].

En lo referente al mundo africano, ya antes del Vaticano II se interrogaron algunos sacerdotes negros sobre su propio cristianismo, excesivamente formulado desde la cultura occidental[16]. Como es

natural, el Concilio favoreció las aspiraciones de un cristianismo genuinamente africano[17]. En 1967, con ocasión de su viaje a Uganda, Pablo VI invitó a los obispos africanos a que formulasen el catolicismo «en términos congeniales» con su cultura y diesen a la Iglesia «la aportación preciosa y original de la negritud». A partir de entonces se pone el acento en la «indigenización» de las Iglesias locales africanas. Desde 1976 crece la conciencia de africanizar el cristianismo y hacia 1977 se propone la idea de celebrar un sínodo africano. En vísperas de la celebración del primer centenario de la evangelización de Africa, la inculturación de la fe constituye el desafío más radical del continente con mayoría de población negra.

«El único problema grave que se plantea a nuestras Iglesias africanas –escribe E. J. Penoukou– es el de la inculturación de la fe cristiana. Nuestras Iglesias de Africa serán africanas o no serán. Entre nosotros, aquí es donde se juega de veras el porvenir del cristianismo»[18].

Recordemos que los movimientos africanos de liberación acusaron al cristianismo de perpetuar el imperialismo occidental y la alienación colonial bajo el pretexto de la fe.

Pero no todos entienden en Africa la inculturación de la fe del mismo modo[19]. Para unos es un proceso de encarnación de la Iglesia en las diversas culturas: se incultura el evangelio o el mensaje revelado. Es la corriente que algunos denominan «inculturación-conversión al cristianismo». En el fondo se trata de la adaptación del cristianismo, de acuerdo al Vaticano II y a *Evangelii nuntiandi*. Sin destruir las culturas africanas, el cristianismo se encarna en las mismas y las purifica con su «luz reveladora»[20]. Otros sostienen que la inculturación de la fe es «recuperación» del cristianismo por par-

---

[15] *Ibíd.*, 403. Ver en concreto AG 3; LG 13 y 16; GS 22; EN 53 y *Puebla* 500.

[16] Cf. *Des prêtres noirs s'interrogent*, Cerf, París 1956.

[17] Cf. *Personnalité africaine et catholicisme*, SAC, París 1963.

[18] E. J. Penoukou, *Églises d'Afrique. Propositions d'avenir*, París 1984, 48.

[19] Cf. Metena M'nteba, *La inculturación en la «Tercera Iglesia»: ¿Pentecostés de Dios o desquite de las culturas?*: «Concilium» 239 (1992) 169-189.

[20] Representan esta tendencia, sobre todo, A. T. Sanon y R. Louneau, *Enraciner l'Évangile. Initiation africaine et pédagogie de la foi*, París 1982.

te de los mismos africanos, mediante un trabajo de «asunción» del modelo «original» (memoria de Jesucristo) y de sus «fundamentos» (actos instituyentes del cristianismo). Lo que se incultura es la fe cristiana, de tal modo que se produzca en profundidad un rostro africano del cristianismo. Se trata de una «asunción creadora». Es la corriente denominada «inculturación-recuperación africana del cristianismo» [21].

El segundo caso en importancia de la inculturación de la fe es el asiático. En Asia vive más de la mitad de la humanidad. Junto a una tradición espiritual inmensa, se detecta en este vasto continente una necesidad imperiosa de desarrollo y de justicia. La tarea misionera en Asia, según Juan Pablo II, es doble: «evangelizar la cultura y defender al ser humano».

Por último, hay una perspectiva teológica de la cultura en América Latina desde la óptica de los pobres [22]. Es un hecho que las culturas de los pueblos indígenas fueron destruidas por una doble dominación: física y cultural. Lo mismo puede decirse de los millones de negros trasladados como esclavos a América y desprovistos de su cultura, de la que sólo han conservado fragmentos, subordinados enteramente a la cultura dominante de los conquistadores primero, y de los criollos después. La evangelización de esta cultura masiva y marginada exige una lucha por la justicia, a saber, ayudarles a sobrevivir, facilitarles su propia organización, invitarles a que se expresen por sí mismos y a que interpreten la vida a la luz de la palabra de Dios.

«La inculturación –escribe P. Suess– no es sólo el camino para *evangelizar a los pobres;* es al mismo tiempo el camino para descubrir en la proximidad de los hombres crucificados el rostro del Hijo de Dios y, por tanto, el camino para ser evangelizados por él» [23].

---

[21] Representa esta tendencia, sobre todo, E. Boulaga, *Christianisme sans fétiche. Révélation et domination,* París 1981.

[22] Cf. J. Comblin, *Perspectivas teológicas sobre la cultura,* en Sociedad Chilena de Teología, *Teología y cultura,* CENCOSEP, Santiago de Chile, 1992.

[23] P. Suess, *Inculturación, o. c.,* 412-413.

LA INCULTURACION

«Aquí tenemos también el principio teológico para el problema de la inculturación. Ya que la Iglesia es una comunión presente en todo el mundo, que une la diversidad y la unidad, asume todo lo positivo que encuentra en todas las culturas. Sin embargo, la inculturación es diversa de la mera adaptación externa, porque significa una íntima transformación de los auténticos valores culturales por su integración en el cristianismo y la radicación del cristianismo en todas las culturas humanas.

La separación entre el evangelio y la cultura es llamada por Pablo VI "un caso dañino de nuestro tiempo como lo fue en otras épocas. Por tanto, conviene empeñar todo trabajo y esfuerzo para que con un afán diligente se evangelice la cultura misma, o más bien las culturas. Es necesario que renazcan por su conjunción con la Buena Noticia. Sin embargo, esta conjunción no tendrá lugar a no ser que se proclame la Buena Noticia" (EN 20)».

Documento final de la
II Asamblea General Extraordinaria
del Sínodo de Obispos de 1985.

4. Evangelización y cultura

a) *Cambios en la actitud de la Iglesia*

«La Iglesia -dijo Juan XXIII– no se identifica con ninguna cultura, ni siquiera con la cultura occidental, a la que se liga por su historia» [24].

La relación entre fe y cultura se trató por primera vez oficialmente en el Vaticano II. El Concilio expresó la necesidad de «adaptar la vida cristiana al genio y carácter de cada cultura» (AG 22). Con la *Gaudium et spes,* penetra el término cultura en la reflexión teológica oficial de la Iglesia [25]. Medellín siguió las pautas del Concilio y propuso, respecto de la cultura, en primer lugar la promoción mediante la catequesis y la educación; en segundo lugar sostiene que la Iglesia debe adaptarse a la variedad de situaciones y de culturas; de ahí que se establezca el diálogo entre culturas humanas y teología.

---

[24] Juan XXIII, Encíclica *Princeps pastorum,* 28 de noviembre de 1959.

[25] Cf. *Gaudium et spes,* parte segunda, cap. 3, n. 53-62.

El tema de la cultura cobró fuerza en el Sínodo de Obispos de 1974. Se juzgaron insuficientes los términos *acomodación* y *adaptación* de los misionólogos clásicos. En la exhortación *Evangelii nuntiandi* se habla por primera vez de evangelizar la cultura (EN 18-20). Ahí se dice que la cultura conforma «todos los ambientes de la humanidad» (n. 18). Por brotar del «interior» o de la «conciencia personal y colectiva», la cultura debe ser evangelizada. En Puebla se propone la evangelización de la cultura como una opción prioritaria de las Iglesias en América Latina:

«La acción evangelizadora de nuestra Iglesia Latinoamericana ha de tener como meta general la constante renovación evangélica de nuestra cultura» (n. 395)

El 20 de mayo de 1982 se creó el *Consejo Pontificio para la Cultura* con objeto de fomentar el encuentro «del mensaje salvífico del evangelio con la pluralidad de las culturas», con un doble fin: evangelizar las culturas y defender a la persona humana en su propia cultura. En múltiples ocasiones se ha referido al binomio fe-cultura Juan Pablo II, quien pronunció el 15.1.1988 un discurso titulado *Evangelizar vitalmente las culturas*. No se concibe hoy una evangelización sin que se tenga en cuenta el elemento cultural, ya que el evangelio no cae en el vacío, sino en la persona y en el pueblo con su cultura. La fe es una relación personal entre Dios y el hombre que cree, con su humanidad concreta (raza, lengua, costumbres, etc.). Las creencias se expresan bajo formas culturales. Además, el evangelio lleva consigo un cierto bagaje cultural. Dios se ha revelado a través de un pueblo y de una cultura. De lo contrario sería imposible conocerle. Sobre todo se ha revelado a través de su Hijo Jesús, que tuvo una cultura concreta: era «hijo del carpintero», hablaba arameo con acento galileo y, según su costumbre, frecuentaba la reunión sinagogal judía. Vivió su relación con el Padre a través de una lengua y una cultura. Por eso afirma el Vaticano II que así como Cristo «se unió por su encarnación a las determinadas condiciones sociales y culturales de los hombres con quienes convivió», otro tanto debe hacer la Iglesia (AG 10; cf. LG 8).

Por consiguiente, el evangelio –afirma Juan Pablo II– debe hacerse

«más presente en el entramado vivo de las culturas, en los ambientes que marcarán mañana las mentalidades e inspirarán los comportamientos: la familia, la empresa, la escuela, la universidad, los medios de comunicación social» [26].

b) ¿Cómo evangelizar una cultura?

En una primera etapa pre-evangelizadora, la Iglesia toma contacto con la cultura sin prejuicios. El evangelizador aprende el idioma y habla del pueblo, descubre las costumbres y símbolos, valora el genio propio del país, conoce la historia y capta las formas de vivir y de celebrar.

«Se trata –afirma un documento del SEPI de Estados Unidos– de situarse siempre *dentro;* mirar las cosas *desde* su punto de vista; vivir y sentir *con*» [27].

En el proceso de inculturación de la fe pueden observarse, según A. Tornos, estos aspectos fundamentales: el crecimiento de la fe hacia el interior de la cultura –no al margen o en contra–, y la continuidad de este crecimiento, que no se detiene mientras esté viva la cultura. Por otra parte, la comunidad cristiana o la Iglesia, al encontrarse con una cultura, logra una primera adaptación externa; luego se formula la fe con más profundidad, al tener en cuenta las formas de pensar y de obrar de la misma cultura; por último, los creyentes empiezan a transformar su propia cultura con la fuerza del evangelio [28].

Sin embargo, la relación entre fe y cultura se presenta hoy de una forma nueva a causa de la secularización de la sociedad. Las culturas del mundo moderno no se relacionan con el mundo de las creencias religiosas, sino que dependen de la racionalización y conocimientos autónomos respecto de la órbita religiosa. Hay una separación entre cultura y religión. La exhortación *Evangelii nuntiandi* afirma que

«la ruptura entre evangelio y cultura es, sin duda al-

---

[26] Juan Pablo II, Discurso del 15.1.88.

[27] M. Vizcaíno, R. Zelada y L. Menocal (eds.), *Inculturación y nueva evangelización:* «Documentaciones Sureste» del SEPI, julio de 1992.

[28] A. Tornos, *La nueva teología de la cultura*, o. c., 25-26.

guna, el drama de nuestro tiempo, como lo fue también en otras épocas» (n. 20).

De ahí que, según el mismo documento,

«lo que importa es evangelizar, no de una manera decorativa, como con una barniz superficial, sino de manera vital, en profundidad y hasta sus mismas raíces, la cultura y las culturas del hombre» (EN 20).

Pero debemos tener presente que

«cultura y religión –escribe D. Amalorpavadass– son dos entidades distintas que poseen cada una su propia identidad. Pero son a la vez realidades vivas que inciden sobre las personas» [29].

Debe haber una interacción mutua entre estas dos realidades.

«Lo esencial de la cultura está constituido por la actitud con que un pueblo afirma o niega una vinculación religiosa con Dios, por los valores o desvalores religiosos» (DP 389).

A la hora de inculturar el cristianismo, no puede vaciarse la confesión de fe en Jesucristo, pero tampoco se pueden lograr nuevas expresiones cristianas de vida, celebración y mensaje traicionando la cultura de un pueblo. Hay que tener en cuenta –afirma J. M. Rovira i Belloso– que

«la fe y la cultura no se han de considerar como dos magnitudes ya hechas y separadas, sino como dos realidades en proceso y en interacción constante» [30].

Para llevar a cabo el proceso de evangelizar una cultura, es necesario tomar conciencia de las dimensiones de la cultura como realidad humana a evangelizar. Según H. Carrier, hay que analizar los modelos de comportamiento, criterios de juicio, valores dominantes, intereses mayores, hábitos, costumbres, etc. Por consiguiente, importa definir los valores culturales que pueden ser evangelizados, ya se refieran al pensamiento como a la acción colectiva. Hay que conocer el *ethos* revelador de la escala de valores de un grupo humano.

«Evangelizar –escribe H. Carrier– significaría, en buena parte, discernir, criticar e incluso denunciar aquello que, en una cultura, contradice al evangelio y pone en peligro la dignidad del ser humano» [31].

No todo es válido en una cultura.

El problema de evangelizar la cultura se agrava en los medios descristianizados actuales, en el sentido de que ya se conoce la buena nueva, recibida con indiferencia o escepticismo. Es preciso, en el caso de «reevangelizar» las culturas, conocer los nuevos destinatarios y su situación de cara a la fe, en cuanto está desarraigada, dormida o latente, o simplemente se la rechaza. En las raíces más profundas de las culturas secularizadas actuales hay gérmenes de esperanza.

«Se evangeliza –dice Pablo VI– cuando se alcanzan y transforman con la fuerza del evangelio los criterios de juicio, los valores determinantes, los puntos de interés, las líneas de pensamiento, las fuentes inspiradoras y los modelos de vida de la humanidad que están en contraste con la palabra de Dios y con el designio de salvación» (EN 19).

El acto de evangelizar incluye de ordinario una interacción de culturas. La fe del evangelizador y del evangelizando es la misma, pero no sus culturas. Ambos son, por supuesto, sujetos activos. Por consiguiente, evangelizar no es simplemente transmisión del evangelio, ni adaptación superficial, ni recepción pasiva.

«La evangelización –dice M. de C. Azevedo– es el proceso de interacción dialogal entre las dos culturas, la del evangelizador y la del evangelizando, diálogo que se hace en función del mensaje. Por consiguiente, la evangelización inculturada es un proceso crítico de discernimiento en relación, tanto con la cultura del evangelizador, como con la cultura del evangelizando» [32].

Ahora bien, las culturas no son asimétricas, sino que hay culturas dominantes y dominadas. De un modo asimétrico se evangelizó en estos últimos cin-

---

[29] D. Amalorpavadass, *Evangelización y cultura*: «Concilium» 134 (1978) 81.

[30] J. M. Rovira i Belloso, *Fe y cultura en nuestro tiempo*, Sal Terrae, Santander 1988, 161.

[31] H. Carrier, *Evangelio y culturas*, o. c., 89.

[32] M. de C. Azevedo, *Inculturación* (I. *Problemática*), en R. Latourelle y R. Fisichella (eds.), *Diccionario de Teología Fundamental*, Paulinas, Madrid 1988, 698.

co siglos. Por consiguiente, hay que discernir los elementos de dominio para no confundirlos con el proceso evangelizador. En definitiva, sigue diciendo M. de C. Azevedo,

«el verdadero proceso de evangelización inculturada es un proceso libertador de la cultura. A su vez, sólo será auténtico el proceso de evangelización liberadora y transformadora de la sociedad si es también un proceso inculturado» [33].

ENCARNAR EL EVANGELIO EN LAS CULTURAS DE LOS PUEBLOS

«Al desarrollar su actividad misionera entre las gentes, la Iglesia encuentra diversas culturas y se ve comprometida en el proceso de inculturación. Es ésta una exigencia que ha marcado todo su camino histórico, pero hoy es particularmente aguda y urgente.

El proceso de inserción de la Iglesia en las culturas de los pueblos requiere largo tiempo: no se trata de una mera adaptación externa, ya que la inculturación significa una íntima transformación de los auténticos valores culturales mediante su integración en el cristianismo y la radicación del cristianismo en las diversas culturas. Es, pues, un proceso profundo y global que abarca tanto el mensaje cristiano, como la reflexión y la praxis de la Iglesia. Pero es también un proceso difícil, porque no debe comprometer en ningún modo las características y la integridad de la fe cristiana.

Por medio de la inculturación, la Iglesia encarna el evangelio en las diversas culturas y, al mismo tiempo, introduce a los pueblos con sus culturas en su misma comunidad; transmite a las mismas sus propios valores, asumiendo lo que hay de bueno en ellas y renovándolas desde dentro. Por su parte, con la incul-

turación la Iglesia se hace signo más comprensible de lo que es el instrumento más apto para la misión».

Redemptoris missio, 52.

Bibliografía

P. Agirrebalzategui, *Configuración eclesial de las culturas. Hacia una teología de la cultura en la perspectiva del Concilio Vaticano II,* Bilbao 1976; H. Carrier, *Evangelio y culturas. De León XIII a Juan Pablo II,* Edice, Madrid 1988; id., *Évangélisation et développement des cultures,* Universidad Gregoriana, Roma 1990; CLAR, *Cultura, evangelización y vida religiosa,* Colección n. 46; Comisión Teológica Internacional, *Fe e inculturación:* «Omnis Terra» (1989) 451-465 y 504-510; V. Elizondo, *Christianity and Culture. An Introduction to Pastoral Theology and Ministry for the Bicultural Community,* MACC, San Antonio (Texas) 1973; A. Figueroa Deck, *The second Wave. Hispanic Ministry and the Evangelization of Cultures,* Paulist Press, Nueva York 1989; Cl. Geffré (ed.), *Théologie et choc des cultures (Coloque de l'Institut Catholique de Paris,* París 1984; J. Luzbetak, *The Church and Cultures,* Orbis Books, Nueva York 1988; A. M. Oriol, *Reflexión cristiana sobre la cultura,* Facultad de Teología de Barcelona, Barcelona 1980; P. Poupard, *Iglesia y culturas,* Edicep, Valencia 1985; J. M. Rovira Belloso, *Fe y cultura en nuestro tiempo,* Sal Terrae, Santander 1988; Sociedad Chilena de Teología, *Teología y cultura,* CENCOSEP, Santiago de Chile 1992; D. Salado (ed.), *Inculturación y nueva evangelización,* Ed. San Esteban, Salamanca 1991; J. Saldanha, *Inculturation,* Bombay 1987; J. C. Scannone, *Evangelización, cultura y teología,* Guadalupe, Buenos Aires 1990; F. Taborda, *Da inserçao à inculturaçao,* Río de Janeiro 1988; J. A. de la Torre, *Evangelización inculturada y liberadora,* Aby-Yala 1989; Varios, *Evangelización de la cultura e inculturación del evangelio,* Guadalupe, Buenos Aires 1988.

---

[33] *Ibíd.,* 698.

13

La evangelización
a través de la liturgia

Como consecuencia del impulso misionero suscitado en la Iglesia después del Vaticano II, y ante la secularización acelerada de la sociedad, ha crecido la preocupación por la evangelización. Se pretende evangelizar por todos los medios, incluido, naturalmente, el de la liturgia, lugar excepcional, en principio, donde se celebra y anuncia sacramentalmente el evangelio. Al reflexionar sobre esta cuestión, cabe preguntarse: 1) ¿Evangeliza de hecho nuestra liturgia, tal como la celebramos? 2) ¿Es misión de la liturgia evangelizar o qué lugar ocupa la liturgia en el proceso evangelizador?

Empiezo por recordar que la evangelización es entendida en la encíclica *Redemptoris missio* (n. 33) de tres maneras: como «actividad misionera específica o misión *ad gentes*» con no bautizados en lugares o ambientes no cristianos (misión en sentido estricto), como «actividad o atención pastoral de la Iglesia» (misión en sentido amplio) y como pastoral misionera de cara a «grupos enteros de bautizados que han perdido el sentido vivo de la fe» (nueva evangelización). Entiendo la evangelización por medio de la liturgia de acuerdo al tercer modo, en el que se deben tener en cuenta estos dos destinatarios: la feligresía habitual de practicantes dominicales y los practicantes ocasionales, no creyentes o escasamente cristianos, que por una u otra razón están presentes en una liturgia cristiana.

SITUACIONES DE EVANGELIZACION

«Mirando al mundo actual, desde el punto de vista de la evangelización, se pueden distinguir *tres situaciones*.

En primer lugar, aquella a la cual se dirige la actividad misionera de la Iglesia: pueblos, grupos humanos, contextos socio-culturales donde Cristo y su evangelio no son conocidos, o donde faltan comunidades cristianas suficientemente maduras como para poder encarnar la fe en el propio ambiente y anunciarla a otros grupos. Esta es propiamente la misión *ad gentes*.

Hay también comunidades cristianas con estructuras eclesiales adecuadas y sólidas; tienen un gran fervor de fe y de vida; irradian el testimonio del evangelio en su ambiente y sienten el compromiso de la misión universal. En ellas se desarrolla la *actividad* o *atención pastoral* de la Iglesia.

Se da, por último, una situación intermedia, especialmente en los países de antigua cristiandad, pero a veces también en las Iglesias más jóvenes, donde grupos enteros de bautizados han perdido el sentido vivo de la fe o incluso no se reconocen ya como miembros de la Iglesia, llevando una existencia alejada de Cristo y de su evangelio. En este caso es necesaria una *nueva evangelización* o *reevangelización*».

Redemptoris missio, 33.

1. ¿Evangeliza de hecho nuestra liturgia?

a) Datos sociológicos

La ponencia primera del congreso *Parroquia evangelizadora* de 1988 es un «análisis sociológico-pastoral de nuestras parroquias desde la perspectiva de la evangelización misionera» [1]. En el apartado de la evangelización por medio de la liturgia se reconoce que en las parroquias existe preocupación misionera con ocasión de «preparar a los sacramentos»: a los padres en el bautismo y primera comunión de sus hijos, y a los novios en su cursillo prematrimonial. El resultado evangelizador de los cursillos prebautismal y prematrimonial es casi nulo, y escaso el de la preparación a la primera comunión. De hecho, son pocos los adultos que con esa ocasión sacramental quieren ser cristianos de veras. La razón, en principio, es sencilla: no acuden los padres del bautizando o los novios al cursillo presacramental para ser cristianos, sino para cumplir con el requisito previo pastoral; pretenden recibir para su infante o para ellos mismos un sacramento. En el caso de la pastoral de la enfermedad y de la muerte, la eficacia evangelizadora no proviene tanto del sacramento celebrado, cuanto del «acompañamiento» que se hace al enfermo o de la atención pastoral prestada a la familia del difunto.

Respecto de las eucaristías dominicales, la encuesta dice que se preparan «mucho» (en el 14,5% de nuestras parroquias) o «bastante» (en el 57%). La mitad de los asistentes salen contentos y un tercio satisfechos. Se advierte incluso que decrece la práctica por mero cumplimiento y aumentan los cristianos practicantes que buscan a Dios en un clima de fraternidad. Pero no se deduce con claridad que se evangelice en el culto. Nuevamente es preciso recordar que los asistentes van a misa o incluso a celebrar la eucaristía y a comulgar el cuerpo de Cristo, no a comulgar con esa misma intensidad la palabra de Dios. En el caso de la penitencia, muchos párrocos piensan que se educa suficientemen-

te a los fieles en el sentido del pecado, en la exigencia de la conversión y en la alegría de la reconciliación. Sospecho con los analistas de la encuesta que las contestaciones referidas al sacramento de la reconciliación son ambiguas y exageradas.

El estudio de la Fundación Santa María sobre religión y sociedad en la España de los 90 cifra la asistencia a la *eucaristía* dominical en el 30% de los españoles, de los cuales un 21% asiste a misa todos los domingos; el 17% asiste sólo en las grandes fiestas [2]. Al analizar las razones del alejamiento cultual, se deduce que muchos no van a misa por razones *religiosas* (falta de fe o de interés religioso), *eclesiales* (desconfianza en la Iglesia y en los curas o desacuerdo con ciertas posturas sociales y políticas de la Iglesia) o *sociales* (circunstancias de la vida). El desinterés religioso lo tienen el 40% de los bachilleres y universitarios. La mitad de los católicos poco o nada practicantes piensan que la asistencia esporádica a la eucaristía no influye en su vida personal. En cambio, la práctica eucarística es valorada positivamente por los practicantes habituales, ya evangelizados de algún modo. Con todo, no olvidemos que, según el citado estudio sociológico, la práctica religiosa no desciende numéricamente «por causas ideológicas» o «por discontinuidad con el pensamiento social de la Iglesia», sino porque «importa poco lo religioso; no se lo ve útil, y se valora más el descanso, el ocio» [3].

Respecto de la *predicación* –que en principio es momento importante de evangelización–, casi la mitad de los asistentes (un 45,7%) piensan que las homilías dominicales están alejadas de la vida; otros (un 47,8%) creen que no convencen, a pesar de las ideas interesantes desgranadas. Un tercio largo opina que son excesivamente largas, mal dichas y con escaso contenido religioso. Para una amplia mitad de practicantes asiduos, sin embargo, la predicación dominical les hace pensar y les sirve de gran ayuda religiosa. En este caso, la predicación es catequizadora e incluso evangelizadora.

El *bautismo* es considerado mayoritariamente

---

[1] Cf. Congreso *Parroquia evangelizadora*, Edice, Madrid, 1989, 51-92. La fuente principal del análisis sociológico de este congreso proviene de 1.419 respuestas, correspondientes a otras tantas parroquias (el 6,3% de las existentes en España), en relación a un amplio cuestionario de 102 preguntas cerradas.

[2] Cf. P. González Blasco y J. González-Anleo, *Religión y sociedad en la España de los 90*, SM, Madrid 1992.

[3] *Ibíd.*, 242.

como «costumbre», mientras que la *confirmación* recaba escasa atención, a pesar de los esfuerzos pastorales hechos en este sacramento de la iniciación. Sus posibilidades evangelizadoras son escasas con los alejados; pueden serlo con quienes celebran la iniciación con fe y compromiso. El *matrimonio* por la Iglesia ha sufrido las consecuencias de la secularización y del rechazo institucional. Salvo en los casos comunitarios y testimoniales, la celebración del matrimonio es frecuentemente «casamiento civil por la Iglesia»; así, difícilmente será medio de evangelización. Respecto de la *penitencia*, advirtamos la caída espectacular de la confesión, en parte por la crisis del sistema sacramental heredado y en parte por el cambio drástico de la conciencia de pecado; su posibilidad evangelizadora es restringida. La *unción de enfermos* se practica y se valora poco. Recordemos asimismo que el fenómeno humano de la *muerte* ha sufrido una intensa secularización, aunque la mayoría de los católicos españoles desean un entierro con ritos cristianos. Claro está que aquí intervienen las decisiones familiares y la costumbre.

b) *Interpretación*

¿Es nuestra liturgia un medio adecuado de evangelización? ¿Se dan por medio de la misma algunos resultados misioneros que se hacen patentes en la conversión? A la vista de los datos anteriores, se pueden extraer dos conclusiones:

– Las liturgias vivas celebradas en asambleas cristianas con sensibilidad misionera sirven de ayuda insustituible a los practicantes habituales. Puede decirse que esta liturgia mantiene la fe de los ya evangelizados e incluso la reaviva. Dicho de otro modo, evangeliza a los convertidos, es decir, les ayuda a seguir siendo cristianos.

– La actual liturgia, en general, no favorece la conversión de los alejados que por una u otra razón están presentes en el culto. No despierta su fe dormida o ausente porque no se atrae suficientemente el interés de estos practicantes esporádicos u ocasionales. Están presentes en la liturgia por razones sociales, familiares o de amistad; de ordinario no asisten por razones religiosas.

Recordemos que no todas las parroquias han renovado la liturgia y el espíritu misionero. Según los datos sociológicos, sólo un 10 o un 15% de nuestras parroquias están en línea evangelizadora; un 30% ofrecen, a lo más, signos misioneros, en tanto que un 55 o 60% no tienen ninguna proyección evangelizadora. Dada esta situación, difícilmente podrá evangelizarse a través de la liturgia. Por otra parte, en la mitad de las parroquias «se prestan con dignidad unos servicios religiosos», y sólo en un 16% hay comunidades cristianas que merezcan «respeto» y llamen la «atención». ¿Puede en estas condiciones el no creyente, indiferente, creyente pero no practicante o simplemente alejado, que asiste circunstancialmente al culto, ser evangelizado por nuestras liturgias?

En resumen, muchos sacerdotes y laicos, especialmente los que trabajan en las parroquias, intentan evangelizar por el medio más importante que poseen: la liturgia. Hay quienes creen que evangelizan celebrando bien la liturgia. Otros piensan que se evangeliza por medio de la preparación de los sacramentos, sobre todo en los cursillos prebautismal y prematrimonial. No faltan quienes, al identificar la catequesis con la evangelización, piensan que ejercen la misión por medio de la catequesis existente, centrada sobre todo en la edad infantil.

«Si la conversión es un proceso de la vida –se pregunta B. Bravo–, ¿hasta qué punto estas prácticas evangelizadoras de la parroquia están insertas en el proceso de la vida? ¿Podemos afirmar que esta *estructura evangelizadora* que generalmente usamos es capaz de iniciar y mantener procesos de conversión en las gentes?»[4].

Al estar la parroquia centrada en la dimensión sacramental, no en la conversión personal o en la evangelización liberadora, difícilmente será mediadora de evangelización, incluso a través de la liturgia. Basta observar las funciones sacramentalistas y escasamente catecumenales que tienen los sacramentos de la iniciación en nuestras parroquias, en gran medida debido a la escasez de comunidades vivas cristianas insertas en el tejido social.

---

[4] B. Bravo, *Cómo revitalizar la parroquia*, México 1985, 5.

2. El caso del catolicismo popular

La mayor parte de nuestro pueblo practicante no está presente en las eucaristías dominicales ni en los grupos de renovación o comunidades eclesiales de base, sino que se hace presente en el culto que celebra la Iglesia en determinados días: miércoles de ceniza, procesiones de semana santa, visitas a los cementerios por el día de los difuntos, asistencias esporádicas en algunas fiestas patronales y participación en eucaristías de peregrinaciones y santuarios. Ciertamente, el pueblo ha hecho suyas algunas de estas fiestas.

Las posibilidades evangelizadoras a través del catolicismo popular, tal como hoy se practica, no son fáciles. Para evangelizar no basta con «cuidar» la devoción e incluso la oración: es necesario, según el Documento de Puebla (P 459), que haya referencia explícita a la palabra de Dios, se suscite un régimen comunitario y se conecte la celebración con el reino de Dios y su justicia. En resumen, debe proclamarse el evangelio y celebrarse lo más explícitamente posible el mensaje cristiano.

De todas formas, la religiosidad popular, al mismo tiempo que debe ser evangelizada, es capaz a su manera de evangelizar porque su sujeto es el pueblo de los pobres, inmerso de un modo natural en el mismo evangelio. «La religión del pueblo –afirma Puebla– es vivida preferentemente por los pobres y sencillos» (P 320). Las masas están en la religiosidad popular por su

> «capacidad de congregar multitudes. La Iglesia logra esa amplitud de convocación de las muchedumbres en los santuarios y fiestas religiosas. Allí el mensaje evangélico tiene una oportunidad no siempre aprovechada pastoralmente de llegar al corazón de las masas» (P 322).

La religiosidad popular evangeliza en la medida que incultura la fe del pueblo, ya que llega a lo más medular de la cultura popular, constituida –según L. Maldonado– por el mundo de los valores, los símbolos, las tradiciones, las creencias, las reglas sociales, las normas de convivencia, las habilidades y las artes del saber-hacer. Es evangelización por impregnación. El sujeto popular evangelizado recibe una orientación básica respecto del dolor, la alegría, el prójimo, la muerte y la vida. La revelación de Dios es acogida por el pueblo sencillo en la religiosidad popular; de este modo son evangelizados popular y religiosamente los pobres, cuyos ritos giran en torno al binomio muerte-vida y enfermedad-salud [5].

3. ¿Es misión de la liturgia evangelizar?

a) La palabra y el sacramento

Durante la época moderna, la Biblia ha sido entendida como un libro protestante, mientras que el santísimo sacramento se consideraba propio de los católicos. De hecho, ciertas Iglesias han privilegiado la Biblia y otras la liturgia. En nuestro caso, muchos feligreses católicos no han comprendido bien la liturgia porque no conocían suficientemente la Biblia. Recordemos que muchos fieles no tienen conciencia todavía de asistir a la eucaristía dominical para escuchar la palabra de Dios, sino para *oír misa* y eventualmente comulgar en la misma. No obstante, la reforma litúrgica de los sacramentos y la recuperación de la Biblia han propiciado una mejor comprensión del acto litúrgico por parte de los fieles. De acuerdo a las decisiones del Vaticano II –resume A. M. Triacca–,

> «la palabra de Dios se hace celebración, y la celebración no es sino palabra de Dios actualizada de forma suprema» [6].

Dicho de otro modo: la palabra de Dios *prepara* la celebración sacramental y la celebración *actualiza* la palabra de Dios [7]. Esto es así –escribe P. Beguérie– porque «la Biblia nació de la liturgia» [8]. De hecho está escrita para que su palabra sea proclamada en la reunión de creyentes que celebran, a la luz de la historia de la salvación, las maravillas de Dios pasadas, presentes y futuras bajo el velo de los símbolos. La Escritura cristiana se proclamó desde un comienzo como palabra sagrada en la asamblea,

---

[5] Cf. D. Irarrázabal, *Religión popular*, en I. Ellacuría y J. Sobrino (eds.), *Mysterium liberationis*, Trotta, Madrid 1990, II, 345-375.

[6] *Ibíd.*, 234.

[7] *Ibíd.*, 235.

[8] P. Beguérie, *La Bible née de la liturgie:* «La Maison-Dieu» 126 (1976) 108-116.

mediante una praxis litúrgica comunitaria. Así se hizo siempre con la lectura evangélica que se proclamó en la eucaristía.

«Los estudios bíblicos actuales –dice P. de Clerck– nos hacen descubrir que el Nuevo Testamento ha sido *instituido*, cabe decirse, por las celebraciones litúrgicas y sacramentales, y a la vez las instituye»[9].

Antes de la teología bautismal paulina del bautismo está el primer sacramento, y previo a todo banquete importante precede algún tipo de discurso.

«Tanto la palabra recibida (la *didaché*) como la palabra dirigida a Dios (la oración) –dice Ch. Perrot– están vinculadas a la comida cristiana»[10].

También podemos afirmar que la liturgia es palabra de Dios sacramentalmente celebrada y espiritualmente vivida. Los libros litúrgicos son, en definitiva, la Biblia rezada, vivida y encarnada sacramentalmente en la vida de la Iglesia. En la liturgia, la palabra de Dios no es primordialmente vehículo de conocimiento, sino alma de la acción simbólica y de la plegaria comunitaria. Por consiguiente, la asamblea creyente es el lugar teológico por antonomasia del anuncio de la palabra de Dios.

Para examinar las relaciones entre la palabra y el sacramento, es necesario poner de relieve la comprensión bíblica de la liturgia y el entendimiento litúrgico de la Biblia[11]. Antes del Concilio se estudió particularmente el binomio Biblia y liturgia. Después del Vaticano II se entienden mejor las relaciones entre palabra y rito, fe y sacramento, evangelización y liturgia. Con el retorno de la palabra de Dios al pueblo se ha generalizado el lenguaje bíblico en el proceso de evangelización y educación de la fe, en la acción litúrgica, en el ámbito de la oración y en el compromiso de la Iglesia con el mundo. En gran medida esto se logra cuando la interpretación de la Biblia –susceptible de diversos niveles de significación– se hace en la liturgia. Para nuestro pueblo es el lugar principal y más idóneo de formación bíblica. Recordemos que el texto bíblico relata unos acontecimientos, propone unos contenidos de fe, orienta la praxis de los creyentes y pone de manifiesto la última meta de la humanidad. Lo que en el comentario litúrgico de la Escritura importa es la aplicación de la palabra de Dios a la vida. De este modo, la liturgia interpreta la palabra de Dios en el hoy de la asamblea reunida. Es profesión de fe en la acción simbólica. Dicho con palabras de L.-M. Chauvet:

«La *asamblea litúrgica* (la *Ecclesia* en su sentido primigenio) *da lugar a la Biblia*»[12].

La constitución conciliar sobre la liturgia habla de las relaciones entre Biblia y liturgia cuando dice que, «en la celebración litúrgica, la importancia de la Escritura es muy grande» (SC 24). Una vez *convocada*, la asamblea litúrgica *evoca* la palabra de Dios e *invoca* la petición y la acción de gracias[13]. La constitución citada recuerda que la Escritura fue leída en la celebración eucarística desde sus comienzos (SC 6). La constitución sobre la revelación divina afirma, asimismo, que

«la Iglesia ha venerado la sagrada Escritura como lo ha hecho con el cuerpo de Cristo, pues, sobre todo en la sagrada liturgia, nunca ha cesado de tomar y repartir a sus fieles el pan de vida que ofrece la mesa de la palabra de Dios y del cuerpo de Cristo» (DV 21).

«Los cristianos se nutren de la palabra de Dios en la doble mesa de la Sagrada Escritura y de la eucaristía» (PO 18).

El Vaticano II denomina de hecho a la Escritura «pan de vida» y a la eucaristía «palabra de Dios».

---

[9] P. de Clerck, «*Au commencement était le Verbe*»: «La Maison-Dieu» 189 (1992) 19.

[10] Ch. Perrot, *Jesús y la historia*, Cristiandad, Madrid 1982, 245.

[11] Cf. sobre el tema: J. M. Bernal, *La lectura litúrgica de la Biblia*: «Phase» 91 (1976) 25-40; Institut Saint-Serge, *La parole dans la liturgie*, Cerf, París 1970; id., *Gestes et paroles dans les diverses familles liturgiques*, Edizioni Liturgiche, Roma 1978; C. Vagaggini, *Liturgia y Biblia*, en *El sentido teológico de la liturgia*, Ed. Católica, Madrid 1959, 415-464; Varios, *Palabra de Dios y liturgia*, Sígueme, Salamanca 1966; Varios, *La palabra de Dios. Teología y celebración*, Studium, Madrid 1967; Varios, *La parole dans la liturgie*, Cerf, París 1970; Varios, *L'Oggi della Parola di Dio nella liturgia*, LDC, Turín 1970; *Bible et Liturgie*: «La Maison-Dieu» 189 (1992).

[12] L. M. Chauvet, *Símbolo y sacramento*, Herder, Barcelona 1991, 216.

[13] A. M. Triacca, *Biblia y liturgia*, en D. Sartore y A. M. Triacca, *Nuevo diccionario de liturgia*, Ed. Paulinas, Madrid 1987, 236.

La lectura proclamada hace presente a Cristo, ya que la palabra en la liturgia tiene un carácter cuasi-sacramental.

> «La celebración del sacramento –escribe Ph. Rouillard– da poder y eficacia a la palabra anunciada y hace que se convierta para nosotros en una palabra actual y operante» [14].

Por eso la palabra es recibida con fe. Esto presupone una iniciación cristiana de los participantes en la asamblea. Por otra parte, la doble mesa de la palabra y del sacramento exige que la evangelización preceda normalmente a la sacramentalización, sin olvidar que la misión tiene dimensión sacramental; y que el sacramento, para que sea cristiano, ha de estar evangelizado y ser evangelizador. Sin duda, es un abuso la sacramentalización precipitada de los no evangelizados.

b) El binomio evangelización-liturgia

Al terminar la segunda guerra mundial surgió en el seno de la Iglesia católica la discusión entre evangelización y sacramentalización, como se vio en los conflictos originados entre consiliarios «evangelizadores» y párrocos «sacramentalistas». Frente a una sacramentalización masificada e individualista, espiritualizada y con ribetes de magia, se defendía –incluso como protesta– una acción evangelizadora con el fin de promover la fe de conversión a partir de opciones netamente evangélicas, teniendo en cuenta los condicionamientos históricos personales y sociales.

Ya en la década de los setenta, después de celebrado el Concilio, se descubre que la evangelización ha de poseer dimensión de sacramentalidad, ya que el cristianismo es un universo simbólico, so pena de reducirse a una tarea ideologizadora. También se advierte entonces que la liturgia no es mera ocasión de evangelización, sino el mismo acto evangelizador sacramentalmente celebrado. Recordemos que, en el evangelio sacramental de Juan, el bautismo es baño de sangre en la cruz por la entrega al evangelio del reino, y la eucaristía festín de los pobres en el cumplimiento escatológico del evangelio. Si los sacramentos son signos de salvación liberadora o de liberación salvadora, deberán ser asimismo signos de la causa total de Jesús, contenido y quehacer de la evangelización. En resumen, la buena nueva que anuncia y realiza la evangelización es el centro y corazón del sacramento. Y al revés: el sacramento es signo eficaz de la palabra de Dios y de su Espíritu o de la buena nueva que anuncia la evangelización. El binomio evangelización-sacramentalización terminó por fundamentarse en la concepción de Cristo como sacramento radical y en la Iglesia como sacramento derivado.

> «En un cierto sentido, es un equívoco oponer, como se hace a veces –dice *Evangelii nuntiandi*–, la evangelización a la sacramentalización» (EN 47).

Si evangelizar es hacer vivo y real entre los hombres y mujeres el evangelio de Jesucristo, parece evidente que la liturgia evangeliza e incluso tiene un potencial evangelizador. El Vaticano II afirmó con entera claridad que «la eucaristía aparece como la fuente y cima de toda evangelización» (PO 5). Según el texto-base del Congreso Eucarístico Internacional de Sevilla (1993), la eucaristía es «el sacramento central de la evangelización» (n. 13) o «el sacramento por excelencia en el que se expresa y realiza la misión evangelizadora de la Iglesia» (n. 11) [15]. Efectivamente, la eucaristía es culmen y fuente de la evangelización porque es culmen y fuente de toda vida cristiana. Entre eucaristía y evangelización existe la relación que se da entre la palabra de fe y el pan de vida, según el «discurso de vida» del cuarto evangelio (cf. Jn 6). De ahí se deduce que la evangelización se orienta hacia la eucaristía y que la celebración eucarística impulsa el quehacer evangelizador [16].

---

[14] Ph. Rouillard, *Proclamación del evangelio y celebración de la eucaristía*: «Concilium» 102 (1975) 266.

[15] «*Christus, lumen gentium*». *Cristo, luz de los pueblos. Eucaristía y evangelización*. Texto-base del Congreso Eucarístico Internacional de Sevilla 1992, Paulinas, Madrid 1992. También está en «Phase» 188 (1992).

[16] Cf. D. Borobio, *Eucaristía y nueva evangelización*, DDB, Bilbao 1992.

EUCARISTIA Y EVANGELIZACION

«La eucaristía es la acción sacramental central del tiempo de la Iglesia, por la que se continúa y actualiza la salvación realizada por Cristo de una vez para siempre, a través de una presencia sacramental, real y privilegiada del mismo Cristo, muerto y resucitado, autor y realizador permanente de la misma salvación mediante la acción del Espíritu. La eucaristía no es algo, es alguien; no es sólo el efecto o la obra salvadora de Cristo, es el mismo Cristo salvador, salvando, desde la integridad de su misterio, su vida y su misión. Esto nos lleva a afirmar que Cristo, que fue evangelizador y contenido de la evangelización en su vida terrena, sigue siéndolo también en su presencia y acción sacramental por la eucaristía. En la eucaristía, Cristo glorioso nos invita a recorrer con él el camino, como hiciera un día con los discípulos de Emaús (Lc 24, 13-35), a escuchar de él la explicación de la palabra y a creer por él en el poder salvador de Dios. El resucitado vuelve a hacer un verdadero anuncio sacramental de evangelización, por la Iglesia, en la asamblea reunida: "Pues cada vez que coméis este pan y bebéis este cáliz, anunciáis la muerte del Señor hasta que venga" (1 Cor 11, 26).

Existe, pues, un nexo íntimo entre Cristo evangelizador, la Iglesia evangelizadora, y la eucaristía como signo de evangelización cumplida y de una tarea por cumplir. La eucaristía es el sacramento por excelencia, en el que se expresa y realiza la misión evangelizadora de la Iglesia».

Documento *Christus, lumen gentium,*
preparatorio del XLV Congreso Eucarístico Internacional de Sevilla.

---

c) La liturgia evangeliza «mistagógicamente»

Según el *texto-base* del Congreso Eucarístico de Sevilla,

«para los que participan sinceramente en la eucaristía, ésta contiene, por su estructura y dinámica, por su sentido y contenido, por su fuerza transformadora y su vida, un auténtico *capital evangelizador,* en el que

confluyen y del que dependen todas las acciones evangelizadoras extraeucarísticas» (n. 14) [17].

Ahora bien, la evangelización por medio de la liturgia es necesariamente *mistagógica,* ya que

«la liturgia cristiana –escribe L.-M. Chauvet–, al desarrollarse según las leyes particulares de la *ritualidad,* funciona de manera eminentemente simbólica» [18].

Recordemos que la liturgia es precisamente *urgia / acción* y no *logia / discurso.* La proclamación de la palabra en el acto litúrgico es un acto doxológico y propiciatorio, histórico y trans-histórico, dramático y ceremonial, personal y comunitario, que suscita memoria, esperanza y compromiso.

«No debe olvidarse –afirma el nuevo *Ordo Lectionum*– que la palabra divina leída y anunciada por la Iglesia en la liturgia logra su fin en el sacrificio de la Nueva Alianza y en el festín de la gracia, que es la eucaristía».

Para que esto se logre es necesario que la proclamación de la palabra en la asamblea sea justamente una actualización sacramental del mismo acto evangelizador.

Bibliografía

J. Aldazábal, *La nueva evangelización y la liturgia:* «Phase» 30 (1990) 267-272; D. Borobio, *Eucaristía y nueva evangelización,* Desclée, Bilbao 1992; XLV Congreso Eucarístico Internacional, *Christus, lumen gentium. Eucaristía y evangelización,* Paulinas, Madrid 1992; R. E. de Roux, *Nueva evangelización, eucaristía y construcción comunitaria,* Indo-American Press Service, Bogotá 1991.

Números especiales de revistas: *Evangelización y celebración litúrgica:* «Phase» 32 (1992) n. 190.

---

[17] Texto-base, *o. c.,* 129.

[18] L. M. Chauvet, *La dimensión biblique des textes liturgiques:* «La Maison-Dieu» 189 (1992) 143.

IV

PROPUESTAS DE
NUEVA EVANGELIZACION

14

La nueva evangelización de América Latina

<p>ara estudiar la «nueva evangelización» en América Latina es conveniente analizar los modelos dados en ella a lo largo del último medio milenio. Pueden dividirse estos quinientos años en tres períodos: 1) el correspondiente a la Iglesia de la *cristiandad colonial*, desde el descubrimiento a la independencia, que representa una conquista evangelizadora; 2) el de la Iglesia de la *cristiandad poscolonial*: independencia de los nuevos Estados (1808-1898) y búsqueda de una nueva cristiandad (1930-1959), en donde se desarrolla una evangelización conservadora; 3) el de la *Iglesia de los pobres*, a partir del Vaticano II (1962-1965) y Medellín (1968) con Puebla (1979), en el que aparece una evangelización liberadora [1].

1. La evangelización de la cristiandad colonial (s. XVI-XVIII)

La evangelización de América se llevó a cabo, según D. Borobio, en primer lugar, por la *conquista*, es decir, por imposición y coacción, al presionar para que se aceptase la fe cristiana y se asegurase la salvación, bajo el presupuesto de que «fuera de la Iglesia no hay salvación». En segundo lugar, por la *predicación, conversión y bautismo*, al implantar la Iglesia, mediante el evangelio, una adecuada iniciación o catecumenado. En tercer lugar, hubo también una evangelización por la *justicia*, mediante la defensa del indio frente a sus usurpadores o conquistadores [2]. Evidentemente, el camino más común fue el de la conquista. En su conjunto, la primera evangelización de América se caracteriza por el colonialismo, la sacramentalización y el adoctrinamiento.

---

[1] Cf. E. Dussel, *Introducción general*, en CEHILA, *Historia general de la Iglesia en América Latina*, I/1, Sígueme, Salamanca 1983 ss.; H. J. Prien, *Historia del cristianismo en América Latina*, Sígueme, Salamanca 1985: A. M. Bidegain, *Así actuaron los cristianos en la historia de América Latina*, Bogotá 1985; R. Darío García, *Evangelización y liberación en la historia de la Iglesia Latinoamericana*, en Sociedad Argentina de Teología, *Evangelización y liberación*, Paulinas, Buenos Aires 1985, 47-111; P. Borges (ed.), *Historia de la Iglesia en Hispanoamérica y Filipinas*, vol. I, BAC, Madrid 1992.

[2] Cf. D. Borobio, *Los laicos y la evangelización*, Desclée, Bilbao 1987, 25; ver especialmente la primera parte: *Los laicos en la evangelización de América durante el siglo XVI*.

a) Evangelización colonizadora

El modelo eclesial de cristiandad, bajo el cual se desarrolla la primera evangelización de América Latina, corresponde a la coherencia entre los fines de la Iglesia y del Estado. La Iglesia se vale de la ayuda estatal para cumplir su misión, y el Estado recibe de la Iglesia legitimación para cumplir su cometido civil, básicamente conquistador y dominador. En la España del s. XVI hay un Estado teocrático y una Iglesia de cristiandad. De ahí la estrecha relación entre la espada y la cruz, es decir, entre la conquista y la misión, consecuencia de un «mesianismo temporal» que unía los destinos de la patria con los de la Iglesia para dar lugar a un «Estado-misionero», en el que el rey era «vicario del papa» y el evangelizador funcionario real o «conquistador a lo divino». De hecho, la dirección de las misiones en América dependió de la Corona, «obligada a fomentar la evangelización como contrapartida de los derechos del Real Patronato» [3].

La evangelización de españoles y portugueses en América, unida a la conquista, implantó una cristiandad según el modelo de la metrópoli y en dependencia del mismo. De acuerdo a santo Toribio de Mogrovejo, la Iglesia en América latina surgió como «la nueva cristiandad de las Indias» o «cristiandad indiana», distinta de las Iglesias de España y Portugal. La evangelización colonial se centraba en la Iglesia, en cuyo interior estaba la totalidad de la salvación. La Iglesia se identificaba prácticamente con el reino de Dios y con el *orbis christianus*. De ahí la necesidad de incorporar al orbe católico a todos los pueblos paganos para asegurarles su salvación. Al unirse conquista y evangelización, se mezclaba lo político y lo religioso, lo militar y lo misionero.

También hubo, aunque minoritariamente, una *evangelización profética* que criticó ciertos postulados de la evangelización colonial. Pretendía ser evangelización pacífica y oferta libre de conversión, con un sincero reconocimiento del indio, dentro de una práctica de justicia y solidaridad. Se intentó

plasmarla en Tezututlan (Vera Paz) y más tarde en las denominadas «reducciones». Son testigos de la misma –señala Puebla– algunos «intrépidos luchadores por la justicia» y «evangelizadores de la paz» (DP 8), como Antonio de Montesinos, Bartolomé de las Casas, Juan de Zumárraga, Vasco de Quiroga, Juan del Valle, Julián Garcés, José de Anchieta, Manuel Lóbrega y tantos otros, «que defendieron a los indios ante conquistadores y encomenderos incluso hasta la muerte». Pero se impuso la evangelización estrictamente colonial [4].

En el fondo, la teología de este tiempo oscila entre la cruzada y la misión. Unas veces es proselitismo y otras estricta evangelización [5]. E. Dussel distingue dos etapas: la primera, de 1511 a 1553, en la que se desarrolló una teología profética crítica contra los abusos; la segunda, a partir de 1553, con la fundación de las universidades, imitadora de la segunda escolástica española, más ideológica [6]. Según resume L. N. Rivera Pagán, se dan dos perspectivas distintas: la «conquista evangelizadora» (por la fuerza, si es necesario) y la «acción misional» (mediante la persuasión y la adhesión de la voluntad) [7]. Puede decirse, con A. Romeu de Armas, que «en América la conquista evangelizadora prevaleció sobre la acción misional» [8].

b) Evangelización sacramentalista

La cristiandad colonial latinoamericana fue configurada fundamentalmente por los sacramentos y ritos cristianos. En primer lugar, «ritos de pasaje»,

---

[3] P. Borges, *Estructura y características de la evangelización americana*, en id. (dir.), *Historia de la Iglesia en Hispanoamérica y Filipinas*, I, BAC, Madrid 1992, 433.

[4] Cf. F. Martínez, *Dos modelos de Iglesia y dos modelos de evangelización en los primeros tiempos de la colonia*, en IV Congreso Justicia y Paz, *V Centenario: otro lenguaje sobre el «descubrimiento»*. Ed. San Esteban, Salamanca 1990, 59-74.

[5] Cf. H. J. Prien, *La historia del cristianismo en América Latina*, Salamanca 1985.

[6] E. Dussel, *Sobre la historia de la teología en América Latina*, en *Desintegración de la cristiandad colonial y liberación*, Salamanca 1978, 115-138.

[7] L. N. Rivera Pagán, *Evangelización y violencia: la conquista de América*, CEMI, San Juan de Puerto Rico 1991, 374.

[8] A. Romeu de Armas, *Esclavitud del infiel y primeros atisbos de libertad*, en *Estudios sobre política indigenista española en América: Simposio conmemorativo del V Centenario del Padre Las Casas* (Terceras jornadas americanistas en la Universidad de Valladolid), Universidad, Valladolid 1975, I, 61.

individuales y familiares, correspondientes a los sacramentos del catolicismo popular (bautismo, primera comunión, matrimonio y exequias) en relación a momentos estelares de la existencia (nacimiento, pubertad, matrimonio y muerte). En segundo lugar, ritos colectivos y sociales correspondientes a las fiestas estacionales (navidad y semana santa), locales (santos patronos y advocaciones marianas) y nacionales (independencia y fiestas de la patria). En América Latina –escribe P. Trigo–,

> «tanto los individuos como las colectividades se socializan y autoafirman en buena medida mediante los ritos cristianos» [9].

Esta ritualidad sacramental corresponde a una cosmovisión profundamente tradicional.

Al comienzo de la evangelización, los bautismos fueron por coacción y en masa, pero poco a poco se impuso un proceso más o menos largo de catequización hasta llegar a la fe y, sobre todo, a la eucaristía [10]. De ordinario, a la celebración bautismal precedía un período de instrucción cristiana, aun en el caso, muy frecuente al principio, de sacramentalizar masivamente. Se guardó una cierta preparación mínima. Los primeros bautismos en masa fueron examinados en España desde un punto de vista teológico y moral. Lo cierto es que hacia 1540 apenas quedaban indígenas adultos para bautizar.

En realidad, hubo en los comienzos de la evangelización americana dos prácticas bautismales diferentes, la *sacramentalista* de los primeros franciscanos (anuncio sucinto, bautismo masivo, conversión y catequesis posterior) y la *catecumenal* de los dominicos, agustinos y posteriormente jesuitas (catecumenado y conversión, bautismo, catequesis permanente), llevada a cabo a partir de 1526, después de la llegada de la Compañía de Jesús. Los teólogos salmantinos –además de J. de Acosta y J. de Focher– defendieron esta segunda pastoral. Los agustinos exigieron a partir de 1534 que sólo se bautizara cuatro veces al año (navidad, pascua, pentecostés y fiesta de san Agustín), después de un período previo de instrucción cristiana, en el que además de la catequesis se celebraban los exorcismos y escrutinios. En 1541, los teólogos de Salamanca, en un memorial dirigido al Consejo de Indias, se pronunciaron a favor de una preparación prebautismal [11]. Con todo, el ritual bautismal propio de la época estaba pensado para el bautismo individual de infantes, no para el de adultos [12].

Los primeros concilios de México (1555) y Lima (1552) prescribieron con claridad y firmeza la catequesis bautismal obligatoria [13]. Se señaló un tiempo mínimo de 30 días para la instrucción prebautismal o catecumenal. El Sínodo de Quito (1570) exigió un «tiempo conveniente». Con todo, el III Concilio Limense, inaugurado en 1582 por santo Toribio de Mogrovejo en la capital del Virreinato del Perú, y el III Mexicano de 1585, presidido por Pedro Moya de Contreras, que tanta influencia ejercieron hasta el siglo XIX, nada prescribieron sobre el catecumenado, quizá porque el Concilio de Trento (1545-1563) no estipuló nada sobre esta cuestión, al estar los obispos europeos más preocupados por los problemas teológicos planteados por la Reforma que por las urgencias misioneras descubiertas en el Nuevo Mundo. Recordemos que a Trento no fue ningún obispo de América, dispensados por el papa de asistir. Tuvo intenciones de acudir fray Juan de Zumárraga, precisamente para dar a conocer los proble-

---

[9] P. Trigo, *Análisis teológico pastoral de la Iglesia latinoamericana*: «Revista Latinoamericana de Teología» 4 (1987) 30.

[10] Cf. R. Ricard, *La conquista espiritual de México. Ensayo sobre el apostolado y los métodos misioneros de las órdenes mendicantes en la Nueva España de 1523 a 1572*, México 1947; J. Beckmann, *Taufvorbereitung und Taufliturgie in den Missionen von 16. Jahrhundert bis zur Gegenwart*: «Neue Zeitschrift für Missionswissenschaft und Religionswissenschaft» 15 (1959) 14-31, o en lengua francesa: *L'initiation et la célébration baptismale dans les missions du 16e siècle à nos jours*: «La Maison Dieu» 58 (1959) 48-70; L. Kilger, *Entwicklung der Katechumenatspraxis* von 5.-18 Jahrhundert: «Zeitschrift für Missionswissenschaft» 15 (1925) 166-182; G. Mensaert, *La préparation des adultes au Baptême en terre païenne*: «Revue d'Histoire des Missions» 16 (1939) 233-255; 402-419; 498-526.

[11] Cf. D. Borobio, *Los teólogos salmantinos ante el problema bautismal en la evangelización de América (s. XVI)*: «Salmanticensis» 33 (1986) 179-206.

[12] Cf. D. Borobio, *El bautismo en la primera evangelización de América (s. XVI)*: «Phase» 185 (1991) 359-387.

[13] Cf. R. Vargas Ugarte, *Concilios Limenses (1551-1772)*, vol. I, Lima 1951.

mas de las nuevas cristiandades y recabar ayuda del papa y del futuro concilio, pero murió sin lograrlo.

c) *Evangelización adoctrinadora*

La evangelización colonial española, desarrollada precisamente en la llamada «época de los catecismos», equivale a la instrucción religiosa o enseñanza de la doctrina cristiana contenida en el catecismo: mandamientos, símbolo, padrenuestro y sacramentos. En España se publicaron durante el s. XVI un centenar de textos catequéticos notables, influidos por la renovación exegética de Alcalá, el aporte teológico de Salamanca y las exigencias misionales de América [14]. Para la enseñanza del catecismo en las tierras recién conquistadas se utilizaron las denominadas *cartillas* y *doctrinas breves*. Incluso en América, el contenido catequístico adquirió un cierto tono polémico antiprotestante, prevaleciendo la formulación dogmática sobre la exposición bíblica y el vocabulario abstracto sobre la narración histórica. Ante la amenaza de la herejía, pasó a un primer plano la preocupación por la ortodoxia y la exactitud doctrinal. Hubo, por eso mismo, un control férreo del dogma y de la doctrina por el Santo Oficio o Inquisición. A pesar de que intenta ser iniciación a la fe, instrucción religiosa, regla de conducta e interpretación de la tradición, la *catequesis doctrinal*, propia de la cristiandad, es una reducción de la teología escolástica, usa un lenguaje abstracto alejado de la pastoral, utiliza poco y mal la Biblia, no parte inductivamente de la vida y se impone memorísticamente desde arriba con un sentido autoritario doctrinal.

La *doctrina cristiana* se impartía a los indios tres veces por semana en torno a los contenidos fundamentales de la fe (Dios creador, Trinidad, Cristo salvador, Iglesia, sacramentos), oración cristiana (padrenuestro, avemaría, credo) y normas de conducta (mandamientos, pecados y virtudes) [15]. En realidad se daba una instrucción elemental antes del bautismo, consistente en aprender de memoria el padrenuestro, el credo y los mandamientos. La catequesis propiamente dicha se impartía después del bautismo. Una de las primeras fue la *Doctrina cristiana para instrucción de indios*, escrita por P. de Córdoba entre 1510 y 1521. Fue llevada de la Española a México por Fray Domingo de Betanzos. Usaron *doctrinas cristianas* por primera vez en México los «doce frailes de San Francisco» a partir de 1524, a las que debemos añadir los catecismos de Juan de Ribas (México 1537), Fray Juan de Zumárraga (México 1539), Pedro de Córdoba (México 1544) y Pedro de Gante (México 1544). El catecismo de J. de Acosta (México 1537), mandado redactar por santo Toribio de Mogrovejo con ocasión del III Concilio provincial de Lima, fue el primer libro impreso en América [16], de composición trilingüe en castellano, quechua y aymará. Recordemos que los famosos catecismos de G. Astete (¿Salamanca 1576?, Burgos 1593) y J. de Ripalda (Burgos 1591) son posteriores a las *doctrinas cristianas* hispanoamericanas, a diferencia del controvertido catecismo de J. de Valdés, previo a todos ellos (Alcalá 1529). También son posteriores los catecismos de Pedro Canisio (1555-1559), del concilio de Trento (1566) y de Roberto Belarmino (1597-1598).

La evangelización de América comenzó a decaer cuando se fue apagando el espíritu de genuina reforma mendicante que los religiosos llevaron de España a comienzos del s. XVI. Influyó asimismo en este declive el plan de gobierno trazado por Felipe II al resucitar el Patronato, dirigir minuciosamente todos los problemas e intentar llenar las arcas vacías o semivacías de la corona. Finalmente, la jerarquía perdió espíritu en la defensa de los indios e implantó un régimen eclesiástico autoritario frente al espíritu más carismático de los religiosos [17]. Re-

---

[14] Cf. J. R. Guerrero, *Catecismos españoles del siglo XVI. La obra catequética del Dr. Constantino Ponce de la Fuente*, ISP, Madrid 1979; id., *Catecismos de autores españoles de la primera mitad del siglo XVI (1500-1559)*, en *Repertorio de las Ciencias Eclesiásticas en España*, II, Salamanca 1971, 225-260; L. Resines, *Catecismos de Astete y Ripalda. Edición crítica*, Ed. Católica, Madrid 1987.

[15] Cf. J. G. Durán, *Monumenta Catechetica Hispanoamericana (s. XVI-XVIII)*, vol. I, Siglo XXI, Buenos Aires 1984, 368-375, cita en D. Borobio, *Los laicos...*, o. c., 40.

[16] Su título es *La breve y más compendiosa doctrina cristiana en lengua mexicana y castellana que contiene las cosas más necesarias de nuestra santa fe católica para aprovechamiento de estos indios naturales y salvación de sus ánimas*.

[17] Cf. I. Pérez, *El «tiempo dorado» de la primera evangeliza-*

cordemos que en 1568 prohíbe Felipe II escribir sobre las cualidades de los indios. Incluso se censuraban las obras críticas sobre la conquista.

2. La evangelización de la nueva cristiandad (s. XX hasta el Vaticano II)

a) Configuración política

La independencia política de América Latina tuvo un primer antecedente en 1780 con la rebelión de Túpac Amaru en Perú, sofocada violentamente. El ansia de independencia prendió durante la ocupación de España por Napoleón y se desarrolló entre 1808 y 1824. Fue obra básicamente de la burguesía criolla, con la pretensión de conectar después con el capitalismo industrial inglés entonces creciente y, a partir de 1929, con el norteamericano. Esta actitud conservadora en lo político y burguesa en lo económico se inspiraba en los ideales de libertad y democracia que se respiraban en Europa, con una diferencia: en Europa, la burguesía luchaba contra los terratenientes, mientras que en América Latina los terratenientes luchaban contra los españoles. Sin. que el pueblo interviniera en América Latina, se pasó del dominio colonial español al dominio de las nuevas oligarquías nacionales. Este cambio mantuvo al pueblo en el subdesarrollo económico y en la dependencia política, al paso que la clase minoritaria dominante prosperaba con total hegemonía. La independencia de los nuevos Estados favoreció la libertad de cultos, al paso que la llegada de inmigrantes protestantes europeos contribuyó a la construcción de templos no católicos. Recordemos que Pío VII y León XII se manifestaron en los momentos de la independencia proclives a la monarquía española y contrarios a la creación de nuevas naciones. Las repúblicas americanas fueron reconocidas en 1831 por Gregorio XVI en *Sollicitudo ecclesiarum*.

b) Re-estructuración eclesial

Después de la independencia, la Iglesia latinoamericana siguió configurada en régimen de cristiandad mediante un nuevo tipo de alianza con las clases dominantes. Su actitud de cara al pueblo era asistencial y paternalista; frente al anticlericalismo de cuño liberal adoptó posiciones defensivas. Sus directrices pastorales se plasmaron en el *Concilio Plenario de América Latina*, al que asistieron unos cincuenta obispos, convocados por León XIII en 1899 con motivo del IV Centenario del Descubrimiento de América [18]. El hecho de celebrarse en Roma indica el grado de colonialismo religioso que tenía la Iglesia latinoamericana. Según este concilio, la cristiandad latinoamericana se encontraba debilitada por la ignorancia religiosa del pueblo, la escasa participación de los fieles en el culto y las amenazas derivadas de los «enemigos de la fe», consecuencia de los «errores de nuestro tiempo»: ateísmo, materialismo, racionalismo e indiferentismo. Con un pueblo «menor de edad» y unas élites separadas de la Iglesia y del pueblo, el proyecto evangelizador se basaba en una instrucción religiosa derivada de la escolástica, una vigorosa disciplina canónica, una espiritualidad ascética y un catolicismo popular barroco [19]. Las cuestiones que preocupaban a los obispos de este concilio latinoamericano eran la «disciplina eclesiástica», la concordia con los gobernantes y la educación católica. La conjunción de estos elementos haría que el pueblo siguiese siendo católico.

c) Restauración de la cristiandad

El proyecto evangelizador de la Iglesia latinoamericana de comienzos de este siglo se basaba en el ideal de la cristiandad y en la condena del mundo moderno por su oposición a la configuración social católica, de acuerdo a la recién nacida doctrina social de la Iglesia. Para hacer frente a dicha tarea, se fomentó la creación de nuevos seminarios, escuelas y universidades católicas, prensa de la Iglesia, co-

---

ción de América, hechura del Padre Las Casas: «Ciencia Tomista» 116 (1989) 271-290.

[18] Cf. *Acta et Decreta Concilii Plenarii Americae Latinae*, Typis Vaticanis, Roma 1900.
[19] P. Trigo, *Análisis teológico pastoral...*, o. c., 31-32.

fradías de la doctrina cristiana, hospitales, asociaciones recreativas, círculos católicos de obreros y partidos confesionales. La predicación debía ajustarse a las normas de 1894, decretadas por León XIII, en la línea de las postrimerías. La catequesis tenía que seguir el texto de un catecismo único, según las indicaciones de san Pío V (catecismo de Trento) y de Belarmino (catecismo antirreformista). La visión evangelizadora apenas varió en la primera mitad del s. XX. Las preocupaciones se centraron en aumentar las vocaciones sacerdotales, disipar la ignorancia religiosa y combatir a los enemigos de la Iglesia. La Iglesia era ajena a los problemas reales del mundo, al que combatía como enemigo.

Especial importancia se dio a la proliferación de sectas nacidas de las continuas escisiones de las Iglesias protestantes: anglicana, bautista, episcopaliana, metodista y presbiteriana. Ordinariamente las sectas procedían de los Estados Unidos, sobre todo después de la II Guerra Mundial, como consecuencia de la *Good Neighbour Policy* del presidente F. D. Roosevelt. Frente al sentido progresista y liberal de las Iglesias protestantes, las sectas se caracterizan por su fundamentalismo teológico y su conformismo conservador político en aras de intereses norteamericanos. Se reproducen merced a su mensaje apocalíptico, espíritu expansionista, riqueza económica, simplicidad argumental y combatividad antiliberadora. Este proceso puede ser entendido como un intento de «reevangelización» sectaria del catolicismo popular.

d) El despertar social

Hubo un tímido despertar social gracias a la encíclica *Rerum novarum* de León XIII, al proyecto social del sacerdote italiano L. Sturzo y a las enseñanzas del filósofo francés J. Maritain relativas a la nueva cristiandad [20]. Se pretendía que la acción cristiana no quedase reducida al culto, sino que se extendiese al campo de la persona humana y a su dimensión social. Según la fórmula de J. Maritain, se trataba de actuar «en cuanto cristiano» (plano espiritual) y «en cristiano» (plano temporal) [21]. Ejercieron influjos notorios en América Latina la Acción Católica y algunas universidades católicas. De hecho, hubo militantes cristianos latinoamericanos, como E. Frei y R. Caldera, que participaron en una reunión internacional de Acción Católica de 1933 en Roma [22]. A partir de la crisis de 1930, cuando se debilita la oligarquía liberal mercantil –escribe E. Dussel–, la Iglesia intenta establecer

«relaciones positivas con el Estado populista hegemonizado por la burguesía interior o nacional» [23].

Sin enjuiciar críticamente su sistema, se trataba de que el mundo se impregnara de valores evangélicos para lograr su *consagración*. Era el momento del desarrollo del continente latinoamericano con la ayuda de occidente y de la promoción de las personas en todas sus dimensiones, para abandonar la marginación y arribar a la integración.

«La cristiandad latinoamericana, para estos cristianos promovidos y modernos –escribe P. Trigo–, no pasaba de tradicionalismo rutinario, devoción sin instrucción, superstición y magia sin evangelio. No merecía la pena restaurar la cristiandad. Se trataba de promover una nueva cristiandad» [24].

El vigor adquirido por la institución eclesiástica –con la ayuda de un laicado encuadrado en la Acción Católica– culminó en la década de los cincuenta con la creación de multitud de «obras» de la Iglesia. Al reunirse en Río de Janeiro en 1955 la I Conferencia General del Episcopado Latinoamericano, bajo el pontificado de Pío XII y con la presencia de 96 obispos, se decidió la creación del CELAM (Consejo Episcopal Latinoamericano), que se constituyó en 1956 [25]. En el horizonte se vislumbraban dos pe-

[20] Cf. E. Dussel, *Historia de la Iglesia en América Latina (1492-1972)*, Nova Terra, Barcelona 1972, 177-201; CEHILA, *Para una historia de la evangelización en América Latina*, Barcelona 1977; F. Houtart, *La Iglesia latinoamericana en la hora del Concilio*, Feres, Friburgo 1962; E. Pin, *Elementos para una sociología del catolicismo latinoamericano*, Feres, Friburgo 1963.

[21] Cf. J. Maritain, *El humanismo integral*, C. Lohlé, Buenos Aires 1966, 221.

[22] Cf. R. Caldera, *Especificidad de la democracia cristiana*, Caroní, Caracas 1972.

[23] CEHILA, *Historia general de la Iglesia en América Latina*, o. c., 8.

[24] P. Trigo, *Análisis teológico pastoral...*, o. c., 40-41.

[25] Cf. A. Soria-Vasco, *Le CELAM ou Conseil épiscopal latinoaméricain*: «L'Année Canonique» 18 (1974) 179-220.

ligros: el avance protestante y el socialismo marxista. Se consideraba preocupante la escasez del clero y la formación de los seminaristas, aunque al mismo tiempo se manifestaron algunas cuestiones relativas al apostolado social. La creación del Consejo Episcopal Latinoamericano (CELAM) fue obra de dos grandes obispos amigos, Manuel Larraín y Helder Cámara. En su reunión de 1960 se abordaron por primera vez algunos temas sociales.

3. La evangelización liberadora (desde el Vaticano II)

a) El despertar de una conciencia liberadora

El continente latinoamericano ha pasado recientemente por diversas fases: el nacionalismo popular de los años 40, el desarrollismo de los 60, los regímenes militares de los 70 y la crisis económica posterior, con una recuperación débil de la democracia política y una evidente ausencia de la democracia social y económica.

La participación en el Vaticano II de 600 obispos latinoamericanos (el 23,3% del total) fue decisiva para que la Iglesia tomase conciencia de su misión en el continente, sobre todo en el campo de la justicia. En la reunión anual del CELAM de 1966 se decidió la celebración de una Segunda Conferencia; ahí alzó su voz profética Helder Cámara, afirmando que la sociedad existente era injusta. Según el conocido obispo brasileño, el problema de la Iglesia latinoamericana «no era el de las vocaciones sacerdotales, sino el del subdesarrollo». Había que transformar la sociedad desde sus cimientos. De hecho, antes del Vaticano II había despertado entre campesinos, obreros, indígenas y negros la conciencia de la dependencia y opresión en la que se encontraban. Su subdesarrollo era consecuencia del capitalismo creciente, propio de las oligarquías. Por consiguiente, no bastaba sólo un desarrollo, sino un proceso revolucionario de liberación[26].

Para madurar esta conciencia social liberadora fue decisiva la presencia de cristianos cualificados en el seno del pueblo, especialmente en tareas educativas. Durante las décadas de los cincuenta y sesenta hubo religiosos y religiosas que se encarnaron en el pueblo con actitud testimonial ejemplar. De este modo se pasó de la promoción popular al compromiso con el pueblo oprimido. Pero no era suficiente estar con los pobres; había que establecer con el pueblo unas relaciones sociales transformadoras. En las reivindicaciones sociales y en la organización popular era preciso pasar del testimonio evangélico a la participación[27].

La reforma pastoral del Vaticano II hizo posible que la palabra de Dios volviese a ser escuchada y leída por el pueblo cristiano. Precisamente en los círculos bíblicos se descubrió un nuevo rostro liberador de Dios y se atisbó que la situación de opresión no se derivaba de la voluntad divina, sino de intereses injustos humanos. En un clima de fe, con la oración en común y la comunicación fraterna de bienes, surgió una Iglesia comunitaria en la base del pueblo con propósitos liberadores[28].

b) Las aportaciones de Medellín y Puebla a la evangelización liberadora

La II Conferencia Episcopal Latinoamericana de Medellín representó un giro copernicano de la Iglesia latinoamericana por la «recepción creativa» que hizo del Vaticano II[29]. El tema de la Conferencia fue: *La Iglesia en la actual transformación de América Latina a la luz del Concilio*. Se celebró en 1968, año marcado por la primavera de Praga, el mayo caliente francés, la masacre mexicana en la plaza de las Tres culturas, el asesinato de M. Luther King y R. Kennedy y la perpetración de algunos golpes militares en el continente latinoamericano. El objetivo de esta Conferencia no fue la mera aplicación del Vaticano II a la Iglesia latinoamericana, sino la interpretación del Concilio a la luz de la realidad de

[26] Cf. H. Assmann, *Opresión-liberación: desafío a los cristianos*, Montevideo 1971.

[27] P. Trigo, *Análisis teológico pastoral...*, o. c., 44.

[28] Cf. L. Boff, *Eclesiogénesis*, Sal Terrae, Santander 1979, 9-73.

[29] Cf. J. Sobrino, *El Vaticano II y la Iglesia en América Latina*, en C. Floristán y J. J. Tamayo (eds.), *El Vaticano II, veinte años después*, Cristiandad, Madrid 1985, 105-134.

aquel continente, caracterizado por la pobreza y la injusticia de un lado, y por la juventud y la esperanza de otro. Gracias al coraje profético de algunos obispos y teólogos, la Iglesia rompió los lazos tradicionales de su alianza con los poderosos, denunció las estructuras de pecado y optó por los pobres. El CELAM de Medellín, que representó una línea profética de compromiso social y de crítica al sistema vigente injusto, dio protección y cobijo a la teología de la liberación.

> «Estamos -afirma Medellín- en el umbral de una nueva época histórica de nuestro continente, llena de un anhelo de emancipación total, de liberación de toda servidumbre, de maduración personal y de integración colectiva» (Introd.).

La originalidad de la II Conferencia residió en el método jocista empleado (ver, juzgar, actuar), en la agenda de temas tratados y en la fijación de dos opciones preferenciales: los pobres y los jóvenes, junto a dos tareas prioritarias: la lucha por la justicia y la defensa de los derechos de la persona. Medellín aplicó la visión conciliar de los signos de los tiempos, siguiendo la encíclica *Populorum progressio* de Pablo VI de 1967. Pero frente a la Iglesia de los pobres o de las «inmensas mayorías» configurada en Medellín en estado de comunidad, el ala conservadora y dominante de la Iglesia se opuso, totalmente, tanto a su espíritu como a sus documentos [30]. Los conservadores afirmaban que el comunismo había penetrado insidiosamente en la Iglesia, rechazaban de plano la teoría de la dependencia y criticaban severamente las nuevas formas de analizar la realidad social. Asimismo fue atacada la teología de la liberación por los regímenes de la *seguridad nacional*, defensores de la denominada «civilización occidental cristiana» y visceralmente anticomunistas. Los diez años siguientes hasta Puebla fueron de intensas luchas y discusiones. Mientras que los conservadores creían que los problemas de la Iglesia se centraban en la secularización y en la indiferencia religiosa, los defensores de la liberación se fijaban más en la pobreza masiva del pueblo.

A finales de 1976 decidió el CELAM organizar la III Conferencia, que tuvo lugar en Puebla en febrero de 1979, siendo Juan Pablo II recién elegido papa. El proceso fue largo y difícil a consecuencia del documento de consulta, que silenciaba el espíritu de Medellín. Se enfrentaron los que pretendían condenar la teología de la liberación y los defensores de la Iglesia en la base. Al presentar varios episcopados textos alternativos para la III Conferencia, desapareció el documento de consulta y se elaboró un documento de trabajo que recogía el sentir de muchas observaciones en la línea de Medellín. El tema de esta Conferencia fue: *La evangelización en el presente y en el futuro de América Latina*.

La Conferencia de Puebla comenzó con un discurso de Juan Pablo II en el que hacía referencia a tres problemas: el magisterio paralelo, la Iglesia popular y la relectura de la Biblia. Pero fue en realidad un discurso liberador, invitando a los obispos a ser libres y a tomar iniciativas en lo social. En Puebla se impuso finalmente el espíritu de Medellín, defendido sobre todo por los representantes brasileños, con el concurso inapreciable de los teólogos de la liberación. Por lo que respecta a la misión de la Iglesia, Puebla es a *Evangelii nuntiandi* lo que Medellín al Vaticano II. En la conferencia de Puebla se entiende la evangelización en el sentido amplio de la exhortación de Pablo VI, ya que América Latina es un continente católico de bautizados. En continuidad con Medellín y en sintonía con la *Evangelii nuntiandi*, Puebla sitúa la evangelización en el contexto de la realidad social latinoamericana, denunciada por su «situación de pecado» y «violencia institucionalizada». Se advierte en el mensaje de Puebla la primacía de la *evangelización liberadora*, junto a la opción por los pobres, la lucha por la justicia y las comunidades eclesiales de base [31].

La sociedad latinoamericana, no obstante, se encuentra hoy inmersa en graves problemas económicos, políticos y sociales. Según describe J. C. Scannone,

> «la crisis de Estado, el agobiante peso de la deuda externa, los interminables *ajustes* monetaristas, el con-

---

[30] Cf. J. Comblin, *Medellin et les combats de l'Église en Amérique latine*, en P. Ladrière y R. Luneau (eds.), *Le retour des certitudes. Événements et orthodoxie depuis Vatican II*, Centurion, París 1987, 34-53.

[31] Cf. M. A. Keller, *Evangelización y liberación. El desafío de Puebla*, Ed. Biblia y Fe, Madrid 1987.

secuente desempleo y subempleo estructurales –a veces aumentados por la incipiente introducción de nuevas tecnologías–, la pauperización de las clases medias con el surgimiento de los así denominados *nuevos pobres*, el tremendo auge de la economía informal, la campaña promovida por la ideología neoliberal, que se pretende única alternativa posible de modernización y de desarrollo, etc., todo ello causa un fuerte impacto no sólo político, social y económico, sino también ético y cultural» [32].

Las consecuencias sociales negativas son obvias: escepticismo político, desesperación económica, desarraigo social y atracción de las drogas, las sectas y los fundamentalismos. Pero, al mismo tiempo, la cultura sapiencial y religiosa del pueblo, junto a ciertos cuerpos sociales intermedios, ha dado lugar al neocomunitarismo solidario de base y a los movimientos populares de cogestión y participación. Estos hechos, podría decirse con Puebla,

«marcan los desafíos con que ha de enfrentarse la Iglesia. En ellos se manifiestan los signos de los tiempos, los indicadores del futuro hacia donde va el movimiento de la cultura. La Iglesia debe discernirlos, para poder consolidar los valores y derrocar los ídolos que alientan este proceso histórico» (DP 420).

_____

PROGRAMA DE EVANGELIZACION

«Se trata de trazar ahora, para los próximos años, una nueva estrategia evangelizadora, un plan global de evangelización que tenga en cuenta las nuevas situaciones de los pueblos latinoamericanos y que constituya una respuesta a los retos de la hora presente, entre los que están, en primer plano, la creciente secularización, el grave problema del avance de las sectas y la defensa de la vida en un continente donde deja sentir su presencia destructiva una cultura de la muerte».

Juan Pablo II, *Discurso a la II Asamblea Plenaria de la Pontificia Comisión para América Latina*, 14.6.1991.

_____

[32] J. C. Scannone, *Incidencias de la modernidad en la cultura latinoamericana y la respuesta pastoral a los desafíos generados*: «Sedoi-Documentación» n. 112 (1991) 13.

c) Santo Domingo: «*Nueva evangelización. Promoción humana. Cultura cristiana*»

El proceso de preparación para la IV Conferencia de Santo Domingo ha pasado por cuatro redacciones [33]. La *Primera redacción del documento de consulta* (31.8.1989), dividido en tres partes (visión histórica, realidad latinoamericana e iluminación teológica), ha sido considerado extraño a la tradición pastoral de Medellín y Puebla. Describe los hechos sin analizar suficientemente las causas y es teológicamente muy pobre respecto del fenómeno de las comunidades eclesiales de base y de la teología de la liberación. La segunda versión, titulada *Documento de consulta*, fue decepcionante. Se analiza la historia y la realidad de América Latina desde la institución eclesiástica. Según J. Comblin, es portador de una teología de cuño neotradicionalista que rechaza la modernidad [34]. Fue rechazado globalmente. La tercera versión, titulada *Elementos para una reflexión pastoral en preparación de la IV Conferencia General del Episcopado Latinoamericano* (6.2.1990), con cuatro partes (las tres anteriores y una visión pastoral), propone como tema central: *Una nueva evangelización para una nueva cultura*. Ha sido reconocido por muchos como texto de compromiso. Examinado globalmente, aunque posee aspectos positivos, «no representa el pensar, hacer y orar de vastos sectores de Iglesia» [35]. Según C. Bravo, «es un documento de componenda, frío, sin opción definida, con serias lagunas de fondo» [36]. Pone de relieve como desafío pastoral la cultura «adveniente» o moderna como si fuese el principal problema de la Iglesia en América Latina. La cuarta versión es propiamente el «documento de consulta», titulado *Nueva evangelización. Promoción humana. Cultura cristiana* (mayo de 1991). Comienza el texto por una breve presentación histórica de la evangelización en América, en donde se acentúa to-

_____

[33] Cf. J. B. Libânio, *Perspectivas y prospectivas para la Asamblea de Santo Domingo*: «Iglesia Viva» 157 (1992) 77-95.

[34] J. Comblin, *O resurgimiento do tradicionalismo na teología latino-americana*: «Revista Eclesiastica Brasileira» 50 (1990) 44-73.

[35] *Ibíd.*, 44.

[36] C. Bravo, *Para leer el documento de Santo Domingo*: «Christus» 640-641 (1990) 50.

do lo positivo y se justifica de algún modo lo negativo. La segunda parte describe la realidad actual sin el dramatismo de Puebla. La tercera parte gira en torno a la promoción y formación de la comunidad humana en América Latina. Se escoge como tema central la cultura. Ocupa un lugar importante la defensa de la vida, en relación con el derecho de nacer más que con la amenaza del hambre y de la miseria. La cuarta parte es una reflexión bíblico-teológica con referencias al reino de Dios, a la Iglesia y a las sectas.

La IV Asamblea del CELAM de 1992 en Santo Domingo se centra en la evangelización de la cultura, tema que suscita algunos interrogantes. Tal como ha sido constituida la cristiandad en América Latina, se da en ella un cuadro social y religioso que contribuye a que el pueblo sea católico por ritos y costumbres, desde el nacimiento a la muerte, mediante una especie de evangelización indirecta [37]. Al plantearse el resquebrajamiento de este cuadro por las emigraciones, la crisis familiar, la escasez de sacerdotes y el crecimiento de las sectas –que captan miembros mediante un proselitismo·directo de persona a persona–, se pretende relanzar una nueva evangelización de la cultura, rescatando el vigor de la cultura cristiana tradicional. Para eso se necesita el apoyo de la clase política dirigente y de las instituciones de la misma Iglesia. Según J. Comblin, algunos entienden por cultura en América Latina el sistema de símbolos en la sociedad o el mundo simbólico de las clases privilegiadas, sin tener en cuenta la economía, el trabajo, la miseria, la violencia institucional, etc., elementos culturales del mundo de los pobres.

Al mismo tiempo se han producido frente a la conferencia de Santo Domingo reacciones de preocupación, al recordar la «incomunicación y exclusiones» que se dieron en la preparación de la III Conferencia de Puebla, con la intención de anular el espíritu de Medellín [38]. El tema de la «nueva evangelización» en Santo Domingo suscita, en síntesis, cuatro preocupaciones, que en forma positiva pueden ser enunciadas así: 1) Necesidad de recordar el Vaticano II, especialmente su llamada a conocer la realidad como *signo*, a interpretarla a la luz de las exigencias del *reino* y a *inculturar* la Iglesia en el pueblo (cf. GS 4). 2) Tener presentes los logros de Medellín y Puebla, especialmente la afirmación del pobre como sujeto de la sociedad y de la Iglesia. 3) Ver el mundo como lugar de la acción positiva de Dios –aunque sin olvidar el mal–, en vez de considerarlo de un modo dualista y negativo. 4) Hacer que el pueblo de Dios sea «sujeto histórico» de su liberación y «sujeto evangelizador» [39]. En definitiva, la «nueva evangelización» liberadora tiene como destino y como sujeto preferencial a los pobres; como contenido fundamental, el reino de Dios y el Dios del reino; como finalidad, inculturarse en los medios populares y buscar la salvación del hombre entero, personal y socialmente [40].

De cara a la celebración de Santo Domingo, muchos teólogos de la liberación reconocieron encontrarse en un momento de perplejidad, dado el antagonismo entre dos opciones pastorales de fondo existentes: una, de tipo liberador, se apoya en las comunidades de base y en la teología de la liberación; otra, de tipo conservador, está representada por los nuevos movimientos apostólicos con un acento marcadamente espiritualista. El texto que constituye la base del *Documento de Trabajo* para la IV Conferencia del CELAM, titulado *Secunda relatio*, sintetiza la opinión de 23 conferencias episcopales latinoamericanas. Ha sido elaborado por ocho teólogos del CELAM. Refleja un consenso de los episcopados de América Latina en la línea de Medellín y Puebla.

El Documento final de la IV Asamblea del CELAM, celebrada en Santo Domingo del 12 al 28 de octubre de 1992, fue aprobado mayoritariamente por los 206 miembros con derecho a voto. Costó seis redacciones llegar a una síntesis final. Las dificultades para redactar el documento se debieron, según el obispo brasileño Celso José Pinto, a dos ra-

---

[37] Cf. R. Luneau (ed.), *Les rendez-vous de Saint-Dominique*, Cerf, París 1991.

[38] Cf. D. Irarrázabal, *Una nueva evangelización en una nueva cultura*: «Christus» 55 (1990) 40-47.

[39] Cf. *Editorial*: «Christus» 638 (1990) 2-3; J. C. Ayestarán, *Nuevo sujeto histórico evangelizador*: «Iter» 1 (1990/1) 37-52.

[40] Cf. M. Munárriz, *Las acciones evangelizadoras*: «Iter» 1 (1990/1) 53.

zones: la marginación del *Documento de consulta* y el abandono del método «ver-juzgar-actuar».

El documento aprobado tiene tres partes con títulos doctrinales: 1) *Jesucristo, evangelio del Padre;* 2) *Jesucristo, evangelizador viviente en su Iglesia* (con tres capítulos sobre «la nueva evangelización», «la promoción humana» y «la cultura cristiana»; 3) *Jesucristo, vida y esperanza de América Latina,* en el que se insertan unas «líneas pastorales prioritarias». El hecho de no arrancar de la situación social de América Latina, sino de la profesión de fe (válida para cualquier conferencia episcopal de cualquier continente), supone una cierta ruptura con la línea metodológica de Medellín y Puebla. La parte histórica sobre la evangelización de América contenida en el documento de consulta se ha reducido a un par de páginas.

El primer capítulo, titulado *La nueva evangelización,* resume un discurso pastoral ya conocido sobre la misión de la Iglesia. No se recalca suficientemente el papel de las comunidades eclesiales de base, el influjo benéfico de la teología de la liberación y el entendimiento de la Iglesia como Iglesia de los pobres. La nueva evangelización no se identifica con la evangelización liberadora. El segundo capítulo, *La promoción humana,* al relacionarse más particularmente con la realidad latinoamericana, es algo más original. Los obispos denuncian una vez más «las injusticias que asolan a este continente empobrecido», piden la condonación de la «deuda externa», defienden una «economía de la solidaridad» y ponen de relieve la «opción preferencial por los pobres». Asimismo se hace una defensa de la propiedad de la tierra y de los límites ecológicos de su explotación, al paso que se critican severamente políticas económicas neoliberales aplicadas en América latina. De ahí la llamada a «una justa y humana política agraria que legisle, programe y acompañe una utilización más justa de la tierra». El tercer capítulo, *La cultura cristiana,* intenta responder a la inculturación de la fe. Se propone «la defensa, promoción e integración de las culturas indígenas y afroamericanas».

En todo caso, a pesar de ciertas concesiones al frente eclesial más neoconservador, puede decirse que Santo Domingo, en sus líneas generales, se muestra en continuidad con el mensaje liberador de Medellín y de Puebla, aunque la mayor parte del documento de Santo Domingo podría haber sido redactado por obispos de otros continentes. De hecho, las «líneas pastorales prioritarias» son válidas –en su mayor parte– para cualquier espacio humano de la Iglesia católica.

Bibliografía

R. Avila, *Elementos para una evangelización liberadora,* Sígueme, Salamanca 1971; id., *Teología, evangelización y liberación,* Bogotá 1973; L. Boff, *Quinientos años de evangelización. De la conquista espiritual a la liberación integral,* Sal Terrae, Santander 1992; CELAM, *La Iglesia en la actual transformación de América Latina a la luz del Concilio,* Bogotá 1968; CELAM, *Puebla. La evangelización en el presente y en el futuro de América Latina,* Bogotá 1983; CELAM, *Nueva evangelización. Promoción humana. Cultura cristiana* (Documento de trabajo), 1992; J. Comblin, *A nova evangeliçao da América latina e o caminho da reconciliaçao:* «Convergencia» 217 (1988); id., *A nova evangeliçao: depois de 500 años:* «Revista Eclesiatica Brasileira» 185 (1987); Conferencia de Religiosos de Colombia, *Formación en la nueva evangelización,* México 1991; M. A. Keller, *Evangelización y liberación. El desafío de Puebla,* Ed. Biblia y Fe, Madrid 1987; C. Maccise, *La espiritualidad de la nueva evangelización. Desafíos y perspectivas,* CRT, México 1990; J. R. Moreno, *Evangelización,* en I. Ellacuría y J. Sobrino (eds.), *Mysterium Liberationis. Conceptos Fundamentales de la Teología de la Liberación,* Trotta, Madrid 1990, I, 155-174; J. Sobrino, *La evangelización como misión de la Iglesia,* en *Resurrección de la verdadera Iglesia,* Sal Terrae, Santander 1981, 267-314; id., *Qué es evangelizar:* «Misión Abierta» (1985/3) 33-43; P. Trigo, *Análisis teológico-pastoral de la Iglesia latinoamericana:* «Revista Latinoamericana de Teología» 4 (1987) 29-61; Varios, *El camino hacia Puebla,* PPC, Madrid 1979.

15

La nueva evangelización de Europa

Al mismo tiempo que se pretende construir económica y políticamente la nueva Europa, se plantea la «nueva evangelización» del viejo continente secularizado. En los discursos sobre la nueva evangelización de Europa, tanto de Juan Pablo II como de algunos obispos europeos, se recuerda la contribución del cristianismo en la construcción de las naciones del viejo continente, especialmente desde finales del primer milenio.

«La Iglesia y Europa –dijo Juan Pablo II en el V Simposio Europeo de 1982– son dos realidades íntimamente ligadas en su ser y en su destino. Conjuntamente poseen un recorrido que dura siglos y permanecen marcadas por la misma historia. Europa ha sido bautizada por el cristianismo, y las naciones europeas, en su diversidad, han dado cuerpo a la existencia cristiana. En su itinerario se han enriquecido mutuamente de valores que han llegado a ser, no sólo el alma de la civilización europea, sino patrimonio de la humanidad entera» [1].

La identidad europea, afirma C. M. Martini, «está estrechamente ligada al cristianismo» [2].

Aquí me propongo examinar la «nueva evangelización» de los europeos (Europa no es sujeto de fe), teniendo a la vista las luces y sombras de la sociedad y de la Iglesia en el viejo continente.

1. Las raíces de Europa

a) Primera configuración histórica

Para justificar la influencia del cristianismo en la formación de Europa han recordado el papa y el Consejo de Conferencias Episcopales europeo algunos hechos históricos capitales. Al encarnarse el cristianismo en el imperio romano, apareció una Europa cristiana en su pensamiento, instituciones y cultura.

«La ideología constantiniana – escribe Ch. Wackenheim–, que puede ser considerada como uno de los pilares de la futura Europa, tendió simultáneamente a colocar a la Iglesia en el centro de la vida pública, al retirar al paganismo el apoyo del poder político y al legitimar las injerencias del Estado en los asuntos internos de la Iglesia, incluso en las querellas doctrinales» [3].

---

[1] Cf. el discurso de Juan Pablo II a los miembros del Simposio Europeo, en H. Legrand (ed.), *Les évêques d'Europe et la nouvelle évangélisation*, Cerf, París 1991, 151-158.

[2] C. M. Martini, *La Europa del tercer milenio*: «Vida Religiosa» 72 (1992/3) 182.

---

[3] Ch. Wackenheim, *L'«Europe chrétienne» entre histoire et utopie*: «Revue des Sciences Religieuses» 65 (1991) 291.

Recordemos que algunos concilios generales de los siglos IV y V fueron convocados por los emperadores. Juan Pablo II ha hecho memoria, en particular, de algunas figuras señeras que modelaron la cultura europea por medio de la evangelización: san Benito y el monacato, san Bonifacio y su misión entre los pueblos germanos, y los santos Cirilo y Metodio entre los eslavos. Se han recordado, asimismo, las fechas del bautismo de algunas naciones que recientemente han celebrado el milenario de su nacimiento cristiano, como Polonia (966), Hungría (972) y la Rusia de Kiev (988). También se ha dado un particular relieve a las peregrinaciones medievales a Santiago de Compostela. En Europa se logró una «respublica christiana» en la que el cristianismo y la cultura se ligaron estrechamente, tanto para bien como para mal. Otros justifican el influjo del cristianismo en la formación de Europa por la aceptación generalizada de la ética del decálogo, la asunción del monoteísmo y el influjo religioso en multitud de creaciones artísticas [4]. Las dos fuentes de la formación europea han sido, de hecho, la herencia greco-romana y el patrimonio religioso judeo-cristiano.

Naturalmente, al hablar de las raíces cristianas de Europa no debe faltar la evocación de las grandes figuras de la Reforma, casi olvidadas en algunos discursos católicos. La Europa cristiana comprende la tradición occidental romana y la oriental de Constantinopla, la Europa de la Reforma y de la Contrarreforma. Hay, pues, en Europa tres mundos religiosos principales: el latino (catolicismo), el germano (protestantismo) y el eslavo (ortodoxia), con dos ámbitos culturales: el occidental y el oriental. Juan Pablo II ha recordado estas dos tradiciones que han influido en Europa: la de occidente, a partir del espíritu latino, más lógico y racional, y la del oriente bizantino, desde el espíritu griego, más intuitivo y místico. Son «dos formas de cultura que se integran como dos grandes pulmones en un solo organismo» [5]. Según el papa, hay que superar el doble

desgarro ocurrido con el cisma entre oriente y occidente, o entre Roma y Constantinopla, y la ruptura entre Roma y las Iglesias protestantes producida por la Reforma. Además, en la construcción de la totalidad europea no deben olvidarse los aportes de la tradición judía (el cristianismo no nació en Europa), la impronta del legado romano (en su imperio germina la conciencia europea y se desarrolla el cristianismo) y la contribución islámica (especialmente la cultural). En definitiva, Europa es el resultado de la fusión de tres culturas procedentes –como escribe J.-M. Paupert– de tres «madres-patrias»: Jerusalén, Atenas y Roma, es decir,

«la *teocracia* democrática y lírica o mística, ritual y elitista del judaísmo; el *logos* griego, al mismo tiempo racional y, justo por este título, inventor de ciencias especulativas y positivas, pero también místico y sustentador de religiones mistéricas, a la vez que comerciante y explotador; y, finalmente, el *orden* romano, terrenal, conquistador y organizador» [6].

b) *El impacto de la modernidad*

En la construcción de la totalidad europea participa también el mundo moderno, desde la Revolución francesa hasta el desarrollo tecnológico contemporáneo [7]. Como sabemos, la Revolución francesa liquidó el «antiguo régimen» europeo basado en la alianza trono / altar, proclamó el lema republicano de libertad, igualdad y fraternidad, y aprobó la declaración de los derechos del ciudadano. La Iglesia se enfrentó con ese mundo secular que defendía el antropocentrismo (el hombre es el centro, no Dios), la autodeterminación de la razón (autónoma y adulta, sin dependencia religiosa), la decisión democrática (el poder viene del pueblo, no de Dios) y el desarrollo técnico (al amparo de la ciencia, no de los milagros). Precisamente por esas intenciones republicanas, la jerarquía de la Iglesia condenó en 1832 la «libertad religiosa» y en 1864 hizo público el *Syllabus* o colección de errores modernos. Las

---

[4] Cf. N. González, *La unidad europea y su contenido histórico*, en Varios, *Europa. Posibilidades y dificultades para la solidaridad*, Cristianisme i Justícia, Barcelona 1991, 15-36.

[5] Cf. carta apostólica *Euntes in mundum*, 25 de enero de 1984, con ocasion del milenario del bautismo de Rus de Kiev.

[6] J. M. Paupert, *Église catholique ou Europe chrétienne?*, en D. Théraios (ed.), *Quelle religion pour l'Europe? Un débat sur l'identité des peuples européens*, Georg, Ginebra 1990, 169.

[7] Cf. L. Châtelier, *L'Europe des dévots*, Flammarion, París 1987.

críticas a la religión, a las Iglesias, e incluso a la misma fe, se hicieron patentes en los denominados maestros de la sospecha: Feuerbach, Marx, Nietzsche y Freud.

La modernidad comienza, según M. Weber, con el proceso de racionalización, las exigencias de lo empírico y el espíritu capitalista favorecido por la ética protestante. Al perder la religión cristiana el centro de gravitación social, aparecen sus competidores: el socialismo, la tradición liberal y el cientifismo. Se produce la desacralización del mundo, aparece el pluralismo y surgen las denominadas «esferas de valor». A. Jeannière ha distinguido cuatro fases de la modernidad: la *científica* (Copérnico, Galileo, Descartes, Newton...), la *política* (democracia), la *cultural* (la Ilustración) y la *industrial* (la técnica). Con J. C. Scannone podemos considerar tres momentos de la modernidad [8]: a) el que culmina en el s. XVIII, caracterizado por la racionalidad formal, analítica, abstracta, lineal e instrumental; b) el que se extiende en el s. XIX y parte del XX, con el predominio de la racionalidad sistemática (bien dialéctica, bien funcionalista); c) el de la crisis actual de la modernidad, que da paso a la denominada «posmodernidad» [9].

La revolución soviética de 1917 dio lugar a un nuevo período histórico europeo, caracterizado hasta hace poco por la tensión bipolar entre el comunismo y el capitalismo, dos creaciones típicamente europeas, con un cierto sustrato judeocristiano. Fue necesaria la presencia de Juan XXIII y el Vaticano II para que la Iglesia revisase su actitud frente al mundo moderno y frente a sus ideologías.

En este breve sumario de la creación histórica de Europa debe tenerse presente que, junto a los logros positivos en torno a la tolerancia, el régimen de libertades, la promoción de los derechos humanos y el desarrollo de una civilización moderna, hay que añadir la cara negativa de las guerras de religión, los abusos de las monarquías absolutas, los crímenes de las dictaduras, las desigualdades entre regiones y pueblos, los colonialismos con el Tercer Mundo y la voracidad derivada del dominio capitalista. Recientemente, la guerra fría entre el Este y el Oeste ha encubierto la explotación injusta entre el Norte y el Sur. En la Asamblea Ecuménica de Basilea se reconocían algunos pecados históricos de las Iglesias, al afirmar que

«los cismas y las luchas religiosas han marcado fuertemente la historia de Europa. Muchas guerras fueron guerras de religión. Millares de hombres y mujeres han sido torturados y asesinados a causa de su fe. En los grandes conflictos sociales, en los cuales el envite era la justicia, las Iglesias frecuentemente han permanecido en silencio» [10].

A la hora de recordar las raíces culturales europeas, conviene no olvidar algunos acontecimientos recientes. Al acabar la segunda guerra mundial, se produjeron en el continente europeo cambios políticos fundamentales, como el hundimiento catastrófico de los fascismos y la reaparición de las democracias parlamentarias. Al mismo tiempo surgió la conciencia de los derechos humanos (la Declaración de la ONU es de 1948), crecieron las tensiones bipolares soviético-americanas y atrajeron poderosamente las utopías marxistas, al paso que sobrevino una reacción visceral anticomunista.

El viejo continente europeo perdió su poder privilegiado de siglos en aras del imperio americano. Se produjo entonces una nueva situación en la que se criticaron las viejas tradiciones culturales y religiosas como prejuicios injustificados, y se secularizó rápida y profundamente la sociedad. Las filosofías de la posguerra interpretaron de un modo nuevo el fenómeno de la historia y de la antropología humana, al paso que los movimientos sociales y políticos remodelaban secularmente la sociedad, en tanto que las técnicas de la objetividad transformaban la naturaleza y hacían la vida más confortable. Crecieron los nuevos medios sociales de comunicación, se extendió la instrucción escolar, se hicieron realidad viejas aspiraciones económicas de la clase trabajadora y se desarrolló masivamente el turismo.

---

[8] J. C. Scannone, *Incidencia de la modernidad en la cultura latinoamericana y la respuesta pastoral a los desafíos generados*: «Sedoi-Documentación» n. 112 (1991) 8-9.

[9] Cf. G. Vattimo, *El fin de la modernidad*, Gedisa, Barcelona 1986; J. M. Mardones, *Postmodernidad y cristianismo*, Sal Terrae, Santander 1988.

[10] «Ecclesia» 2427 (1989) 831-832.

Las emigraciones interiores a las urbes y las exteriores a los países industrializados cambiaron los mapas de la geografía cultural y religiosa del viejo continente. Al observar los cambios europeos previos al Vaticano II, señaló A. Desqueyrat que la moderna crisis religiosa

«es consecuencia de la civilización actual, nacida de las revoluciones políticas de Eurasia (1789-1917) y de la revolución industrial de los s. XIX y XX. Nace y se desarrolla siempre en contacto con ella» [11].

c) La problemática actual

Europa se encuentra hoy en una nueva situación ante la quiebra del modelo soviético imperante durante setenta años, el predominio del modelo occidental de cuño norteamericano y la aparición de tensiones nacionalistas, raciales e incluso religiosas. El cambio en el este europeo ha sucedido en pocos meses, entre el final de 1989 y los comienzos de 1990, a partir del derrumbamiento del «muro de Berlín», consecuencia del descontento producido por el «socialismo real», del ansia de bienestar y libertad por parte de las masas, de las acciones de oposición de algunos movimientos sindicales (*Solidaridad* en Polonia), de las críticas de grupos de intelectuales (*Carta 77* en Checoslovaquia), de las decisiones tomadas por dirigentes políticos dentro del sistema comunista y del liderazgo ejercido por Juan Pablo II.

El 28 de febrero de 1968, los doce Estados de la Comunidad Europea firmaron el Acta Unica –por la que se comprometían a llevar a cabo la unión económica, social y política–, que entró en vigor el 1 de enero de 1993.

En la denominada *Carta de París para una Nueva Europa*, del 21 de noviembre de 1990, firmada por 34 países, se establecen las bases de un gran proyecto de libertad, seguridad y paz. Se piensa que han terminado las divisiones en Europa, construida

políticamente en la democracia y económicamente en las perspectivas de un «mercado único». Pero ni el parlamento europeo tiene todavía consistencia suficiente, ni es fácil el sostenimiento de la «sociedad del bienestar» a causa de sus propias contradicciones y a la aparición de los viejos demonios familiares. No obstante, se reconoce en la conferencia de París de 1990 «la imagen elocuente de una Europa reconciliada consigo misma» en un clima de total libertad religiosa [12].

Recordemos, finalmente, que estamos entrando en una nueva era caracterizada por la conciencia de que los recursos naturales son limitados, la energía nuclear plantea tantos problemas como los que resuelve, la mundialización de las informaciones ayuda a tomar conciencia de la «aldea planetaria», la investigación científica tiene fronteras determinadas por la ética, la superpoblación del universo llega a decidir propuestas drásticas, etc.

«Existe consenso entre muchos intérpretes de la cultura –escribe J. C. Scannone–, en que vivimos un momento de crisis cultural y que la modernidad está en crisis... Existen los que piensan que estamos ya en tránsito hacia una nueva época: la postmodernidad; hay quienes distinguen entre el ocaso de la modernidad cultural (la Ilustración) y la plena vigencia de la modernidad científica, política y tecnológica; se dan por fin aquellos que interpretan que más bien se está dando el inicio de una nueva etapa de la sociedad y cultura modernas, cuyo proyecto socio-cultural ha quedado inconcluso. Sea de ello lo que fuere, estimo que un cierto tipo de razón sistemática, totalizante, autosuficiente, omniabarcante, ha tocado los límites y está en crisis» [13].

Finalmente, la ausencia de justicia entre naciones pobres y países pobres, la alteración de valores morales tenidos hasta hoy por intangibles y la crisis de los fundamentos de la filosofía y de las ciencias plantean a la evangelización de la Iglesia en Europa agudos problemas.

---

[11] A. Desqueyrat, *La crisis religiosa de los tiempos nuevos*, Bilbao 1959, 17.

[12] Sobre la historia y realidad de Europa, cf. J. B. Duroselle, *Historia de los europeos*, Aguilar, Madrid 1990; E. Morin, *Pensar Europa*, Ediciones 62, Barcelona 1989.

[13] J. C. Scannone, *Incidencia de la modernidad...*, o. c., 10.

2. La práctica religiosa de los europeos

Según M. Mollat [14], a finales de la Edad Media había en Europa un 50% de practicantes regulares, un 40% de irregulares y un 10 % de negligentes. Los inicios de la crisis se sitúan en el s. XIV. Con todo, S. Acquaviva estima que la práctica religiosa del s. XVIII era bastante alta en el pueblo; comenzaba a descender en los nobles y en la burguesía [15]. A partir de los comienzos del s. XIX, después de la Revolución francesa, empieza a decrecer paulatinamente la asistencia regular a la misa dominical. Las masas obreras abandonan las iglesias en el siglo XIX. Por ejemplo, la ciudad de Marsella pasa de una práctica dominical del 51% en 1825 al 15% en 1953 [16]; este caso puede ser representativo de cualquier gran ciudad europea. De hecho, a mitad del s. XIX, practicaba un tercio de la población de las grandes ciudades, mientras que en las zonas rurales asistían a los oficios dominicales los dos tercios.

En la primavera de 1981, el *European Value Systems Study Group* hizo una encuesta en los países comunitarios en torno a religión, moral, política, educación, familia, trabajo y tiempo libre para conocer los valores fundamentales de los europeos. Posteriormente, algunas encuestas de práctica religiosa de los años 1982-1985 dan estos resultados: 1) La gran mayoría de los europeos se declaran cristianos, ya que aceptan la cultura occidental de impregnación cristiana, pertenecen a una Iglesia o confesión (2/3 se consideran «religiosos») o asisten a un servicio litúrgico (practican el 30%, aunque con regularidad sólo el 10%). 2) Los situados políticamente a la izquierda son en general menos practicantes que los de la derecha, con estas particularidades: hay una minoría de practicantes regulares en la izquierda y una minoría de agnósticos o ateos en la derecha. 3) La práctica religiosa de los jóvenes es menor que la de los adultos o mayores. 4) Las mujeres se declaran más religiosas que los hombres, pero esta apreciación tiende a cambiar, ya que las jóvenes practican y creen hoy del mismo modo que los jóvenes. 5) Se refleja un gran escepticismo respecto de la Iglesia institucional y burocrática. En la escala de aceptación va la Iglesia después de la policía, el ejército, la legislación y la enseñanza, aunque antes del parlamento, la administración, la empresa y los sindicatos. 6) En contraste con los europeos, los norteamericanos son más «religiosos» (81% contra el 63%) y dan más importancia a Dios o a la religión (50% frente al 19%). 7) Dentro de Europa, Irlanda es el país más religioso y Dinamarca el que menos; Italia y España tienen una religiosidad superior a la media de Bélgica, Holanda, República Federal Alemana y Gran Bretaña; Francia aparece con una religiosidad inferior a estos cuatro países. Interesa destacar que España, junto a un índice de religiosidad superior a la mayoría de los países europeos, posee un elevado índice de permisividad moral, en contraste con una cierta orientación de los valores tradicionales y morales [17].

3. Diagnóstico religioso de la sociedad europea

El primer análisis contemporáneo de Europa como tierra de misión fue hecho por H. Godin e Y. Daniel en 1943 con el libro *France, pays de mission?* Desde entonces se ha tomado conciencia en toda Europa de lo que significa la descristianización del viejo continente y su estado de «poscristiandad» a causa del crecimiento de la increencia (vacío de «vida espiritual»), el aprecio de valores humanísticos que confían sólo en el hombre (sustitución de Dios) y el auge del narcisismo individualista (carente de sensibilidad por los pobres y los vencidos) [18].

El Vaticano II supuso una aproximación de la

---

[14] M. Mollat, *La vie et la pratique religieuse au XIVe et dans la première partie du XVe siècle, principalement en France*, París 1963.

[15] S. S. Acquaviva, *L'éclipse du sacré dans la civilisation industrielle*, París 1967.

[16] Cf. el sugestivo trabajo de G. Bourgeault y otros, *Quand les Églises se vident. Vers une théologie de la pratique*, Desclée-Bellarmin, París-Montreal 1974, cap. 2.

[17] Cf. J. Stoetzel, *¿Qué pensamos los europeos?* Mapfre, Madrid 1983; F. A. Orizo, *España, entre la apatía y el cambio social*, Mapfre, Madrid 1983; id., *La sociedad europea en el umbral de los ochenta. Una encuesta sobre el sistema europeo de valores: «El caso español»*, Mapfre, Madrid 1985.

[18] Cf. G. Daneels, *Évangéliser l'Europe «secularisée»*, en H. Legrand (ed.), *Les évêques d'Europe...*, o. c., 230-260.

Iglesia a la sociedad moderna profundamente secularizada.

Pero aunque la crisis religiosa no es igual en todos los países de Europa, ni en todos sus aspectos, podemos afirmar que es amplia y profunda. Después de comenzar en la burguesía, se ha extendido en el mundo obrero, en la clase intelectual, en los ejecutivos y en una gran parte del mundo rural. La juventud está creciendo al margen de la Iglesia. Es preciso anotar que, a diferencia del paganismo existente en el mundo sagrado antiguo, el paganismo actual de los países europeos no es religioso, sino increyente [19]. Ahora bien, frente a un abandono de la práctica religiosa e incluso de la fe cristiana por parte de una gran parte de la sociedad, se observa un creciente progreso cristiano en algunos grupos apostólicos, comunidades eclesiales y parroquias renovadas. Es preciso advertir también el crecimiento de algunos movimientos religiosos reaccionarios.

En la alocución final, el cardenal B. Hume en el VI Simposio europeo resumió la situación religiosa del continente en los siguientes puntos: muchos europeos se definen como «religiosos», mientras que la familia y otras instituciones aparecen en vías de secularización; la religión tiende a privatizarse y a marginalizarse en la sociedad; la adhesión a las creencias, prácticas religiosas y normas morales son cada vez más objeto de una elección personal; por último, las personas encuentran sostenimiento religioso en los grupos y nuevos movimientos [20].

Nos encontramos en Europa con un mundo humanizado y técnico, directamente volcado en los fenómenos mensurables y en el que Dios apenas ocupa lugar. En el mundo europeo actual, el saber procede de la ciencia, no de una vieja sabiduría sagrada; la autoridad proviene del pueblo, no de Dios, y el derecho no se funda en ningún principio religioso, sino en las constituciones aconfesionales. Todo es en el mundo rigurosamente profano y racional. Secularizado y segmentado, el mundo europeo tiende a rechazar todos los sistemas ideológicos globalizadores, al mismo tiempo que admite la libre circulación de las ideas y la competencia de todos los productos. La Iglesia queda situada en la sociedad europea como una *subcultura*, con la imagen de quien pretende defender su antigua posición privilegiada. Según el informe sociológico de J. Stoetzel, la Iglesia como institución es vista por muchos europeos como portavoz de tradiciones carentes de sentido para el futuro, con el acento puesto en el orden y la autoridad, que desconfía de la libertad, con un cierto sentido de intolerancia, una imagen de envejecimiento por su recelo a todo lo nuevo y un dualismo que le lleva a no tomar en serio ni la historia ni el mundo. No se la ve como portavoz de la novedad del evangelio [21]. Recordemos que la libertad religiosa fue proclamada por el Vaticano II en 1965 frente a reticencias e incluso oposiciones de algunos obispos.

De hecho, la Iglesia se encuentra en el viejo continente en estado de diáspora. Al retroceder del ancho campo de la sociedad y reducirse a una minoría, se produce en muchos ciudadanos en el plano ético una especie de vacío que se intenta cubrir con filosofías seculares, algunas de las cuales presentan ciertos caracteres de modernas religiones profanas. A lo sumo se mantienen aspectos rituales tradicionales, pero el vínculo basado en una fe cristiana ha desaparecido en multitud de casos. Claro está que la Iglesia no acapara toda la religiosidad existente en Europa; de hecho se da fuera de la comunidad cristiana una cierta espiritualidad, aunque en estado latente, que se manifiesta en la estima de determinadas posiciones morales, en la defensa de valores gratuitos y en la creencia de un Dios vagamente trascendental. Esta situación exige un planteamiento nuevo de la evangelización, ya que asistimos al nacimiento de un mundo emancipado de la tutela eclesial que discute con libertad el hecho religioso y que con frecuencia lo critica negativamente. Tampoco faltan quienes se preocupan del problema de la existencia del ser humano y, en especial, de su sentido y significado fuera del ámbito religioso, ya que la conciencia de Dios ha llegado a ser para ellos

---

[19] Cf. A. Desqueyrat, *La crisis religiosa de los tiempos nuevos*, Desclée, Bilbao 1959.

[20] B. Hume, *Allocution finale*, en H. Legrand (ed.), *Les évêques d'Europe et la nouvelle évangélisation*, Cerf, París 1991, 261.

[21] J. Stoetzel, *¿Qué pensamos los europeos?*, Mapfre, Madrid 1983.

una hipótesis superflua, quizá porque la imagen de Dios se ha presentado en un plano pragmático escasamente humano o en una esfera intelectual abstracta [22].

Ante esta crisis religiosa europea se impone un análisis de la situación espiritual del viejo continente. Según P. Valadier, al proponerse la sociedad moderna como finalidad su propia transformación, nada queda intacto. Cambian las relaciones con la naturaleza por el desarrollo de las ciencias y de la técnica; con lo político, por la voluntad de control democrático, la pretensión de racionalidad y los intentos de apropiación de lo social; y con lo religioso, al primar los valores hedonistas e individualistas en la búsqueda del bienestar.

> «Sobre todo –continúa P. Valadier–, una sociedad moderna provoca inevitablemente una *erosión*, incluso una *degradación* de las *grandes referencias simbólicas* en las que se estructura tradicionalmente la existencia» [23].

Pero la modernidad no llega a todos los rincones de la sociedad debido a sus contrastes y contradicciones. La religión en una sociedad moderna cambia de función, pero no desaparece: no es asimilable completamente por la razón transformadora. Permanece lo religioso, aunque sea bajo formas degradadas (magia, esoterismo, sectas, etc.), con adhesiones a una trascendencia sin rostro o como búsqueda de sentido personal. En resumen, «no se debe identificar modernidad con extinción de lo religioso» [24]. Sin el orden simbólico, la sociedad se reduce a un tecnicismo vacío.

Los diagnósticos de Juan Pablo II y de muchos obispos europeos reflejan un cierto pesimismo. Al analizar los discursos del papa actual sobre la situación de Europa, reconoce en ellos P. Ladrière tres problemas principales: la secularización de la sociedad, la pérdida del sentido moral y una preocupante tecnificación.

a) La secularización de la sociedad

Al resumir Juan Pablo II las distintas aproximaciones al concepto de «secularización» que se dieron en el VI Simposio Europeo sobre secularización y evangelización, destaca

> «la ambigüedad e incluso el carácter equívoco del término, de tal manera polisémico, impreciso y elástico que recubre fenómenos múltiples, e incluso opuestos, por lo cual parece necesario hacer una decantación semántica y clarificar el contenido de este fenómeno [25].

La secularización de la sociedad europea es fruto de diversas corrientes culturales, políticas y éticas, del desarrollo tecnológico y de los medios de comunicación [26]. La sociedad europea se muestra escasamente cristianizada, aunque en su interior existen personas que viven su fe comunitaria y que la testimonian en los diversos ámbitos de la vida. Verdaderamente en Europa se ha producido –según J. Kerkhofs– el cambio profundo de una conciencia colectiva tradicional (bajo la norma religiosa) a una conciencia colectiva postradicional (bajo la mera razón humana) [27]. El término secularización ha sido empleado abundantemente por Juan Pablo II al referirse a Europa. Recordemos que el VI Simposio del Consejo de Conferencias Episcopales de Europa tuvo por tema *Secularización y evangelización hoy en Europa* (Roma, octubre de 1985). Según algunos analistas, la «sociedad tradicional», cuyas raíces estaban en el cristianismo, ha sido suplantada en poco tiempo por una «sociedad secularizada», cuyas raíces se hallan en la increencia. La secularización afecta a las estructuras políticas, económicas y culturales.

En resumen, el mundo europeo refleja –según

---

[22] Cf. la obra colectiva *L'athéisme, tentation du monde, réveil des chrétiens?*, París 1963.

[23] P. Valadier, *Société moderne et religion chrétienne*, en H. Legrand (ed.), *Las évêques d'Europe..., o. c.*, 218.

[24] *Ibíd.*, 220.

[25] Cf. el texto en H. Legrand (ed.), *Les évêques d'Europe..., o. c.*, 275-276 y en «Ecclesia» 2242 (1985) 1320-1325.

[26] Cf. P. Ladrière, *La vision européenne du pape Jean-Paul II*, en R. Luneau y P. Ladrière (eds.), *Le rêve de Compostelle. Vers la restauration d'une Europe chrétienne?*, Centurion, París 198, 156-167.

[27] Cf. J. Kerkhofs, *Les mentalités européennes actuelles et les conditions d'une nouvelle évangélisation*: «Lumen Vitae» 41 (1986) 28-40.

el papa– una «cultura en crisis», fruto de una «civilización materialista» en la que priman la ganancia económica, el hedonismo y el confort, con las secuelas sociales del hambre, desempleo, emigración, etc. Falta, además –opina Juan Pablo II–, respeto por la vida, como puede observarse en la mentalidad abortista, el terrorismo, la criminalidad, la discriminación racial, la violencia y la tortura. No se respetan suficientemente los derechos humanos.

> «En consecuencia –dice el papa–, hoy, en el mundo de las civilizaciones altamente industrializadas, la desilusión y el miedo, la resignación y una amarga negación del futuro están particularmente difundidas» [28].

b) La pérdida de sentido moral

Un segundo problema religioso europeo viene constituido, según los discursos oficiales religiosos, por la pérdida del sentido moral. Se piensa que en Europa hay degradación de valores morales, advertible en la libertad de costumbres y de ideas, en la permisividad y en el laxismo moral. Recordemos que, en la moral convencional de la sociedad tradicional, la religión es el fundamento de la moral, mientras que en la sociedad moderna el fundamento de la ética está puesto en la razón práctica. Se detecta una generalizada desacralización, con pérdida del «sentido religioso de la vida» y aumento de la increencia, con la consiguiente pérdida del sentido de Dios y ausencia de la conciencia de pecado. Todo esto obedece al distanciamiento entre ética y religión. Sin los principios de la palabra de Dios, no «hay valores morales incuestionables». Dicho de otro modo, según el pensamiento del papa:

> «Un sistema ético sin referencias a un principio trascendente no puede crear valores morales absolutos».

> «La negación práctica de numerosos valores espirituales –dijo Juan Pablo II a la comunidad europea el 20.5.1985– arrastra al hombre a querer a toda costa la satisfacción de su afectividad, y a negar los fundamentos de la ética. Pide la libertad, y huye de las res-

ponsabilidades; aspira a la opulencia, y no quiere quitar la pobreza de su lado; profesa la igualdad, y cede demasiado a menudo a la intolerancia racial. A pesar de todo lo que reivindica él mismo, el hombre contemporáneo está tentado por la duda sobre el sentido de la vida, por la angustia y el nihilismo».

En concreto, Juan Pablo II insiste en la prioridad de la familia, en el fenómeno preocupante del aborto y en la falta de ideales de la ciudad terrestre, a causa de las deficiencias que posee «el modelo antropológico y cultural que caracteriza a la Europa actual». Afirma el papa que «la Iglesia está llamada a dar un alma a la sociedad moderna».

c) El progreso científico deshumanizador

Para Juan Pablo II, el modelo de sociedad de la Europa del Oeste se deriva de su rápido desarrollo industrial y tecnológico, de la abundancia de sus bienes de consumo y del acceso generalizado a la cultura, sanidad y bienes sociales, rasgos característicos de la sociedad del bienestar. Estos factores influyen notablemente en las mentalidades y costumbres. La Europa del Este conoce una evolución más lenta. Además, al formar parte Europa del hemisferio Norte, se plantean con los países más pobres del Sur problemas graves de justicia y de paz. Juan Pablo II afirmó en 1984, en su viaje a Suiza, que «los progresos extraordinarios de la ciencia y de la técnica son ambivalentes: pueden conducir a lo mejor y a lo peor». Es preocupante, según el papa, la *tecnificación*, cuyos efectos negativos conducen a la destrucción y a la muerte. Al mismo tiempo que el hombre tiene un inmenso poder, se halla tremendamente frágil. De ahí que el papa apele constantemente a la ética para conjurar los peligros de las innovaciones tecnológicas. Hay un agudo contraste entre desarrollo técnico y bajo nivel moral. Lo que está en crisis en Europa, según Juan Pablo II, es su sistema ético y cultural. Precisamente la corrupción de la cultura es consecuencia de la pérdida de religiosidad. El desvío antropológico es un claro resultado del secularismo y del indiferentismo.

---

[28] «Ecclesia» 2282 (1986) 18.

LA ACCION EVANGELIZADORA DE EUROPA

«A las profundas transformaciones culturales, políticas y ético-espirituales, que han terminado por dar una configuración nueva al entramado de la sociedad europea, debe corresponder una nueva calidad de evangelización que sepa proponer de modo convincente al hombre de hoy el mensaje perenne de la salvación».

Juan Pablo II, *Carta a los Presidentes
de las Conferencias Episcopales de Europa*,
2.1.1986.

*

«Hoy la Iglesia debe afrontar otros desafíos, proyectándose hacia nuevas fronteras, tanto en la primera misión *ad gentes*, como en la nueva evangelización de pueblos que han recibido ya el anuncio de Cristo. Hoy se pide a todos los cristianos, a las Iglesias particulares y a la Iglesia universal la misma valentía que movió a los misioneros del pasado y la misma disponibilidad para escuchar la voz del Espíritu».

Redemptoris missio, 30.

4. La evangelización de Europa

a) *El programa de Juan Pablo II*

Según los dictámenes europeístas de Juan Pablo II, Europa es un continente en declive minado por la escasa natalidad, la secularización, la pérdida de su conciencia moral y las innovaciones tecnológicas mal dominadas; está en trance de perder su alma. De ahí la urgencia de recristianizar el viejo continente, a tenor de las palabras papales en Santiago de Compostela en 1982:

«Te lanzo, vieja Europa, un grito lleno de amor: Vuelve a encontrarte. ¡Se tú misma! Descubre tus orígenes. Aviva tus raíces. Revive aquellos valores que hicieron gloriosa tu historia y benéfica tu presencia en los demás continentes» [29].

Estas palabras han suscitado en Africa y América Latina voces críticas a juzgar por lo que Europa ha hecho en estos dos continentes [30]. Además, ¿fue tan cristiana la Europa de otros siglos? Por otra parte, cabe preguntarse con Ch. Wackenheim: ¿Ha producido efectos uniformemente negativos la separación de la Iglesia y los Estados? ¿Contradice el espíritu del evangelio la emergencia de libertades y derechos humanos? ¿Se considera siempre a la ética sin base confesional impracticable y contradictoria? ¿Representa un retroceso, respecto del ideal de la cristiandad, la autonomía de las ciencias, la cultura y las instituciones sociales? [31]

Juan Pablo II ha hablado en diversas ocasiones de la nueva evangelización de Europa. A los ocho días de su elección como papa, invitó a los obispos el 22 de octubre de 1978 a «hacer resurgir el alma cristiana de Europa» [32]. El papa se refirió al proyecto evangelizador del viejo continente en Santiago de Compostela (1982) y en su discurso al episcopado belga (1985) titulado *Líneas pastorales para una nueva evangelización*. Después lo hizo en su alocución a los obispos del VI Simposio del Consejo de las Conferencias Episcopales de Europa sobre el tema *Secularización y evangelización hoy en Europa* (1985). Reconoce el papa que

«Europa... ha experimentado tantas y tales transformaciones culturales, políticas, sociales y económicas que plantea el problema de la evangelización en términos totalmente nuevos».

Fueron importantes, asimismo, las palabras que pronunció en Estrasburgo en octubre de 1988, en su discurso ante el Parlamento Europeo, el Consejo de Europa y la Corte Europea de Derechos Humanos [33]. Básicamente dijo dos cosas: 1) No se trata de retornar a «un orden antiguo basado en la ley religiosa», que ya no corresponde al principio cristiano de la distinción entre lo espiritual y lo temporal; es, pues, inviable la vuelta a la «cristiandad». 2) Tam-

---

[29] «L'Osservatore romano», 21 de diciembre de 1982.

[30] Ver, por ejemplo, R. Luneau, *La «nouvelle évangélisation» vue d'Afrique:* «La Foi et le Temps» 21 (1991) 101-119.

[31] Ch. Wackenheim, L'«*Europe chétienne*», o. c., 298.

[32] Discurso al Consejo de Conferencias Episcopales de Europa, 19 de diciembre de 1978.

[33] Cf. J. P. Willaime (ed.), *Strasbourg, Jean Paul II et l'Europe*, Cerf, París 1991.

poco es justo marginalizar socialmente la religión o relegarla a la esfera privada, ya que puede generar valores necesarios en la construcción de Europa, al ser la religión factor «inspirador de la ética» con una evidente «fecundidad cultural». Se trata de promover la «civilización del amor». De ahí que el papa condene la descristianización de los valores y defienda a la Iglesia como «conciencia crítica», inspiradora de valores y garantizadora de derechos humanos [34]. Juan Pablo II pretende la reconstrucción de Europa desde sus raíces cristianas. Dicho de otra manera, por ser la Iglesia el alma de Europa, la cultura europea debe ser inspirada por el cristianismo. Ahora bien, esta cultura moderna rechaza el evangelio porque es incompatible con el sentido moderno de la vida. Por estas razones se propone la cultura de la solidaridad o la cultura de la trascendencia.

Sin embargo, no todos dentro y fuera de la Iglesia han entendido positivamente los discursos europeístas pontificios. Algunos piensan que «el sueño de Compostela» tiene demasiados síntomas de restauración eclesial [35].

«En resumidas cuentas –escribe F. J. Vitoria– se considera que, mientras se autoproclama en continuidad con el Vaticano II, resulta un proyecto alternativo al que se desprendía del concilio» [36].

Basta observar el talante de los obispos recientemente nombrados, el apoyo que reciben oficialmente algunos movimientos netamente conservadores, la orientación en la formación de los seminaristas y el control que pretende imponerse a las publicaciones religiosas y teológicas [37].

Por otra parte, la pretendida restauración religiosa no conduce, sin más, a una regeneración espiritual. El fundamentalismo religioso desemboca muchas veces en proselitismo, intransigencia y persecución. Además –escribe F. J. Vitoria–,

«una civilización del amor no se alcanza por el simple reconocimiento de la existencia de Dios y la superación del ateísmo. Se precisa de la contribución de una práctica social y política, que pueda asegurar y hacer consistente materialmente la dignidad de todos los ciudadanos» [38].

Para llevar a cabo la «cultura de la solidaridad», es necesaria una solidaridad efectiva que haga realidad la «opción preferencial por los pobres», tantas veces dicha por la Iglesia en el nivel de declaraciones de intenciones. La Iglesia debe dar ejemplo real de inculturación democrática en su interior para poder exigir en el exterior una sociedad estructurada en la libertad y en la justicia.

Los responsables de la Iglesia, que en occidente se han mostrado de ordinario reticentes a situarse con plena libertad frente a los poderosos, intentan aparecer hoy sensibilizados de cara a los más pobres y marginados. En todo caso, la Iglesia, que en un tiempo consagró lo profano, es sometida, en cuanto forma parte de la actual sociedad, a un proceso de secularización. En tanto gana el mundo rápidamente autonomía propia, la comunidad de creyentes pierde dominio profano, aunque redescubre evangélicamente su verdadera sustancia espiritual.

b) *El Consejo de Conferencias Episcopales de Europa*

Recién acabado el Vaticano II, propuso el entonces secretario de la conferencia episcopal francesa R. Etchegaray las líneas de una «pastoral concertada» entre las conferencias episcopales de Europa, a causa de los problemas suscitados por la emigración, el turismo, el desarrollo de las instituciones europeas y la creciente conciencia de un espacio cultural común [39]. Esta propuesta dio lugar a la creación del *Consejo de Conferencias Episcopales de Europa* (CCEE), que ha celebrado varios simposios

[34] Cf. M. Cohen, *L'évangélisation selon Jean-Paul II. Remarques sociologiques*: «Lumière et Vie» 205 (1992) 81-86.

[35] Cf. R. Luneau y P. Ladrière (eds.), *Le rêve de Compostelle. Vers la restauration d'une Europe chétienne?*, Centurion, París 1989.

[36] F. J. Vitoria, *La nueva eangelización de Europa*: «Iglesia Viva» 159 (1992) 313.

[37] Cf. P. Ladrière y R. Luneau (eds.), *Le retour des certitudes. Événements et orthodoxie depuis Vatican II*, Centurion, París 1987.

[38] F. J. Vitoria, *La nueva evangelización...*, o. c., 319.

[39] Cf. H. Legrand (ed.), *Introduction*, en id., *Les évêques d'Europe...*, o. c., 7-45.

de obispos: el I en Noordwijkerhout (1967) sobre las estructuras diocesanas posconciliares; el II en Coire (1969) sobre el sacerdote en el mundo y en la Iglesia; el III en Roma (1975) sobre el ministerio del obispo al servicio de la fe; el IV también en Roma (1979) sobre los jóvenes y la fe. Los últimos simposios se han centrado en la evangelización: el V (1982) sobre la responsabilidad colegial de los obispos y de las conferencias episcopales de Europa en la evangelización del continente; el VI (1985) sobre secularización y evangelización, y el VII (1989) sobre las actitudes contemporáneas en torno al nacimiento y a la muerte. En diciembre de 1991 se celebró el Sínodo sobre Europa.

La preocupación de los obispos europeos por la evangelización de la Europa que va del Atlántico a los Urales cobró importancia en el simposio de 1982 y se desarrolló con amplitud en el de 1985, con una metodología basada en la *descripción* de los hechos, la *interpretación* de las relaciones entre la Iglesia y la sociedad y la *percepción de los efectos* producidos en el campo eclesial por los hechos sociales. Ante el fenómeno de la evangelización –se dijo en el V Simposio– caben dos posturas: denunciar la secularización y retornar al puro testimonio, o admitir los cambios sociales producidos y adecuar la misión de la Iglesia a la nueva situación. Según P. Valadier, los cristianos deben mostrar la fecundación recíproca entre la «fe y las ciencias», manifestar que se pueden compartir las «riquezas materiales» y hacer ver que la fe cristiana puede fecundar a las «democracias pluralistas» a través de un «diálogo ético» que afronte los problemas morales [40]. En resumen, la evangelización de Europa exige el análisis de las relaciones complejas entre la Iglesia y las sociedades europeas, el reconocimiento de los valores éticos desarrollados en el viejo continente y la inculturación de la fe en una sociedad inédita.

«Ciertamente –continúa P. Valadier–, la tarea evangelizadora no es fácil en una sociedad como la europea ideológicamente dividida, atravesada por influencias que vienen de todas partes (islam, espiritualidades orientales, etc.), marcada por la racionalidad

científica, anestesiada por el confort material y confrontada con problemas sin precedentes» [41].

En todo caso, la evangelización de Europa deberá tener en cuenta la urbanización masiva del continente, la instrucción generalizada, la cosmovisión procedente de la ciencia y de los métodos de comunicación, el pluralismo cultural de la sociedad, el alto nivel de vida de la mayor parte de los europeos a costa del Tercer Mundo, las tensiones generadas por los nacionalismos, la aceptación plena de la modernidad y postmodernidad, la separación entre la Iglesia y el Estado, la dimensión ecuménica de toda tarea eclesial y la tradición bautismal heredada por costumbre más que por convicciones, que forma parte de un cristianismo mayoritariamente convencional.

El cardenal belga Daneels formuló diez proposiciones en el VI Simposio europeo para la evangelización de Europa: 1) reflexionar filosóficamente con seriedad y con bases cristianas; 2) inculturar la fe; 3) dar importancia a las razones de creer; 4) respetar y cultivar la piedad popular; 5) estudiar los valores del humanismo occidental; 6) crear grupos y comunidades; 7) promover la actividad misionera de los seglares; 8) lograr que la catequesis siga a la evangelización; 9) emplear las nuevas técnicas de comunicación y 10) valorar la fuerza de la gracia y del Espíritu de Dios [42].

c) *La Asamblea especial*
para Europa
del Sínodo de Obispos

Además de los sínodos «generales» celebrados hasta el presente (10 entre 1967 y 1990) y uno «extraordinario» sobre la situación de la Iglesia a los 20 años del Vaticano II (1985), están los sínodos «especiales», como la Asamblea del Sínodo europeo, celebrado en Roma, del 28 de noviembre al 14 de diciembre de 1991 [43]. Este encuentro fue anun-

---

[40] P. Valadier, *Société moderne...*, o. c., 212-229.

[41] *Ibíd.*, 228.
[42] Ver su discurso en «Ecclesia» 2251 (1986) 28-43.
[43] Cf. M. Alcalá, *El Sínodo sobre Europa*: «Iglesia Viva» 157 (1992) 105-111.

ciado por Juan Pablo II el 22 de mayo de 1990, en su primer viaje a Checoslovaquia, con el propósito de «reflexionar más atentamente sobre el alcance de esta hora histórica para Europa y para la Iglesia» [44]. El sínodo sobre Europa, preparado apresuradamente con un *Summarium* de 17 cuestiones, intentaba ser un reencuentro de las Iglesias europeas católicas después del largo paréntesis de la implantación soviética. Se propuso estudiar tres cuestiones: las consecuencias de la caída del comunismo en los países del Este, el intercambio entre las Iglesias europeas y los problemas pastorales más graves del viejo continente, a saber, la secularización de la sociedad, la desunión de las Iglesias, el diálogo intercultural y el fomento de la justicia y la paz en libertad. Desde el principio del sínodo hubo algunas discrepancias sobre el entendimiento de la «nueva evangelización», ya que a algunos sinodales les sonaba a «restauración», a saber, recristianización de la Europa del pasado. De otra parte, la apertura del Este a la Europa occidental planteaba a los representantes del Este serios problemas en orden a la evangelización, dada la situación religiosa de los países capitalistas. También se notó en el Sínodo el retraso cultural y teológico de muchos delegados del Este. Una segunda dificultad partió de la crisis ecuménica. Se notó negativamente la ausencia en el Sínodo de la Iglesia rusa.

Recordemos que Juan Pablo II envió a Moscú, el 17 de enero de 1990, una delegación para resolver el contencioso de los católicos ucranianos de rito oriental. Los *uniatas* surgieron históricamente por los intentos de unión entre el catolicismo y la ortodoxia, como puede verse en el concilio de Florencia (1439) y la unión de Brest-Litovsk (1596). Cuatro patriarcas (de Moscú, Bucarest, Sofía y Belgrado) y el metropolita de Atenas se negaron a enviar representantes al Sínodo europeo por un doble motivo: la recuperación por parte de los uniatas de bienes (iglesias, monasterios, seminarios, escuelas y hospitales) contra el parecer de la Iglesia ortodoxa, y el fomento de las «estructuras misioneras paralelas» por parte de la Iglesia católica en regiones mayoritariamente ortodoxas. Incluso criticaron el retroce-

so ecuménico de la Iglesia católica después del Vaticano II. Recordemos que los bienes de los uniatas habían pasado a pertenecer a la Iglesia ortodoxa en 1946 por decisión de Stalin. Las Iglesias católico-romanas de rito bizantino fueron perseguidas por el sistema soviético al acabar la segunda guerra mundial y condenadas al silencio. Hoy renacen con ciertos síntomas de revancha. Las actitud ecuménica exige que la Iglesia católica no sólo reconozca en la ortodoxa el sacerdocio, la sucesión apostólica, la eucaristía y los sacramentos –como lo hizo el Vaticano II–, sino que la ayude en su recuperación evangélica.

A partir de las respuestas de los obispos al cuestionario del Sínodo, se elaboró un nuevo documento que sirvió para la discusión de los doce grupos lingüísticos establecidos. De ahí salió un tercer borrador que se votó en el aula. Había acuerdo en el reconocimiento de la hora histórica de Europa y en la necesidad de una nueva evangelización. No hubo autocrítica de las propias Iglesias, aunque sí críticas a los textos presentados para la discusión.

El Sínodo terminó con un *Mensaje* a los presidentes de los gobiernos europeos, reunidos entonces en Maastricht (Holanda), en donde se ofreció la Iglesia católica a colaborar en el futuro de Europa. También se elaboró una *Carta del Sínodo*, no hecha pública, dirigida a los patriarcas que declinaron enviar representantes. Finalmente se hizo una *Declaración final* (*Declaratio emmendata*), el 13 de diciembre de 1991, que fue divulgada sin ser promulgada. Se propuso este Sínodo fomentar el diálogo con las grandes religiones no cristianas de implantación europea: el judaísmo y el islamismo. Al mismo tiempo se intentó aclarar que la nueva evangelización no es «restauración medieval», sino propuesta para Europa, en este momento histórico de su edificación, para volver a los «valores» que fraguaron el viejo continente.

«Estos valores, típicamente europeos –dice M. Alcalá–, son: verdad, justicia, derecho, solidaridad, democracia, comunión y comunicación, junto a su ineludible vivencia cristiana» [45].

---

[44] Cf. L'Osservatore Romano, 22-24 abril 1990, 7.

[45] M. Alcalá, *El Sínodo sobre Europa...*, o. c., 110.

d) Orientaciones pastorales

No todos comprenden la «nueva evangelización» de Europa del mismo modo. Unos la entienden como un proyecto de restauración católica, en el sentido de promover una nueva cristiandad, cambiando una cultura increyente por otra cristiana, apelando al «alma cristiana» de Europa y al pasado idealizado de la vieja cristiandad. Otros la aceptan como movilización de los católicos para cerrar filas en torno a la Iglesia y acrecentar el número de los fieles, intentando fortalecer las instituciones eclesiales para que sean eficaces en el mundo. No faltan los que la comprenden en relación, sobre todo, a la presencia activa de la Iglesia en la sociedad, en el sentido de defender y desarrollar los derechos humanos y contribuir a la promoción de la justicia mediante la liberación de las personas, regiones y países más pobres y marginados del viejo continente y del Tercer Mundo. A la hora de intentar reevangelizar Europa, aconseja J. Delumeau tener en cuenta tres cosas: a) nuestras raíces judeo-cristianas; b) los logros científicos y técnicos de los tres últimos siglos; c) la experiencia de la democracia pluralista [46]. Esto exige aceptar los postulados de la modernidad a partir del humanismo cristiano. Así, debe hacerse ver que no se oponen el antropocentrismo y el teocentrismo, ya que son posibles a partir de Cristo; son posibles las referencias a la razón y a la libertad, puesto que son compatibles con la trascendencia; y caben en la cosmovisión religiosa los postulados derivados de la democracia. Naturalmente, esto invita a una reforma de algunas dimensiones de la Iglesia.

En resumen, se debe cristianizar la civilización técnica, sin rechazarla; aceptar los aspectos positivos del viejo continente, sin culpabilizarlo continuamente; tener presente la situación actual, sin mirar melancólicamente hacia un pasado idealizado. Ciertamente, la crisis de las instituciones de la Iglesia y de la Iglesia como institución se traduce en un malestar generalizado, cuyos síntomas en Europa son el descenso de la práctica religiosa y el crecimiento de la indiferencia; la pérdida de vocaciones clásicas religiosas y sacerdotales y la subestima del ministerio de los laicos y de la mujer dentro de la Iglesia; el alza de los nuevos movimientos religiosos de tipo sectario y el escaso prestigio que mantiene la realidad parroquial; el número exiguo de jóvenes cristianos, junto al divorcio del cristianismo con la cultura moderna.

Lo cierto es que el cristianismo será minoritario en Europa [47]. De otra parte, la Iglesia se desplaza de los países de occidente a los del Tercer Mundo. En 1980, las Iglesias occidentales representaban el 44% de la población católica del mundo, en tanto que el 56% eran propiamente las Iglesias del Tercer Mundo. A finales de 1987, la proporción era entre el 38% y el 62% respectivamente. Puede que para el año 2000, los católicos occidentales (europeos y norteamericanos) sean solamente una cuarta parte de la Iglesia. Esto supone la sustitución del etnocentrismo europeo por un pluricentrismo cultural. En 1952 afirmó rotundamente M. Eliade que

> «el fenómeno capital del s. XX no ha sido ni será la revolución del proletariado, como lo predecían los marxistas hace cincuenta o sesenta años, sino el descubrimiento del hombre no europeo y de su universo espiritual» [48].

Bibliografía

Cardenal Danneels, *Evangelizar la Europa secularizada* (Ponencia en el IV Simposio de los Obispos de Europa): «Ecclesia», 17 de noviembre de 1986, 28-43; L. Châtelier, *L'Europe des dévots*, Flammarion, París 1987; J. B. Duroselle, *L'Europe. Histoire de ses peuples*, Perin, París 1990; P. Ladrière y R. Luneau, *La retour des certitudes. Evénements et orthodoxie depuis Vatican II*, Centurion, París 1987; P. J. Lasanta Casero, *La nueva evangelización de Europa*, Valencia 1991; R. Luneau y P. Ladrière (eds.), *Le rêve de Compostelle. Vers la restauration d'une Europe chrétienne?*, Centurion, París 1989; S. Gaya Riera, *La segunda evangelización de Europa en el pensamiento de Juan*

---

[46] J. Delumeau, *Les conditions d'une nouvelle évangélisation. Point de vue d'un historien*: «Sève» 511 (1989) 500-510; traducido y condensado: *Condiciones para una nueva evangelización del Occidente*: «Selecciones de Teología» 117 (1991) 47-53.

[47] Se calcula que para el año 2000 los católicos se habrán multiplicado por cuatro y los ateos y agnósticos por cuatrocientos; cf. *L'état des religions dans le monde*, Cerf, París 1987, 14.

[48] M. Eliade, *Fragments d'un Journal*, París 1973, 179-180.

Pablo II, PPC, Madrid 1990; D. Théraios (ed.), *Quelle religion pour l'Europe? Un débat sur l'identité des peuples européens*, Georg, Ginebra 1990; G. Thils, *«Foi chrétienne» et «Unité de l'Europe»*, Faculté de Théologie, Louvain-la-Neuve 1990; id., *Le statut de l'Église dans la future Europe politique*, Faculté de Théologie, Louvain-la-Neuve 1991; P. Valadier, *La Iglesia en proceso. Catolicismo y sociedad moderna*, Sal Terrae, Santander 1990; F. J. Vitoria, *La nueva evangelización de Europa:* «Iglesia Viva» 159 (1992) 303-326.

Números especiales de revistas: *Evangelizar Europa*, «Servicio de Documentación» de Iglesia Viva, n. 33, mayo-junio (1992).

16

La nueva evangelización
de España

Para examinar la nueva evangelización de España es conveniente recordar el proceso de transformación de nuestra sociedad y los cambios operados en la misma Iglesia en estas últimas décadas. Al tratarse de un diagnóstico de pastoral misionera, conviene tener en cuenta los cambios ocurridos, analizar los problemas actuales de la sociedad y de la Iglesia, y recordar los intentos contemporáneos de evangelización, para terminar con algunas conclusiones.

1. Transformación de la sociedad española

a) Transformación cultural

El período posconciliar corresponde en la sociedad española al último decenio franquista y al período de la consolidación de la democracia. En este tiempo se hacen patentes nuevos y profundos fenómenos que deberá tener en cuenta la «nueva evangelización»: la secularización del país, el régimen democrático con una constitución aconfesional, el crecimiento de la indiferencia (11% de los adultos y el 18% de los jóvenes, con un 7 / 8% de ateos o no creyentes), el alejamiento de los jóvenes de la Iglesia, la competencia de informaciones contrapuestas, etc.

El proceso español de cambio cultural ha ido

unido, afirma J. González-Anleo, a la «convulsión de la estructura social de España», cuyos factores principales han sido «la industrialización, el despegue económico de los años sesenta, la emigración interior y la precipitada urbanización»[1]. Especialmente importante es en España, como en todos los países occidentales, la *urbanización*, fenómeno que se despliega en estos últimos años, a partir del final de la guerra civil o de la segunda contienda mundial. Con la urbanización cambian los sentimientos de pertenencia y las necesidades personales de afiliación[2]. En la ciudad, las relaciones no son espontáneas; se agrupan las personas según necesidades diferentes a las del mundo rural. Ese fenómeno plantea agudos problemas a la parroquia urbana y a sus asambleas cristianas, constituidas por personas –en general mayores– que se desconocen y no tienen solidaridades comunes. Por otra parte, al mismo tiempo que la ciudad favorece el consumismo, la privatización, la marginalidad, la permisividad y la drogadicción, da origen a una mayor liber-

---

[1] J. González-Anleo, *Identidad de los católicos españoles*, en *Catolicismo en España. Análisis sociológico*, Madrid 1985, 94.

[2] Cf. AA. VV., *L'appartenance religieuse* (Conférence Internationale de Sociologie Religieuse, Königstein, 1962), CEP, Bruselas 1965; *Psico-sociología de la afiliación religiosa*, Verbo Divino, Estella 1965; F. Houtart y J. Remy, *Milieu urbain et communauté chrétienne*, París 1968.

tad, selección de intereses culturales, posibilidades educativas y obtención de trabajo.

También ha incidido en el cambio social y religioso la *transformación cultural*, propia de las sociedades abiertas y de los países industrializados, en contraste con las sociedades tradicionales y los países rurales. Sabemos que en las sociedades abiertas se da una creciente industrialización, un enorme pluralismo ideológico y religioso en competencia, una gran intensidad de influencias externas a través de diversas comunicaciones y un sistema democrático de estructuración. Ejercen suma importancia la publicidad y la propaganda, propias de la sociedad de consumo; de ahí que la autoridad se imponga por sus argumentos, no por investidura previa. Como consecuencia de la nueva estructuración social se produce un incremento considerable de espíritu crítico y de libertad creadora.

Finalmente, en el alejamiento religioso de algunos creyentes ha influido decisivamente el valor que se da a *la ciencia y la técnica*. Bajo el prisma de lo científico, hoy se interpreta todo: el inconsciente y la biología, la prehistoria y la sociología, la política y la economía. La ciencia investiga, transforma el universo, afecta a la sociedad y cambia a las personas. Frente a lo objetivo, a lo racional y a lo impersonal, fruto de un cientifismo quizá exagerado, se produce de vez en cuando la revancha de lo emocional, irracional y estético. Pero a la larga prevalece el sentimiento de lo eficaz, la atracción de lo inmediato y la prioridad de la práctica. Existe el peligro de relegar lo religioso al ámbito de lo inefable e inconmensurable y a la esfera de la conciencia privada [3].

b) Transformación religiosa

Respecto de la situación religiosa española, el Vaticano II supuso una nueva toma de conciencia, debido a la problemática que plantearon, de una parte la nueva conciencia de Iglesia, el redescubri-

miento positivo del mundo, la libre lectura de la palabra de Dios, las innovaciones litúrgicas, la posición del seglar cristiano y la libertad religiosa [4]. De otra parte, cabe reseñar el desdeño surgido frente a los obispos y sacerdotes, la disminución de vocaciones sacerdotales y religiosas, el descenso de la práctica religiosa, el crecimiento de la permisividad moral, la elevación cultural del pueblo, el despegue económico de la clase obrera, la emigración de trabajadores a Centroeuropa y el aumento espectacular del turismo. Todos estos fenómenos, claramente existentes en la transición de una sociedad preindustrial a una sociedad industrial, de una cultura rural a una cultura urbana y de un cristianismo dirigido por una tradición repetitiva a un cristianismo de libre elección, han provocado cambios profundos en la vida de fe, en la práctica cultual y en las actitudes morales.

Nuestra situación religiosa es consecuencia, básicamente, del gran proceso moderno de secularización. Recordemos que cuando el cristianismo se convirtió, hace siglos, en una religión estatal durante la época constantiniana de Recaredo, penetró la Iglesia en el mundo político y cultural, en donde la relación con el Estado, bajo el lema de la unidad entre el trono y el altar, ha permanecido durante siglos con una fuerza extraordinaria. Este maridaje renació después de la guerra civil durante el anacrónico y autoritario régimen franquista. Prácticamente se identificaron entonces la sociedad y su cultura con la Iglesia, que adquirió, mediante amplias prerrogativas jurídicas, la función de salvaguardar la moral y el patrimonio cultural. Incluso no faltaron voces que identificaban lo católico con lo nacional, considerando a los heterodoxos religiosos, heterodoxos políticos [5]. Pero al aliarse la Iglesia con los poderosos de la fortuna, la cultura o el poder, creció el desafecto religioso de los que se encontraban alejados de dichos poderes, como la clase trabajadora, los pobres y desempleados, las minorías intelectuales críticas y, en general, los que no tenían acceso fácil al poder, al dinero y a la cul-

[3] Para examinar la situación cultural actual frente a la Iglesia, cf. Comisión Episcopal del Clero, *Sacerdotes para la nueva evangelización* (Documento elaborado por J. L. Ruiz de la Peña), Edice, Madrid 1992; S. Jaki, *Ciencia, fe y cultura*, Madrid 1990; P. Valadier, *La Iglesia en proceso*, Sal Terrae, Madrid 1990.

[4] Cf. mi libro *Vaticano II. Un concilio pastoral*, Sígueme, Salamanca 1990.

[5] Así lo hizo, por ejemplo, R. Calvo Serer, en su libro *España, sin problemas*, Madrid 1945, 145.

tura. Por otra parte, los que poseían estos bienes fueron tentados por la idolatría, más perniciosa, si cabe, que el mismo ateísmo.

Algunos historiadores señalan que la crisis religiosa se hace patente cuando cambian ciertos factores sociales, como son los sentimientos de pertenencia, los intereses políticos, la movilidad migratoria y el sistema de estructuración eclesial. Esto es lo que ha ocurrido recientemente en España. Básicamente ha sido y es una crisis ligada al cambio social y político, al fenómeno del crecimiento de las grandes ciudades y al proceso de la industrialización. El cristianismo ha dejado de ser en España el fundamento de su existencia y la referencia última de la vida para amplias capas de la población. Los valores cristianos, racionalizados, han sido incorporados pacíficamente a la nueva cultura secular, que no es antirreligiosa, sino poscristiana. La fe ha quedado reducida a una opinión particular y la religión a una especie de subcultura. Sólo importa aparentemente la racionalidad científica y la libertad democrática, junto al goce inmediato de la vida.

El proceso de secularización en España comienza antes del Concilio, pero se manifiesta con especial intensidad entre 1968 y 1982. Durante ese período dejan de tener fundamento religioso las convicciones sociales y las normas de conducta; la cultura y la política se liberan de la ideología nacional-católica, decae en gran medida el anticlericalismo, disminuye la autoridad de la jerarquía religiosa y aparece una cierta desorientación cristiana o desdibujamiento de la identidad católica, debido sobre todo –piensa J. González-Anleo– a un doble fenómeno: aparición de ofertas religiosas variadas y contrapuestas, con la consiguiente «dispersión de sentidos», y pérdida de influjo de la Iglesia en la sociedad como institución rectora o «totalizante»[6]. Un momento importante de la secularización de la sociedad española es el de la separación oficial de la Iglesia y del Estado, sancionado jurídicamente por la Constitución aconfesional de 1978.

2. Actual situación de la Iglesia

a) La Iglesia posconciliar

Con ocasión del II Sínodo extraordinario celebrado a finales de 1985 para trazar un balance de veinte años posconciliares, se habló de miedo y desconfianza en el interior de la Iglesia. Según algunas valoraciones significativas, el espíritu del Concilio agonizaba al poner trabas a la *colegialidad* de las Iglesias, a las decisiones pastorales de los grandes episcopados, al crecimiento de la teología de la liberación y al auge de los movimientos cristianos de base[7]. Lo que al acabar el Concilio fue programa de *reforma*, parece convertirse últimamente en proyecto de *restauración*. En realidad, el *aggiornamento* eclesial de Juan XXIII y la *reforma conciliar* de Pablo VI pusieron de manifiesto dos cosas: la necesidad de un cambio profundo en las estructuras de la Iglesia y las resistencias encontradas para llevarlo a cabo. Por otra parte, muchos creyentes no practicantes (la mitad de los españoles) relativizan la importancia que tiene la misma Iglesia como institución en cuanto «religión organizada». Lo cierto es que la juventud, casi en su totalidad, ha dimitido de la Iglesia, como dimitió la clase obrera en el siglo XIX y puede dimitir en los próximos años la mujer, hoy mayoría silenciosa y silenciada en las agrupaciones y reuniones cristianas. Muchos de los que pretendían la reforma de la Iglesia se han marchado y otros han desistido del *aggiornamento* eclesial o han hecho unas comunidades críticas para poder subsistir. Se han quedado dentro los conservadores, retornan algunos ultramontanos (exmiembros de Lefèbvre) y se manifiestan activos los grupos apostólicos neoconservadores, tanto de talante *espiritualista* (Renovación carismática, Comunidades neocatecumenales, Focolaris), como de pretensión *temporalista* (Opus Dei, Comunión y Liberación).

En definitiva, la denominada *restauración* eclesial intenta decirnos que el Concilio, interpretado a la luz de Trento y del Vaticano I, no pretendió re-

---

[6] J. González-Anleo, *España 1986 y la utopía social de Angel Herrera*, en Fundación Pablo VI, *La conciencia social de los españoles. En el centenario de Angel Herrera Oria (1886-1986)*, La Editorial Católica, Madrid 1987, 61-96, 82.

[7] Cf. la serena y firme posición del cardenal König en *Iglesia, ¿a dónde vas?* (1986), respuesta al *Informe sobre la fe* del cardenal Ratzinger (1985), y los trabajos colectivos: *El Vaticano II, veinte años después* (1985); *La recepción del Vaticano II* (1987), y *El Concilio del siglo XXI. Reflexiones sobre el Vaticano II* (1987).

formar las estructuras eclesiales ni fomentar el compromiso de los creyentes en la transformación del mundo, sino promover la santidad a través de un trabajo personal bien hecho y de una intensificación en las prácticas religiosas sacramentales y devocionales. Estamos en el proceso denominado de «recatolización», que se opone a una desviada «segunda cristianización». Dicho con palabras de los conservadores, la reforma del Concilio no es de naturaleza institucional, sino simplemente una llamada a la santidad individual.

Dos cuestiones eclesiológicas de importancia se debaten hoy en el universo católico: la consideración de la Iglesia como pueblo de Dios y la misión de la Iglesia en la transformación del mundo. De un lado, algunos elitistas católicos rechazan todo lo que entraña el término *pueblo* o el calificativo de *popular* en la Iglesia, aferrados por un lado al concepto de *patria* (que, con la familia, transmiten sin problemas el alma de la religión) o al de *jerarquía* (que, con el de *magisterio*, nos afianzan en una gran seguridad). Nos hallamos hoy en una Iglesia en vías de restauración, de acuerdo a una lectura conservadora del Vaticano II, junto a otro tipo de Iglesia, formada por movimientos apostólicos y comunidades de base que pretenden seguir las inspiraciones más radicales del último Concilio.

b) La Iglesia posconciliar española

Tres rasgos caracterizan a la Iglesia española preconciliar en relación a las Iglesias católicas de los países de la Europa en la que estamos inmersos: el *nacional-catolicismo*, la beligerancia *antimodernista*, y el *conservadurismo* teológico y pastoral. Debajo de aquellas manifestaciones religiosas y patrióticas, propias del franquismo, había generosidad personal, profunda religiosidad y sentido apostólico. Pero carecíamos de libertad, civil y religiosa; desconocíamos los valores democráticos, éramos masivos y gregarios. Se vivió un ambiente triunfal religioso, sin que una parte de la Iglesia tomara conciencia de lo que ocurría en la clase trabajadora, obrera o campesina y de lo que bullía en la clandestinidad política y sindical.

El Concilio nos dejó cristianamente a la intemperie, y el ocaso franquista entre 1965 y 1975, junto al advenimiento democrático y la arribada de los socialistas al poder, descubrió los flancos de una pastoral de cristiandad, basada en la alianza entre poder civil y religioso, la mediación patriótica y familiar de la fe, el fomento del catolicismo masivo popular, el carácter impositivo de la norma católica en la sociedad y la repetición de costumbres atávicas sagradas. Hubo antes del Concilio movimientos apostólicos críticos con el sistema dictatorial franquista, sensibles a lo social, dentro de una clara pastoral misionera, pero el conjunto de la jerarquía se inscribía, al comienzo del Concilio, en una pastoral de cristiandad.

El Vaticano II supuso un fuerte impacto en la conciencia eclesial española y un correctivo al papel legitimador de la religión católica en un Estado dictatorial que celebraba entonces veinticinco años de implantación autoritaria. Decisivas fueron para los católicos españoles las conclusiones conciliares relativas a la libertad religiosa, compromiso social de los creyentes, diálogo ecuménico y nuevo cometido de la Iglesia en el mundo.

De repente –y esta es otra nota peculiar de la Iglesia española–, se produjo una transición religiosa, rápida y profunda al mismo tiempo. Lo que otras Iglesias europeas realizaron en cuarenta años (1930-1970), a excepción quizá de la Iglesia holandesa, nosotros lo hicimos en solo quince (1960-1975). Las consecuencias fueron evidentes: crisis, tensiones, secularizaciones e incluso *asonadas* eclesiásticas. En el momento de la convocatoria conciliar no había teólogos preparados, al paso que los obispos se encontraban desfasados a la hora de entender y aplicar el Vaticano II. Los movimientos laicales organizados fueron cuestionados por la jerarquía, y entraron en crisis. Se alteró el estamento clerical, hubo conmoción en la vida religiosa, se derrumbó la Acción Católica y emergieron, con oposiciones eclesiales y vigilancias policíacas, los nuevos movimientos de base.

A partir de 1983, como consecuencia del triunfo socialista en las elecciones generales de 1982, la Iglesia jerárquica española se ha confrontado con el gobierno en dos campos de batalla: la legislación sobre el aborto y el estatuto de la enseñanza libre. Especialmente tensas han sido y en parte son las cuestiones en torno a la educación, familia, matrimonio y sexualidad. Desgraciadamente, la visita del Juan Pablo II en 1982 no sirvió para trazar un plan válido de pastoral, a pesar de los esfuerzos de los obispos. Esta visita reforzó la posición de los grupos neoconservadores.

La Iglesia española se encuentra hoy, como la totalidad de la Iglesia, entre dos opciones: *renovación* liberadora y *restauración* conservadora. El Vaticano II habló más de trescientas veces de renovación y nunca empleó el vocablo *restauración*. En todo caso vivimos hoy bajo el «síndrome restauracionista». Hay clara preocupación de «poner orden» y de «cerrar filas» ante la «sobrecarga de cambio» que sufre actualmente la Iglesia posconciliar española en una sociedad de mutación cultural acelerada.

Por parte de algunos sectores de Iglesia más inmovilistas se advierte un *neoconservadurismo* eclesial al atribuir a los promotores de la cultura laica la pérdida de valores morales tradicionales y el alza de criterios antirreligiosos o anticristianos, sin juzgar y condenar las *des-moralizaciones* y desvíos culturales de la misma Iglesia institucional en algunos momentos históricos. Parece como si la primera y casi única preocupación fuese la Iglesia con su jerarquía al frente, con olvido de lo que suponen y significan Dios, Cristo, el Espíritu y el evangelio. De ahí que muchos documentos episcopales, salvo los que suscitan polémica, no son conocidos ni tienen incidencia alguna. Su proceso de redacción y de difusión es muy deficiente [8]. Las vías de elaboración de estos documentos debieran orientarse, al estilo de las pastorales de los obispos norteamericanos, hacia un trabajo de conjunto entre todos los sectores vivos de la Iglesia.

Dentro de la Iglesia se advierte hoy un pluralismo casi tan grande como el que se da en la sociedad. No olvidemos que la fe se incultura políticamente. Ante el pluralismo y la diversidad de universos simbólicos, el sector más conservador de la Iglesia reacciona con miedo y con dureza mediante el intento de construir un «bloque ideológico católico» frente a las fuerzas laicas y laicistas. Para el sector conservador católico, la restauración es la única salida con objeto de mantener la seguridad y defender el código cosmovisional y ético de la Iglesia, considerado como el único verdadero. Otros sectores progresistas de la Iglesia se niegan a formar parte de dicho bloque católico, ya que entienden que su misión cristiana consiste en ser fermento evangélico dentro de las llamadas fuerzas laicas.

La dependencia económica de la Iglesia respecto del Estado hipoteca en gran medida su libertad y debilita enormemente su credibilidad. Bueno es recordar que la Iglesia española sigue recibiendo un gran fondo económico como ayuda estatal, asunto difícilmente justificable por parte de muchos contribuyentes y de una parte de los católicos, un tercio de los cuales lo aprueba y otro lo rechaza. La Iglesia, por ser pueblo de Dios, debe ser sostenida a todos los efectos por su propio pueblo. Según encuestas recientes hechas por la Fundación Santa María en los comienzos de la década de los noventa, la mitad de los creyentes opina que no hay transparencia en la economía de la Iglesia. El 43,7% de los encuestados aceptan el trabajo civil de los sacerdotes.

3. Análisis sociorreligioso de los españoles

a) La práctica religiosa

Los primeros datos estadísticos de la práctica religiosa en España son de 1909. La media nacional del precepto dominical era entonces del 15%, la mitad que hoy. El cumplimiento pascual se calculaba en el 10% de los hombres; en Madrid no llegaba al 5%. En muchos lugares sólo practicaba el 10% [9]. El misionero P. Sarabia afirmó en 1939 que la España de la década de los treinta «vivía en la indiferencia más completa» [10].

---

[8] Por ejemplo, *Testigos del Dios vivo* (1985); *Católicos en la vida pública* (1986), y *La verdad os hará libres* (1990), con notables orientaciones.

[9] Cf. los trabajos, todavía precientíficos, de S. Aznar, *Estudios religioso-sociales*, Instituto de Estudios Políticos, Madrid 1949 y de E. Vargas Zúñiga, *El problema religioso de España*: «Razón y Fe» 108 (1935) 289-307; 109 (1935).

[10] Cf. P. Sarabia, *España, ¿es católica?*, Perpetuo Socorro, Madrid 1939; F. Peiró, *El problema religioso-social de España*, Razón y Fe, Madrid 1936. Para un estudio completo del catolicismo español contemporáneo, ver R. Díaz-Salazar, *El capital*

Recordemos que las estadísticas sobre la asistencia a la misa dominical se desarrollaron intensamente entre el final de la segunda guerra mundial (1945) y el comienzo del Vaticano II (1962). El Concilio exigió nuevas atenciones, y los estudios de la práctica religiosa decrecieron precisamente cuando las oscilaciones comenzaban a ser mayores, sobre todo en la juventud. Respecto del catolicismo español, la práctica religiosa era entre nosotros en 1972 del 34,57% [11]. Naturalmente, se daba una gran diferencia entre las distintas regiones, con una oscilación entre el 17,6% (centro y sur) y el 71,3% (norte y este). Había zonas en donde practicaba religiosamente la mitad de la población y otras en las que solamente llegaba a un tercio. Más significativos fueron los análisis de las creencias a mitad de la década de los setenta, en tiempos de la transición política. El 84% se declaraban creyentes, el 5% no creyentes y el 8% inseguros o inciertos.

Encuestas llevadas a cabo en la segunda mitad de la década de los ochenta manifiestan que alrededor del 84% de los españoles se declaran católicos (48% afirmativamente y 36% con dudas), de los cuales el 31% practican con regularidad (misa de domingos y días festivos), el 27% son practicantes ocasionales (van a misa algunas veces al año) y el 19% se consideran católicos no practicantes. El 13% no se consideran católicos, de los cuales el 9% se definen como no creyentes o indiferentes y el 1% practican una religión no católica; el 3% no responde a la pregunta. De hecho, hay un 46% de creyentes no practicantes o con práctica muy escasa, con estas proporciones: de cada tres católicos, dos no van a misa y una quinta parte es indiferente o increyente. Por otra parte, casi dos terceras partes de los practicantes son mujeres. El número de los no practicantes ha aumentado en España considerablemente en los últimos veinte años, al pasar del 15% en 1965 al 46% actual [12]. En 1965 se definían como católicos practicantes el 83% , mientras que en 1975 eran el 74%. Según J. González-Anleo, en la década de 1970 a 1980 se ha dado un profundo cambio en la práctica de los españoles, ya que los «indiferentes» se han multiplicado por tres hasta constituir un tercio de la población, los «practicantes» se han reducido a la mitad y los «practicantes ocasionales» también se han triplicado [13].

Los estudios sociológicos correspondientes a la España de los noventa muestran que un 41% de los autodeclarados católicos no van a misa «nunca o casi nunca» o «sólo con ocasión de las grandes fiestas». Las razones para no ir a misa se reducen a falta de interés, desconfianza de la Iglesia y de los curas y desacuerdo con la postura social y política de la Iglesia.

De la encuesta socio-religiosa correspondiente a la España de los noventa se deduce que en estos últimos veinte años los indiferentes y ateos se han multiplicado por diez: son la cuarta parte del país [14]. En este tiempo han disminuido los «católicos practicantes» de un 87% a un 53%. Al mismo tiempo ha aumentado el número de los «católicos no practicantes» o «no muy practicantes»; son un 45%. Estos católicos son los más críticos con la Iglesia.

Entre nosotros, la desafección de los cuatro sacramentos del catolicismo popular es pequeña en relación al descenso de la práctica dominical y pascual. No obstante, se advierte una disminución paulatina del matrimonio canónico (se casan por la Iglesia entre el 70% y el 80%), sin que necesariamente sea absorbido siempre por el matrimonio ci-

simbólico. *Estructura social, política y religión en España*, HOAC, Madrid 1988.

[11] Cf. R. Duocastella, *El mapa religioso de España*, en AA. VV., *Cambio social y religión en España*, Fontanella, Barcelona 1975, 159; J. Estruch, *La secularización en España*, Mensajero, Bilbao 1971.

[12] Cf. Secretariado Nacional de Liturgia, *La asistencia a la misa dominical*: «Pastoral Litúrgica» 141-145 (1985) 3-40; F. Az-

cona, *La religiosidad de los españoles*: «Ecclesia» 209 (16.2.1985); ISPA, *Catolicismo en España. Análisis sociológico*, Madrid 1985; J. Martínez Cortés, *Sociología de la increencia en España*: «Fomento Social» 158 (1985) 195-209; *Le catholicisme contemporain en Espagne*: «Social Compass» 33 (1986/3); J. González-Anleo, *Los españoles de hoy ante el hecho religioso*: «Vida Nueva» n. 1.658 (1988) 27-34; J. J. Toharia, *Catolicismo en España. Balance de situación*: «Razón y Fe» 221 (1990) 385-403.

[13] J. González-Anleo, *Anomía religiosa y euforia colectiva*: «Comentario sociológico» 39-40 (1982) 1-133; id., *Pertenencia y desafección religiosa. Formas que adoptan y causas que las provocan*: «Sal Terrae» 76 (1988) 331-342.

[14] Cf. P. González Blasco y J. González-Anleo, *Religión y sociedad en la España de los 90*, Ediciones SM, Madrid 1992.

vil; disminuye levemente el número de niños no bautizados (lo son entre el 85% y el 95%) o que no acceden a la primera comunión (cifra ligeramente inferior a la de los no bautizados), sobre todo en las grandes ciudades y en ámbitos de escasa práctica religiosa o de manifiesta increencia; y crece el número de defunciones y entierros sin que sean acompañados de gestos religiosos (exequias cristianas tienen el 84% de los difuntos). Desgraciadamente, estas prácticas sacramentales han sido menos estudiadas que las prácticas eucarísticas. En la encuesta de los comienzos de los noventa se dice que un 80% de los españoles bautizaría a sus hijos, pero la mitad de los españoles no se confiesa «nunca o casi nunca». También se dice que un 58% no creen en el pecado.

b) Las creencias

En relación a las creencias, el 59% de los católicos españoles mayores de 18 años creen en «Dios creador del mundo» y el 56% en «Jesucristo como Dios». Tres de cada cuatro creen en el cielo y en la virginidad de María y dos de cada tres en la resurrección de los muertos, el alma inmortal, la existencia del infierno y la infalibilidad papal. En conjunto, entre el 40% o 50% de los españoles declaran tener una «creencia cierta», en tanto que el 20% se consideran «creyentes dubitativos». Finalmente, entre el 45% y el 64% se declaran en oposición a las posturas oficiales de la Iglesia relativas a relaciones prematrimoniales, divorcio, uso de contraceptivos o celibato sacerdotal. En la práctica, un tercio de los españoles católicos practicantes (el 12% del 31%) afirman que no están de acuerdo con la jerarquía eclesiástica. Entre los creyentes no practicantes también hay otra tercera parte que no está de acuerdo con la Iglesia. En conjunto representan la mitad de la población adulta. Dicho con palabras de P. Castón Boyer:

«El catolicismo no parece que sea el punto de referencia más frecuente en la conducta de los españoles en materias sociales o políticas y en los problemas de ética sexual y otras costumbres»[15].

Según una reciente encuesta, los dos tercios o las tres cuartas partes de los españoles sitúan el valor *religión* después de la salud, el amor, el dinero y la familia, aunque por encima del trabajo y la política. La Iglesia católica, aunque valorada algo mejor que el Gobierno o las Fuerzas Armadas, recibe sólo 5,7 puntos, frente a 8,2 de la Cruz Roja y 7,6 de la ONCE, entre otras entidades filantrópicas.

Las mujeres sobrepasan a los hombres en creencias y prácticas religiosas. En 1981 se consideraban católicas el 93% de las mujeres frente al 85% de los hombres, pero no pisaban la iglesia un 17%, a diferencia de un 35% de los hombres. Como puede advertirse, la Iglesia es poco valorada al no responder adecuadamente a los problemas de la vida familiar: así opinan el 51% de mujeres y el 36% de hombres. La creencia en Dios, sin más especificación, es alta en las mujeres (92%), superior a la de los hombres (81%), pero descienden enormemente otras creencias, como son el infierno y el demonio (33% de personas aceptan estas dos realidades) o el pecado (el 57%)[16].

La encuesta europea de valores de 1990 correspondiente a nuestro país señala que se declaran católicos un 86% de los españoles, frente a un 90% diez años antes; un 13% no tiene ninguna religión y un 1% pertenece al área protestante. Nominalmente somos un país mayoritariamente católico, aunque en la práctica una buena parte de los que se autodenominan católicos son, por supuesto, no practicantes e incluso indiferentes. En 1990 se observa una baja de la práctica religiosa respecto de la década anterior. No obstante, «hay una mayoría de la población» –escribe F. Andrés Orizo– para la cual «la Iglesia está dando una respuesta adecuada a las necesidades espirituales del hombre»[17]. En el campo moral, la respuesta de la Iglesia es considerada más deficiente, tanto en la moral familiar como en la social.

---

[15] P. Castón Boyer, *Cultura y religión en la sociedad española:* «Iglesia Viva» 139 (1989) 22.

[16] Cf. M. A. Durán, *De puertas adentro,* Instituto de la Mujer, Madrid 1988, apartado *Más allá de los ritos: religiosidad y sentido de la trascendencia,* 115-128. Es el texto de una ponencia presentada en el Foro *La mujer, presente y futuro,* organizado por «Fe y Secularidad» en Madrid, el 25 de septiembre de 1987.

[17] F. Andrés Orizo, *Los nuevos valores de los españoles. España en la encuesta europea de valores,* SM, Madrid 1991, 237.

El estudio correspondiente a la España de los noventa advierte que

> «frente a las tradicionales dudas de fe o los rechazos parciales o globales de la misma, la novedad característica de nuestra época es una doble ruptura: la de los modelos tradicionales de la transmisión de la fe y la del edificio o sistema de creencias» [18].

Aceptan hoy el dogma de la divinidad de Jesucristo el 66,2% y el de la infalibilidad del papa el 27%. Se rechaza en general la existencia del infierno. Sólo la mitad creen en la inmortalidad del alma.

La «Iglesia de masas» es aceptada por el 61% de los católicos y la «Iglesia de minorías ejemplares» por el 30%. Ante ciertos comportamientos éticos respecto del divorcio, adulterio, aborto, eutanasia, evasión de impuestos, fraude del paro, soborno o drogas se dibujan dos actitudes diferentes que dependen del concepto de pecado, como «consecuencia de estructuras injustas» o como «consecuencia del alejamiento de Dios».

SITUACION DE LA SOCIEDAD ACTUAL

«No tenemos una visión pesimista del momento que vivimos. Ni la fe ni un juicio objetivo de las cosas nos permitirían esta visión. No ignoramos, en efecto, los valores importantes que emergen de la conciencia moral contemporánea como pueden ser: la fuerte sensibilidad en favor de la dignidad y los derechos de la persona, la afirmación de la libertad como cualidad inalienable del hombre y de su actividad y la estima de las libertades individuales y colectivas, la aspiración a la paz y la convicción cada vez más arraigada de la inutilidad y el horror de la guerra, el pluralismo y la tolerancia entendidas como respeto a las convicciones ajenas y no imposición coactiva de creencias y formas de comportamiento, y la repulsa de las desigualdades entre individuos, clases y naciones, la atención a los derechos de la mujer y el respeto a su dignidad o la preocupación por los desequilibrios ecológicos. Tampoco olvidamos los comportamientos de muchos que, día a día y en medio de las dificultades ambientales, se esfuerzan en mantenerse fieles a unos criterios morales

sólidos. Estos valores y modos de conducirse en la vida constituyen un estímulo para quienes, en este tiempo, buscan liberarse del vacío o el aturdimiento moral».

Episcopado español,
La verdad os hará libres, 1990, n. 5.

---

4. Insuficiencias en la evangelización e iniciación cristiana recibidas

Por ausencia de un proyecto misionero adecuado, no sólo se ha supeditado durante siglos la evangelización a la sacramentalización -sin una eficaz formación cristiana–, sino que, a causa de la infantilización de la iniciación sacramental, la catequesis de niños ha tenido entre nosotros más importancia que la de los jóvenes y adultos [19]. El pueblo cristiano se instruía en el seno familiar, en la catequesis de primera comunión y en la predicación dominical y devocional. Al considerar creyentes a todos los bautizados, la preocupación era sacramental antes que misionera. De hecho, a causa de la generalización del bautismo de niños y de la desaparición del catecumenado de adultos, la mayoría de los bautizados no han sido evangelizados o catequizados suficientemente por la familia, la escuela o la parroquia. Todavía más, la actual generación creyente y practicante, instruida antes del Concilio, recibió en general una catequesis propia del catolicismo de cristiandad, antimoderno y preconciliar. En cambio, las generaciones formadas a partir de la década de los sesenta han recibido, salvo excepciones, una catequesis conciliar, pero han crecido en una sociedad económicamente capitalista, culturalmente secular y políticamente aconfesional, con un distanciamiento creciente de la Iglesia y de sus instituciones, tanto en el terreno de las prácticas cultuales como de la moral religiosa. Aunque se considera mayoritariamente creyente, es poco practicante y sus criterios cristianos son a todas luces insuficientes. En todo caso, el abandono de la práctica religiosa no se explica sólo por las condiciones seculares sociales, sino por la deficiente formación recibida sin garantías de adultez.

---

[18] P. González Blasco y J. González-Anleo, *Religión y sociedad...*, o. c., 50.

[19] Cf. mi artículo *El proceso catecumenal en la «Catechesi tradendae»*: «Sinite» 92 (1989) 511-517.

«La indiferencia religiosa, ampliamente extendida –escribe J. P. de Meulder–, se manifiesta sobre todo en la caída de la práctica religiosa y de la cultura cristiana vinculada a la formación. El desinterés de los padres por la transmisión de la fe a la generación siguiente constituye un grave problema» [20].

Hoy comprobamos que en la mayoría de los casos la familia se inhibe en la educación cristiana de los niños, bien porque los padres son poco creyentes, bien porque no saben dar a sus hijos mínimas razones de su esperanza. Todo se confía a una futura religión escolar, hoy en crisis, o a una ascendente pero incompleta catequesis parroquial. Repito que la iniciación cristiana, absolutamente necesaria cuando no se es creyente por nacimiento, sino por decisión personal, se ha practicado apenas después de la conversión de los bárbaros, al insertarse la religión en la estructura de la sociedad como tejido cultural popular. Los nostálgicos sueñan con la recuperación de la cristiandad.

De hecho, nos hallamos en un mundo laico, pretendidamente adulto, emancipado de la tutela religiosa, en el que la Iglesia no es ya la gestora de la única cultura, sino portadora de una visión cultural particular que se debate entre otras muchas cosmovisiones totalmente seculares. El cristianismo es una opción más, entre otras.

«En siglos anteriores –escribe P. Ball– se podía hablar de una cultura cristiana europea. Había una presión social que llevaba a la gente a actuar según las costumbres de la Iglesia y a pertenecer, aunque fuera formalmente, a ella... Actualmente existe poca o ninguna presión social para ser o hacerse cristiano» [21].

Cada vez con más frecuencia, los que quieren ser cristianos lo son por opción personal.

Es evidente la necesidad de una nueva evangelización y de una educación cristiana catecumenal.

Son muchos los hombres y mujeres que se preguntan por el sentido de la vida a la vista de la estructuración injusta del hemisferio sur por parte de los países más desarrollados (problema de la idolatría), y el ascenso incesante de la increencia, sobre todo en los países opulentos del hemisferio norte (problema del ateísmo).

Aunque la nueva evangelización se entiende como acción misionera de toda la Iglesia a nivel planetario, se aplica sobre todo a los países de cristiandad, en relación a los bautizados que viven al margen de la vida cristiana o tienen una fe, más o menos vaga, sin fundamentos (fe del *carbonero*), con adherencias inadecuadas (fe *mágica* popular) o separada de la justicia (fe de los *espiritualistas*). Es evangelización que se orienta a bautizados, sean indiferentes, alejados, no practicantes o piadosos sin conversión evangélica, para que descubran las dimensiones personales y sociales de la fe. Se justifica, pues, por el número creciente de bautizados que ya no creen ni practican, de practicantes ocasionales que apenas creen (a lo sumo asisten a bautizos, primeras comuniones, bodas y funerales), de creyentes que practican con una cierta regularidad, pero no están evangelizados, y aun de católicos asiduos a la eucaristía dominical que poseen una deficiente evangelización y una incompleta catequesis [22]. También hay personas que han sido educadas sin ningún sentido religioso o que abandonaron en la adolescencia su religión infantil.

Lo cierto es que hay muchos bautizados plenamente inmersos en la indiferencia religiosa, alejados de la Iglesia y de cualquier relación con Dios, ciudadanos de un mundo secularizado en una era poscristiana (CT 57). De ahí que la acción pastoral de la Iglesia tenga en cuenta, de una parte, la cultura neopagana actual, pero con raíces cristianas; de otra, la cristianización de los bautizados que se encuentran totalmente alejados de la fe [23]. Como consecuencia, hay que tener presente un concepto analógico de evangelización.

---

[20] J. P. de Meulder, *El catecumenado, un hecho europeo*, en Conferencia Europea de Catecumenado, *Los comienzos de la fe. Pastoral catecumenal en Europa hoy*, Paulinas, Madrid 1990.

[21] P. Ball, *La conversión en las Iglesias de Europa*, en Conferencia Europea de Catecumenado, *Los comienzos de la fe*, o. c., 16.

[22] Cf. C. Tovar, *Juan Pablo II y nueva evangelización*: «Páginas» 102 (1990) 35-54; A. González Dorado, *Una nueva Iglesia para una nueva evangelización*: «Proyección» 37 (1990) 87-108.

[23] Cf. el capítulo *La reiniciación cristiana* de mi libro *Para comprender el catecumenado*, Verbo Divino, Estella 1989, 25-32.

5. Proyectos misioneros en España

En la España de la posguerra civil se llevó a cabo un esfuerzo gigantesco para misionar todo el país, con resultados a veces espectaculares, pero que a la larga fueron, sobre todo en las grandes ciudades, mediocres. Otro tanto puede decirse de la enorme actividad desplegada por los *Cursillos de cristiandad* y por las *Ejercitaciones para un mundo mejor*. En estos movimientos faltó al principio un replanteamiento de lo que es la evangelización, al mismo tiempo que se descuidó la necesidad patente de un cierto *catecumenado*, en donde se inscribiesen los bautizados que en un plazo de tres o cuatro días eran convertidos a un *mundo mejor* o a una *nueva cristiandad*. De hecho, la evangelización como pastoral misionera se introdujo en España hacia 1954-1956, gracias a la Acción Católica especializada según los ambientes, al estilo de la belga y francesa. Desde entonces se puede hablar de una *pastoral del testimonio* [24]. Precisamente en torno al concepto de evangelización y a sus implicaciones temporales se produjo, a partir de junio de 1966, una profunda crisis en la Acción Católica española.

En España hay que reseñar el congreso sobre *Evangelización y hombre de hoy* en 1985 [25]. Desde la Asamblea Conjunta de 1971 no se había celebrado de modo oficial una asamblea eclesial con intenciones pastorales globalizadoras. Este congreso se preparó seriamente y se desarrolló de un modo organizado, en un clima de activa participación. Su finalidad consistió en despertar una Iglesia dormida misioneramente, actualizar el concepto de evangelización a la luz de los documentos del Vaticano II y de la exhortación *Evangelii nuntiandi* y analizar la situación de la sociedad española a los diez años del cambio político y veinte de terminación del Concilio.

«Cuando hablamos de segunda evangelización –afirma la ponencia segunda–, hacemos referencia a la nueva evangelización que debe fecundar todo un país de tradición cristiana que, al cabo del tiempo y con la evolución histórica y cultural, tiene estratos más o menos amplios y profundos que ya no están impregnados por el evangelio: sectores importantes de población que desconocen la fe cristiana o que se han alejado de ella, grupos numerosos de bautizados que no han personalizado la fe, estructuras vitales de la sociedad (familia, cultura, economía, política...) en grado tal de transformación que manifiestan en el presente serias incoherencias con una concepción cristiana de la vida» [26].

Forma parte de la segunda evangelización la denominada «autoevangelización», es decir,

«el logro de una preparación sacramental más auténtica, la catequesis de inspiración catecumenal en jóvenes y adultos, la renovación de los contenidos de fe centrados en el evangelio de Jesús» [27].

Tres atisbos fundamentales se evidenciaron en las sesiones de trabajo: 1) a la Iglesia le sobra burocracia y le falta testimonio; 2) no basta el testigo-individuo, sino que se requiere la comunidad de testigos, y 3) la evangelización debe entenderse como «movilización salvadora» más que como «recriminación condenadora».

En las *conclusiones* del sector de trabajo «Educación en la fe de los adultos», que se constituyó en el congreso *Parroquia evangelizadora* de 1988, se afirma de entrada que «muchos adultos de nuestras parroquias necesitan un proceso serio de fundamentación de su fe» [28]. Ahí se aboga por «una catequesis orgánica (y sistematizada) de inspiración catecumenal para quienes necesitan ser iniciados en la fe» o por «un proceso educativo para hacer surgir un cristiano con fuerte talante misionero». Estos deseos, teóricamente descritos, contrastan con lo que en este campo se observa en la realidad pastoral. Hay en nuestras parroquias –reconoce el congreso citado– «pobreza del anuncio explícito del evangelio hecho a los increyentes», dificultades de establecer «una catequesis orgánica de inspiración catecumenal», «poca calidad misionera de las ho-

---

[24] Cf. M. Benzo, *Pastoral y laicado a la luz del Vaticano II*, Madrid 1966; J. M. de Córdoba, *La Acción Católica a la luz del Concilio*, Madrid 1966.

[25] Cf. *Evangelización y hombre de hoy*. Congreso, Edice, Madrid 1986.

[26] *Ibíd.*, 115.

[27] *Ibíd.*, 151.

[28] *Parroquia evangelizadora*. Congreso, Edice, Madrid 1989, 217.

milías» y escasa «incidencia misionera de los grupos parroquiales» [29].

Con todo, es necesario reseñar que los eventualmente convertidos en el difícil trabajo evangelizador llegan al proceso de iniciación o de re-iniciación con una experiencia religiosa y cristiana a veces nada desdeñable. Incluso pueden tener unas reflexiones maduras sobre su propia experiencia personal y social que deben ser asumidas. El imperativo de tener en cuenta a los candidatos descarta aquel tipo de re-iniciación que propone un modelo único de catequesis para todos, sin valorar la edad, la cultura, las condiciones sociales y la experiencia personal religiosa de los convertidos. En general, los documentos oficiales sobre catequesis no prestan la debida importancia a la dimensión política y social de la fe, a saber, a la catequesis liberadora.

La advertencia de basarse en los *valores* personales significa que no se deben contraponer los valores cristianos a los humanos, como si éstos fuesen siempre deficientes o de segundo grado. La fe se encarna en determinados valores que pueden variar con las culturas, los lugares o los tiempos. Además, el proceso catecumenal no es mera preparación a un sacramento, sino educación de fe para la vida cristiana en medio del mundo.

«El hecho de *ser cristiano* hoy –dice H. Bourgeois– no se define espontáneamente por el bautismo ni por la eucaristía. Se relaciona más bien con la fe y la pertenencia eclesial. En general, ser cristiano es ser creyente y ser miembro de una comunidad cristiana» [30].

Recordemos que la exhortación *Catechesi tradendae* habla de *catecúmenos* (n. 44), a saber, «adultos que tienen necesidad de catequesis». Señala cuatro tipos: 1) los catecúmenos estrictos de «regiones todavía no cristianizadas»; 2) los que fueron catequizados en su infancia, pero luego se alejaron; 3) los que recibieron una catequesis «precoz, pero mal orientada o mal asimilada»; 4) los que «nunca fueron educados en su fe», a pesar de haber nacido en «países cristianos».

La Conferencia Episcopal Española programó un «plan de acción pastoral» para el trienio 1990-1993 con el título *Impulsar una nueva evangelización* [31]. El plan trienal anterior de 1987-1990 se orientó a desarrollar la conciencia de la misión evangelizadora de la Iglesia en España [32], con esta convicción: «La hora actual de nuestra Iglesia tiene que ser –es– una hora de evangelización». Después de unas *referencias doctrinales* (en las que se describe la «nueva evangelización»), el «plan pastoral» señala cinco objetivos: 1) fortalecer la vida cristiana; 2) consolidar la comunión eclesial; 3) promover la participación de los laicos en la vida y misión de la Iglesia; 4) intensificar la solidaridad con los pobres y los que sufren y difundir la doctrina social de la Iglesia, y 5) impulsar la acción misionera de nuestras Iglesias.

Este documento, bien elaborado y fundamentado, aunque excesivamente amplio (unas 200 páginas) y no exento de retórica (es pesado de leer), tiene en cuenta el concepto de «nueva evangelización» de Juan Pablo II en el contexto de la denominada «civilización del amor», a saber, «una nueva cultura de la solidaridad». Destacan desde el principio en el citado texto dos grandes preocupaciones: el «secularismo ateo» y «la marginación creciente de la práctica religiosa», dentro de la dramática ruptura «entre el evangelio y la cultura, entre el evangelio y la vida» (n. 12). La «nueva evangelización» se entiende como «evangelización de la cultura», que no es «mera acomodación» (sin optimismo fácil) ni «desprecio de la secularización ambiental» (sin pesimismo desesperanzado).

El problema surge a la hora de enjuiciar la «situación cultural» que hoy se advierte en la sociedad española, caracterizada, según este «plan», por la «falta de convicciones radicales» sobre el hombre y sobre Dios. Según nuestros obispos, hay una «cul-

[29] Cf. mi libro, ya citado, *Para comprender el catecumenado*, 194-196, y mi artículo *Procesos de iniciación a la fe*: «Pastoral Misionera» 164 (1989) 91-99.

[30] H. Bourgeois, *Pastoral catecumenal y conciencia bautismal en Europa hoy*, en Conferencia Europea de Catecumenado, *Los comienzos de la fe. Pastoral catecumenal en Europa hoy*, Paulinas, Madrid 1990, 37.

[31] CEE, *Impulsar una nueva evangelización*, Edice, Madrid 1991.

[32] CEE, *Anunciar a Jesucristo en nuestro mundo con obras y palabras*, Programas Pastorales de la CEE para el trienio 1987-1990, Edice, Madrid 1987.

tura de la insolidaridad». Hablan incluso de un «astillamiento cultural». Apenas hay visión positiva de la cultura de la sociedad. Respecto de la «situación eclesial», los obispos son más benignos, ya que el documento destaca aspectos positivos y negativos.

Recordemos que algunos defensores de la «nueva evangelización» sostienen una interpretación catastrófica y negativa de la sociedad. Ya dijo claramente Juan XXIII, al comienzo del Concilio, que disentía «de esos profetas de calamidades que siempre están anunciando infaustos sucesos, como si fuese inminente el fin de los tiempos» [33]. Por eso no faltan quienes consideran negativo el tiempo eclesial posconciliar y contemplan con visión pesimista la realidad social secular, ausente de valores morales por el rechazo de la norma religiosa [34]. Algunos nuevos evangelizadores piensan que nuestra sociedad es pagana, inmoral y decadente; que sin el cristianismo ningún valor tiene coherencia y que sólo la Iglesia tiene y dice la verdad [35].

Fernando Sebastián opina que la «cultura cristiana» o «cultura nacida de la fe ha sido poco a poco sustituida por una cultura nacida del agnosticismo y de la increencia» o «cultura atea» que «hace a los hombres descreídos y materialistas» [36]. En España –dice más adelante– conviven la «cultura católica» y la «cultura agnóstica o atea»; opina asimismo que

«vivimos más bien bajo el soplo de un cierto revanchismo histórico que sopla en contra de todo lo que significa Iglesia, cristianismo, orden moral objetivo, etc.» [37].

Según estas apreciaciones, la «nueva evangelización» se propone, nada menos, que cambiar una cultura por otra.

La visión negativa del mundo contrasta con la consideración preferentemente optimista que tuvieron Juan XXIII, el Vaticano II, Pablo VI, Medellín y Puebla.

«La *nueva evangelización* reclama, para hacerla posible –escribe M. de Unciti–, que los evangelizadores confíen en el hombre moderno. Sin esta confianza, preámbulo para la cordial acogida del hombre, no hay posibilidad alguna para la *nueva evangelización*. Y la verdad es que los más de los evangelizadores de nuestro tiempo están lejos de reafirmar su confianza en el hombre de hoy» [38].

H. Legrand lo dice resueltamente:

«Como cristianos debemos apreciar y amar a nuestra sociedad, de lo contrario no le transmitiremos nada» [39].

LA ACCION EVANGELIZADORA EN ESPAÑA

«Las nuevas situaciones están reclamando una renovada acción evangelizadora que estimule actitudes cristianas de mayor autenticidad personal y social; en la que participen todos los miembros de las comunidades eclesiales, sacerdotes, religiosos y religiosas, seglares; que cuente con la presencia de los laicos en las realidades temporales de la sociedad democrática».

Juan Pablo II, *Discurso a los Obispos de Oviedo, Santiago y Valladolid*, 17.10.1986.

6. Conclusiones

1. Evidentemente, la situación de crisis que se vive en la sociedad española es, en realidad, una tregua más que un estadio definitivo. El catolicismo popular español es un constitutivo de la cultura del pueblo; y la cultura popular, junto al sentido cristiano de la vida, forman parte sustantiva del entra-

[33] Juan XXIII, *El principal objetivo del Concilio*, discurso del 11.10.1962, en *Concilio Vaticano II*, Ed. Católica, Madrid 1965, 747.

[34] Cf. La instrucción pastoral de la Conferencia Episcopal Española *La verdad os hará libres* del 20.11.1990.

[35] P. Valadier en «Témoignage chrétien», 12 de octubre de 1988.

[36] F. Sebastián, *En qué consiste la nueva evangelización*, en Instituto Teológico de Vida Religiosa, *La vida religiosa y la nueva evangelización*, Publicaciones Claretianas, Madrid 1990, 114-115.

[37] Ibíd., 135.

[38] M. de Unciti, *Tres grandes pautas de la «nueva evangelización»*: «Misión Abierta» (1990/5) 111.

[39] Cf. cita en R. Luneau, «*Retrouve ton âme, vielle Europe!*», en *Le rêve de Compostelle. Vers la restauration d'une Europe chrétienne?*, Centurion, París 1989, 46.

mado socio-cultural. Los valores profundos de la ética siguen siendo valores básicamente cristianos, aunque a menudo alterados. La nueva evangelización debe intentar que emerjan en la sociedad las viejas aspiraciones humanas a una liberación integral con la apertura a lo trascendente.

2. Uno de los mayores peligros de la «nueva evangelización» es la tentación de reconstruir una Iglesia tradicional por el miedo a cualquier cambio, con alergia a toda acción creadora pastoral y a cualquier hipótesis teológica innovadora. La Iglesia española, para ser fiel a su misión, debe aceptar generosamente el riesgo de la libertad, dentro y fuera de sí misma; asumir la realidad de una sociedad pluralista, sin las añoranzas de una vieja e inaceptable uniformidad; contribuir a la cristalización de una democracia integral, con la opción inequívoca por los más débiles e indefensos; encajar sin dramatismos toda crítica antieclesial, expresando perdón público de los errores y pecados eclesiales de vez en cuando; potenciar el compromiso de todos los cristianos, sin vigilancias paternalistas; fomentar el sentido crítico y adulto de la fe, no la sumisión infantil y beata de la piedad. De esta manera contribuirá a la construcción del reino de Dios y a una consecuente evangelización.

3. El modelo pastoral de la realización de la Iglesia es el de la comunidad, bajo la categoría imprescindible de pueblo de Dios, al servicio de los más necesitados. Evidentemente, los niveles y modos comunitarios varían y variarán, pero de ningún modo puede ser la *secta* mediación de Iglesia. Y dentro de la Iglesia católica hay algunos fenómenos sectarios. Lo que ocurre es que la idea de comunidad sectaria se liga únicamente a la Iglesia de la base, a la que se califica de heterodoxa o de «discipular» (no apostólica) y de cismática o de «contestataria» (en ruptura con la jerarquía). Apenas se ven los excesos de la otra Iglesia neoconservadora, pero ortodoxa, sumisa a una jerarquía cuando los vientos le son favorables, que roza la independencia y, en definitiva, es una Iglesia dentro de la Iglesia y un mundo dentro del mundo. Lo que pretenden, porque ahí está según ellos la salvación, es hacer obra propia apostólica, y nada más.

4. El futuro de la Iglesia española depende, en primer lugar, del futuro de la Iglesia universal, poco esperanzador en los países nordatlánticos y de mejores perspectivas en el Tercer Mundo, aunque no en todas partes por igual. España está religiosamente entre Europa y América Latina. El hecho de que Iberoamérica sea continente católico, y ahí se hable el castellano por haber formado parte de la metrópoli española, es sumamente importante para nuestra Iglesia, aunque por desgracia sólo una parte del catolicismo español se siente identificado con la Iglesia renovada en América Latina, con sus comunidades de base, su lucha por la liberación y sus interpretaciones teológicas.

5. La Iglesia española del futuro no se parecerá probablemente a la actual. Será más pobre, reducida, modesta, comunitaria y testimonial, pero subsistirá con otra Iglesia burocrática, sensible a los poderes, que se resiste a cambiar. Caso especial entre nosotros es la Iglesia del pueblo sencillo, con sus devociones y santuarios, sus fiestas y estaciones, sus usos y costumbres. Hasta el presente, la Iglesia ha sido sostenida básicamente por los sacerdotes, religiosos y religiosas. La Iglesia del futuro dependerá del laicado y de la diversidad y función de los nuevos servicios y ministerios.

Bibliografía

V. Cárcel Ortí, *¿España neopagana? Análisis de la situación y discursos del papa en las visitas «ad limina»*, Edicep, Valencia 1992, 117-157; Carta pastoral de los Obispos de Pamplona, Bilbao, San Sebastián y Vitoria, *La Iglesia, comunidad evangelizadora*, Idatz, San Sebastián 1989; Conferencia Episcopal Española, *Impulsar una nueva evangelización* (Plan de acción pastoral para el trienio 1990-1993), Edice, Madrid 1991 y en «Ecclesia», 17.11.1990, 24-42; id., *La verdad os hará libres* (Instrucción sobre la conciencia cristiana ante la actual situación moral de nuestra sociedad), PPC, Madrid 1990; *Evangelización y hombre de hoy*. Congreso, Edice, Madrid 1987; A. Iniesta, *Anunciar a Jesucristo en la España de hoy*, Ed. HOAC, Madrid 1987; F. Sebastián, *Nueva evangelización. Fe, cultura y política en la España de hoy*, Encuentro, Madrid 1991.

Números especiales de revistas: *Evangelizar en España, hoy*: «Iglesia Viva» 51 (1974); *La misión en España, hoy*: «Pastoral Misionera» 174 (1991).

Indice general

III
PRIORIDADES DE
LA EVANGELIZACION

IV

PROPUESTAS DE
NUEVA EVANGELIZACION

Títulos de la misma colección

Para leer
EL ANTIGUO TESTAMENTO
Etienne Charpentier

Para leer
EL NUEVO TESTAMENTO
Etienne Charpentier

Para leer
LA CREACION EN LA EVOLUCION
Montenat - Plateaux - Roux

Para leer
LA HISTORIA DE LA IGLESIA, 2 vols.
Jean Comby

Para leer
UNA CRISTOLOGIA ELEMENTAL
A. Calvo - A. Ruiz

Para leer
UNA ECLESIOLOGIA ELEMENTAL
A. Calvo - A. Ruiz

Para vivir
EL MATRIMONIO
Jean Pierre Bagot

Para vivir
LA LITURGIA
Jean Lebon

Para comprender
LA ANTROPOLOGIA, 2 vols.
Jesús Azcona

Para comprender
LA FILOSOFIA
Simonne Nicolas

Para vivir
LA FE CON LOS JOVENES
Henri Augé

Para decir
EL CREDO
J. N. Bezançon - J. M. Onfray - Ph. Ferlay

Para leer
LA HISTORIA DEL PUEBLO DE DIOS
Xabier Pikaza

Para comprender
LA TEOLOGIA DE LA LIBERACION
Juan J. Tamayo

Para comprender
LA PSICOLOGIA
Jesús Beltrán

Para leer
LA HISTORIA DE LA POBREZA
Paul Christophe

Para vivir
LA ORACION CRISTIANA
Xabier Pikaza

Para comprender
EL CATECUMENADO
Casiano Floristán

Para conocer
LA ETICA CRISTIANA
Marciano Vidal

Para comprender
LA SEXUALIDAD
Félix López

Para comprender
LAS RELIGIONES EN NUESTRO TIEMPO
Albert Samuel

Para conocer
EL ISLAM
Jacques Jomier

Para decir
DIOS
Dominique Morin

Para comprender
LOS SACRAMENTOS
Jesús Espeja

Para comprender
EL CATOLICISMO POPULAR
Luis Maldonado

Para comprender
LA ECLESIOLOGIA DESDE AMERICA LATINA
Víctor Codina

Para comprender
LA TRANSICION ESPAÑOLA
J. L. Recio Adrados - O. Uña - R. Díaz Salazar

Para comprender
AMERICA LATINA, 2 vols.
Gregorio Iriarte

Para comprender
LAS CIENCIAS DE LA EDUCACION
Elsa M. Casanova

Para comprender
LA SOCIOLOGIA
Juan González-Anleo

Para comprender
LA EXPERIENCIA ESTETICA
Alfonso L. Quintás

Para comprender
EL TRABAJO SOCIAL
Teresa Zamanillo - Lourdes Gaitán

Para ver
EL CINE
Víctor Bachy

Para comprender
LA TEOLOGIA
Evangelista Vilanova

Para conocer
LA FILOSOFIA DEL HOMBRE
José Lorite Mena

Para comprender
LA EVANGELIZACION
Casiano Floristán

Para leer • *Para comprender* • *Para vivir* • *Para decir* • *Para leer* • *Para comprender* • *Para vivir* • *Para decir* • *Para leer*